# JAMES PATTERSON

## HOWARD ROUGHAN

# DRUGI MIESIĄC MIODOWY

Z angielskiego przełożyła
MARIA GĘBICKA-FRĄC

ALBATROS
Wydawnictwo
A. A. Kuryłowicz

Tytuł oryginału:
SECOND HONEYMOON

Redakcja: Marta Bratkowska

Zdjęcie na okładce: © Trevor Payne/Arcangel Images

Projekt graficzny okładki: Wydawnictwo Albatros Andrzej Kuryłowicz s.c.

Projekt graficzny serii: Andrzej Kuryłowicz

Skład: Laguna


ISBN 978-83-7885-972-7

Książka dostępna także jako e-book


*Dystrybutor*

Firma Księgarska Olesiejuk sp. z o.o. sp. j.
Poznańska 91, 05-850 Ożarów Mazowiecki
tel. (22) 721 30 00, faks (22) 721 30 01
www.olesiejuk.pl

*Wydawca*

WYDAWNICTWO ALBATROS ANDRZEJ KURYŁOWICZ S.C.
Hlonda 2A/25, 02-972 Warszawa
www.wydawnictwoalbatros.com

2015. Wydanie I
Druk: TZG Zapolex sp. z o.o., Toruń

*Moim cudownym rodzicom – Johnowi i Harriet Roughanom*

# Prolog

## Rzeczy, które wybuchają w nocy

# 1

Chłopiec pewnego dnia miał zostać sławny, ale teraz oczywiście nawet mu to przez myśl nie przeszło. Czy małe dziecko może przewidzieć przyszłość albo zacząć ją rozumieć? Siedmioletni Ned Sinclair wyciągnął rękę w ciemność, po omacku szukając ściany, gdy zatrzymał się przed swoją sypialnią. Nie ośmielił się zapalić światła w korytarzu. Nie ośmielił się wydać jakiegokolwiek dźwięku. Ani pisnąć. Jeszcze nie.

Powoli szedł na palcach w głąb długiego, wąskiego korytarza, czując przez stopki swojej piżamy z Supermanem chłód drewnianej podłogi w środku zimy w Albany. Drżał, zmarznięty na sopel, z zimna szczękał zębami.

Gdy szukał poręczy na szczycie schodów, jego ręka kołysała się jak wiotka gałąź na wietrze. Nie ma... ciągle nie ma... nagle – tak, jest – gładka krzywizna lakierowanej sosny pod czubkami palców.

Ściskając poręcz tak mocno, że zbielały mu kostki palców, zszedł na parter, bezszelestnie stąpając po kolejnych stopniach.

Wcześniej tego dnia Ned prawie zapomniał, jakie przerażenie budzi w nim noc. Jego starsza siostra, Nora, zabrała go do kina na nowy film, sequel *Powrotu do przyszłości*. Cztery lata wcześniej był za mały, żeby obejrzeć oryginał.

Siedząc w ciemnym kinie z wielkim kubełkiem popcornu na kolanach i RC colą w dłoni, był całkowicie, cudownie zaabsorbowany filmem, a zwłaszcza samochodem marki De-Lorean.

Gdybym tylko mógł podróżować w czasie, pomyślał później. Już nie chcę tu być. Tu mi się nie podoba.

Nie było dla niego ważne, dokąd chciałby się udać, byle tylko jak najdalej stąd – i jak najdalej od tego przeraźliwego złego ducha, który nawiedzał dom późną nocą. Oboje z Norą zorganizowaliby wielką ucieczkę i później żyli szczęśliwie. Nowe miasto. Nowy dom. A w ogrodzie nowego domu? Wyłącznie żółte lilie, ulubione kwiaty Nory.

Ned ogromnie kochał swoją siostrę. Ilekroć dzieciaki z sąsiedztwa naśmiewały się z jego jąkania i okrutnie go przedrzeźniały – Ne-Ne-Ne-Ned – ona zawsze stawała w jego obronie. Nora była twarda jak żaden chłopak. Może tam, dokąd by się udali, mógłby ją poślubić.

Ale na razie wciąż tkwił w domu. Więzień. W pułapce. Leżąc bezsennie w każdą straszną noc, czekając na dźwięk, modlił się, żeby nigdy więcej się nie rozległ... ale zawsze się rozlegał.

Zawsze, zawsze. Zawsze.

Zły duch.

# 2

Ned skręcił w prawo u podnóża schodów, ręce wciąż prowadziły go w ciemności, gdy szedł po beżowej kudłatej wykładzinie przez jadalnię i gabinet ojca. Zatrzymał się przed drzwiami biblioteki ojca, do której pod żadnym pozorem nie wolno było mu wchodzić.

Zamarł, gdy zabulgotało i zagrzechotało ogrzewanie pod listwą przypodłogową, jakby ktoś szybko i mocno uderzał w stare, zardzewiałe rury. Następnie rozległ się szum płynącej wody. To wszystko. Nie usłyszał kroków ani głosów w domu. Tylko swoje serce szaleńczo tłukące się w klatce piersiowej.

Wracaj do łóżka. Nie możesz teraz walczyć ze złym duchem. Może kiedy będziesz większy. Proszę, proszę, proszę, wracaj do łóżka.

Tylko że Ned już nie chciał słuchać tego głosu rozbrzmiewającego w jego głowie. Teraz mówił do niego inny głos, znacznie silniejszy. Śmielszy. Nieustraszony. Kazał mu działać. Nie bój się! Nie bądź tchórzem!

Ned wszedł do biblioteki. Przy oknie stało mahoniowe biurko. Oświetlał je mglisty blask małego elektrycznego zegara

11

z cyframi na klapkach, zmieniającymi się jak te na staroświeckiej tablicy wyników.

Biurko było wielkie, zbyt wielkie jak na taki pokój. Pod blatem, po lewej stronie trzy duże szuflady. Ta, która miała znaczenie, znajdowała się na samym dole. Zawsze była zamknięta na klucz.

Ned oburącz sięgnął po stojący na biurku stary kubek do kawy, teraz służący do przechowywania piór, gumek i spinaczy. Odetchnął głęboko, niemal jakby liczył do trzech, i podniósł kubek.

Był tam. Klucz. Dokładnie tak jak tygodnie temu, gdy go odkrył. Ciekawski siedmiolatek potrafi znaleźć niemal wszystko, szczególnie kiedy nie powinien.

Ned wziął klucz, ścisnął go w palcach i wsunął do zamka w dolnej szufladzie.

Przekręcał go zgodnie z ruchem wskazówek zegara, aż usłyszał cichy szczęk.

Potem, równie ostrożnie, powoli, żeby nie narobić hałasu, wysunął szufladę.

I wyjął pistolet.

# 3

Olivia Sinclair usiadła w łóżku tak szybko, że lekko zakręciło się jej w głowie. Najpierw pomyślała, że włączyło się ogrzewanie, że zbudziło ją to okropne brzęczenie rur, które praktycznie wstrząsało całym domem.

Ale przecież właśnie dlatego przed pójściem spać wkładała do uszu woskowe zatyczki. Zawsze spełniały swoją funkcję. Nie pamiętała, żeby choć raz zbudziła się w środku nocy.

Do teraz.

Jeśli nie ogrzewanie i rury, to co? Musi być jakiś powód.

Olivia spojrzała w lewo, żeby sprawdzić, która godzina. Zegar na szafce nocnej wskazywał 00:20.

Obróciła się w prawo i spuściła nogi z łóżka, jej bose stopy szybko znalazły leżące na podłodze kapcie. W chwili gdy zapaliła światło, wstrząsnął nią kolejny hałas. Rozpoznała go od razu. Był to krzyk, straszny, po prostu okropny.

Nora!

Olivia wypadła z sypialni, popędziła długim, wąskim korytarzem w stronę światła dochodzącego z sypialni córki.

Kiedy stanęła w drzwiach, zapomniała o zawrotach głowy. Ogarnęły ją potworne mdłości.

Wszędzie była krew. Na podłodze. Na łóżku. Rozbryzgana na różowej ścianie pomiędzy plakatami Debbie Gibson i Duran Duran.

Oczy Olivii skakały po pokoju. Zaczerpnęła tchu. W powietrzu wisiał gęsty zapach prochu. W jednej szybkiej, przerażającej chwili zrozumiała, co się stało.

I co się działo od ponad roku. Boże! Moja córka! Moja słodka, niewinna córeczka! Nora siedziała skulona przy wezgłowiu łóżka. Rękami mocno obejmowała kolana. Była naga. Płakała. Patrzyła na swojego brata.

W kącie po drugiej stronie pokoju stał Ned. Biały niczym śnieg za oknami, nieruchomy jak posąg w swojej piżamie z Supermanem. Nie mógł nawet mrugnąć.

Olivia przez sekundę też stała jak skamieniała. Ale w następnej chwili było tak, jakby sobie przypomniała, kim jest. To jej dzieci.

Ona jest ich matką.

Podbiegła do Neda i uklękła, żeby go mocno przytulić. Zaczął coś mamrotać, powtarzał w kółko dwa słowa. Brzmiało to jak „Zły duch".

– Ciiiii – szepnęła mu do ucha. – Wszytko w porządku. Wszystko dobrze, skarbie.

Potem bardzo ostrożnie wyjęła pistolet z jego ręki.

Powoli podeszła do drzwi i obejrzała się, jeszcze raz spoglądając na pokój. Jej córka. Jej syn.

I martwy „zły duch" na podłodze.

Podeszła do telefonu w korytarzu. Stała przez długą chwilę ze słuchawką w ręce. W końcu wybrała numer.

– Mówi Olivia Sinclair – powiedziała dyżurnemu policjantowi. – Właśnie zabiłam swojego męża.

# Część pierwsza

---

## Dziwny przypadek O'Harów

# Rozdział 1

Ethan Breslow nie mógł powstrzymać się od uśmiechu, gdy sięgnął po butelkę szampana Perrier-Jouët chłodzącą się w ustawionym tuż obok łóżka wiaderku z lodem. Nigdy w całym swoim życiu nie czuł się bardziej szczęśliwy. Nigdy nie przypuszczał, że takie szczęście w ogóle jest możliwe.

– Jaki jest twój rekord w nienoszeniu ubrań podczas miesiąca miodowego? – zapytał żartobliwie, wyciągając swoje długie na metr osiemdziesiąt pięć, ładnie wyrzeźbione ciało, skąpo okryte prześcieradłem.

– Nie mogę tego wiedzieć na pewno. To mój pierwszy miesiąc miodowy – odparła jego świeżo upieczona żona, Abigail, opadając na poduszkę tuż obok niego. Jeszcze nie odzyskała tchu po ostrym seksie. – Ale w tempie, w jakim się posuwamy – dodała – niedługo będę miała przesyt.

Oboje się roześmiali, gdy Ethan nalewał szampana. Podając Abigail kieliszek, spojrzał głęboko w jej łagodne błękitne oczy. Miała tak piękne ciało i – piekielnie oklepany frazes – jeszcze piękniejsze wnętrze. Nigdy nie spotkał nikogo równie miłego i pełnego zrozumienia dla innych. Krótko

17

mówiąc, uczyniła go najszczęśliwszym facetem na kuli ziemskiej. Czy bierzesz tego mężczyznę za męża?

Tak.

Ethan wzniósł kieliszek w toaście, bąbelki zamigotały w promieniach karaibskiego słońca wpadającego przez zasłonki.

– Za Abby, najwspanialszą dziewczynę pod słońcem – powiedział.

– Sam też nie jesteś taki znowu wstrętny. Mimo że nazywasz mnie dziewczyną.

Trącili się kieliszkami i w milczeniu sączyli szampana, rozkoszując się pobytem w bungalowie na plaży w Governor's Club w Turks i Caicos. Wszystko było takie idealne – wonny aromat kwiatów dzikiej bawełny unoszący się pod baldachimem ich wielkiego łoża, łagodna bryza wpadająca przez otwarte drzwi tarasowe.

Na zupełnie innej wyspie – na Manhattanie – brukowce wylewały niezliczone kubły tuszu na opisy historii ich związku. Ethan Breslow, dziedzic stworzonego przez Breslowów imperium funduszy inwestycyjnych wysokiego ryzyka, kapitału wysokiego ryzyka i wykupów lewarowanych, niegdysiejszy złoty młodzieniec z nowojorskich kręgów imprezowych, wreszcie dorósł dzięki stojącej twardo na ziemi lekarce pediatrze Abigail Michaels.

Zanim się poznali, Ethan był notorycznym abnegatem. Brał narkotyki. Zmieniał kobiety jak rękawiczki. Imał się różnych zajęć. Próbował otworzyć nocny klub w SoHo, próbował wydawać czasopismo poświęcone winiarstwu, próbował zrobić film dokumentalny o Amy Winehouse. Ale nie wkładał w to serca. Ani trochę. W głębi duszy, tam gdzie naprawdę miało to znaczenie, nie miał pojęcia, co chce zrobić ze swoim życiem. Był przegrany.

A potem spotkał Abby.

Umiała się cieszyć życiem i była przezabawna, ale również konsekwentnie dążyła do wyznaczonego celu. Jej oddanie dzieciom naprawdę go wzruszyło i zainspirowało. Ethan zerwał z dotychczasowym stylem życia, rozpoczął i ukończył studia na wydziale prawa Uniwersytetu Columbia. Po pierwszym tygodniu pracy dla Children's Defense Fund, organizacji zajmującej się pomocą dzieciom, padł na kolana przed Abby i poprosił ją o rękę.

I teraz byli tutaj, świeżo po ślubie, i starali się o własne dzieci. Naprawdę się starali. Stało się to takim ich prywatnym żartem. Nikt od czasów Johna i Yoko nie spędzał w łóżku tyle czasu razem.

Ethan przełknął ostatni łyk szampana.

– Więc jak myślisz? – zapytał. – Damy odsapnąć tabliczce NIE PRZESZKADZAĆ i wybierzemy się na przechadzkę po plaży? Może jakiś mały lunch?

Abby przytuliła się jeszcze mocniej, jej długie kasztanowe włosy opadły na jego pierś.

– Moglibyśmy tu zostać i zamówić lunch do pokoju – odparła. – Może po tym będziemy mieli trochę większy apetyt.

Jej słowa podsunęły Ethanowi interesującą myśl.

– Chodź ze mną – powiedział, podnosząc się z łoża z baldachimem.

– Dokąd? – zapytała Abigail. Uśmiechała się zaintrygowana.

Ethan podniósł wiaderko z lodem, wsunął je pod pachę.

– Zobaczysz.

# Rozdział 2

Abby z początku nie była pewna, co o tym myśleć. Stojąc nago z Ethanem w łazience, położyła rękę na biodrze, jakby pytała: Żartujesz, prawda? Seks w saunie?

Ethan właśnie przed chwilą wyłożył jej swój pomysł.

– Myśl o tym jak o jednym z tych swoich ćwiczeń hot jogi – powiedział. – Tylko lepszym.

To przesądziło sprawę. Abby uwielbiała zajęcia hot jogi na Manhattanie. Nic lepiej nie poprawiało jej samopoczucia po długim dniu pracy.

Może z wyjątkiem tego. Tak, w tym pomyśle był wielki potencjał. Będą mogli śmiać się z tego przez następne lata. To będzie prawdziwe wspomnienie z podróży poślubnej. Albo, w najgorszym razie, fantastyczny sposób na spalenie kalorii!

– Ty pierwsza, kochanie – powiedział Ethan, z żartobliwą galanterią otwierając drzwi sauny. Governor's Club słynął z luksusowych łazienek, wyposażonych w jacuzzi i sześciogłowicowe prysznice w wyłożonych marmurem kabinach.

Ethan zwinnym ruchem nakrył ręcznikiem ławkę pod ścianą. Gdy Abby się położyła, zwiększył temperaturę, potem polał wodą kamienie lawowe ułożone w kącie. W saunie zasyczała para.

Klęcząc na cedrowej podłodze przed Abby, sięgnął do wiaderka z lodem. Odrobina gry wstępnej nie zaszkodzi.

Pochylił się, trzymając w ustach kostkę lodu, i zaczął powoli przesuwać ją po jej ciele. Kostka ledwie muskała skórę, wędrując od szyi przez piersi i dalej, aż do palców stóp, które teraz podkulały się z rozkoszy.

– To... cudowne – szepnęła Abby z zamkniętymi oczami.

Czuła pełną siłę gorąca sauny, pot zaczynał spływać po skórze. To było upajające. Była cała wilgotna.

– Chcę cię mieć w sobie – wymruczała.

Ale gdy otworzyła oczy, nagle poderwała się z ławki. Patrzyła nad ramieniem Ethana, zawstydzona.

– O co chodzi? – zapytał.

– Tam ktoś jest! Ethanie, właśnie kogoś widziałam.

Ethan się odwrócił, żeby spojrzeć na drzwi ze szklanym okienkiem, odrobinę większym niż biblioteczna karta katalogowa. Nie zobaczył niczego – ani nikogo.

– Jesteś pewna? – zapytał.

Abby pokiwała głową.

– Najzupełniej. Ktoś przeszedł. Jestem pewna.

– Mężczyzna czy kobieta?

– Nie mam pojęcia.

– Pewnie tylko pokojówka – powiedział Ethan.

– Przecież na drzwiach wisi tabliczka NIE PRZESZKADZAĆ.

– Na pewno zapukała, tylko jej nie słyszeliśmy. – Uśmiechnął się. – Biorąc pod uwagę, jak długo wisi tabliczka, pewnie zaczęła się zastanawiać, czy jeszcze żyjemy.

Abby trochę się uspokoiła. Prawdopodobnie Ethan ma rację. A jednak...

– Możesz sprawdzić? – zapytała.

– Jasne – zapewnił. Dla hecy sięgnął po wiaderko z lodem i podniósł je na wysokość krocza.

– Jak wyglądam?

– Bardzo śmiesznie – odparła Abigail, w końcu z uśmiechem. Podała mu ręcznik z ławki.

– Za sekundkę będę z powrotem – powiedział, owijając się ręcznikiem w talii.

Chwycił gałkę drzwi i pociągnął. Nic się nie stało.

– Zaklinowały się. Abby, nie chcą się otworzyć.

# Rozdział 3

– Co to znaczy, nie chcą się otworzyć?

W ułamku sekundy uśmiech zniknął z twarzy Abby.

Ethan szarpnął mocniej, lecz drzwi sauny ani drgnęły.

– Jak zamknięte na klucz – powiedział. Tyle że oboje wiedzieli, że w drzwiach nie ma zamka. – Pewnie się zaklinowały.

Przycisnął twarz do szyby okienka, żeby lepiej widzieć.

– Widzisz kogoś? – zapytała Abigail.

– Nie. Nikogo.

Uderzył pięścią w drzwi i krzyknął:

– Hej, jest tam kto?

Nie doczekał się odpowiedzi. Cisza. Niepokojąca cisza. Niesamowita cisza.

– I tyle w kwestii pokojówki – powiedziała Abby. Nagle coś wpadło jej do głowy. – Myślisz, że zamknęli nas tu złodzieje, żeby splądrować nasz pokój?

– Może – mruknął Ethan. Nie mógł wykluczyć takiej możliwości. Oczywiście, jako syn miliardera mniej się przejmował tym, że padnie ofiarą kradzieży, niż uwięzieniem w saunie.

– Co zrobimy? – zapytała Abby. Zaczynała się bać.

Zobaczył strach w jej oczach i to go przeraziło.

– Najpierw wyłączymy ogrzewanie – odparł, ocierając pot z czoła. Wcisnął guzik WYŁĄCZ na termostacie. Chwycił chochlę leżąca przy kamieniach lawowych i pokazał ją Abby. – To druga rzecz, jaką musimy zrobić.

Wepchnął drewnianą rączkę pomiędzy drzwi i futrynę jak łom, po czym naparł na nią całym swoim ciężarem.

– Działa! – krzyknęła Abigail.

Drzwi drgnęły na zawiasach, leciutko się uchyliły. Jeszcze odrobina wysiłku i... trach!

Rączka pękła jak zapałka, Ethan uderzył głową w ścianę. Kiedy się odwrócił, Abby zawołała:

– Krwawisz!

Miał skaleczenie pod prawym okiem, po jego policzku spłynął strumyczek czerwieni. Potem strumień. Abby lekarka widziała krew na każdy możliwy do wyobrażenia sposób i zawsze wiedziała, co robić. Ale teraz sytuacja wyglądała inaczej. To nie był jej gabinet ani szpital; nie miała gazików ani bandaży. Nie miała niczego. I to Ethan krwawił.

– Nic mi nie jest – zapewnił, żeby ją podnieść na duchu. – Wszystko będzie dobrze. Jakoś to rozgryziemy.

Nie była przekonana. To, co miało być gorące i seksowne, teraz było tylko gorące. Brutalnie gorące. Przy każdym wdechu powietrze parzyło wnętrze jej płuc.

– Jesteś pewien, że sauna jest wyłączona? – zapytała.

Prawdę mówiąc, Ethan już niczego nie był pewien. W saunie robiło się coraz gorącej. Jak to możliwe?

Mniejsza z tym. Jego asem w rękawie była rura w kącie, zawór awaryjny.

Stanął na ławce, przekręcił zawór na rurze. Rozległ się głośny syk. Jeszcze głośniejsze było westchnienie ulgi Abby. Nie dość, że temperatura przestała wzrastać, to z kratki wentylacyjnej w suficie dmuchało zimne powietrze.

– Zrobione – oznajmił Ethan. – Przy odrobinie szczęścia włączyliśmy gdzieś alarm. Nawet jeśli nie, wszystko będzie dobrze. Wody mamy pod dostatkiem. W końcu nas znajdą.

Ale gdy tylko ostatnie słowo padło z jego ust, oboje zmarszczyli nosy, wciągając powietrze.

– Co to za zapach?

– Nie wiem – odparł Ethan. Cokolwiek to było, coś było nie w porządku.

Abby zakasłała pierwsza, desperacko poderwała ręce do szyi. Gardło się zaciskało, nie mogła oddychać.

Ethan próbował jej pomóc, ale parę sekund później on też już nie mógł oddychać.

To się działo tak szybko. Popatrzyli na siebie, łzy płynęły z ich zaczerwienionych oczu. Oboje dygotali, cierpiąc niewyobrażalne katusze. Nie mogło być gorzej.

Ale było. Kiedy Ethan i Abby upadli na kolana, bez tchu, zobaczyli dwoje oczu patrzących przez okienko w drzwiach sauny.

– Pomocy! – wykrztusił Ethan, wyciągając rękę. – Ratunku, proszę!

Ale oczy tylko patrzyły. Nieruchome i bezduszne. Ethan i Abby w końcu zrozumieli, co się dzieje. To morderca – morderca, który patrzył, jak umierają.

# Rozdział 4

Mówiłem to tysiące razy. Nie zawsze wszystko jest takie, jak się wydaje.

Weźmy na przykład pokój, w którym siedziałem. Patrząc na eleganckie meble, kosztowne perskie dywany i obrazy w złoconych ramach, pomyślelibyście, że wszedłem do jakiegoś designerskiego domu pokazowego na przedmieściach.

Zdecydowanie nie do biura jakiegoś faceta na Lower East Side na Manhattanie.

Następnie weźmy samego faceta, który siedział naprzeciwko mnie.

Gdyby odrobinę bardziej odchylił się do tyłu, jego fotel na pewno by się wywrócił. Miał na sobie dżinsy, koszulkę polo i brązowe sandały marki Teva. Nigdy w życiu byście nie zgadli, że jest psychiatrą.

Jeszcze jakiś tydzień temu ja też wydawałem się całkiem wyluzowany. Nikt by nie powiedział, że byłem na skraju spuszczenia w klopie mojej w miarę obiecującej jedenastoletniej kariery w FBI. Dobrze to ukrywałem. Przynajmniej tak mi się zdawało.

Ale mój szef, Frank Walsh, był odmiennego zdania, delikatnie mówiąc. Frank zasadniczo założył mi werbalnego nelsona, wrzeszcząc na mnie swoim chrapliwym wskutek wypalania dwóch paczek dziennie głosem, dopóki się nie poddałem. Musisz iść do psychiatry, John.

Oto dlaczego zgodziłem się spotkać z nadzwyczaj wyluzowanym doktorem Adamem Kline'em w gabinecie urządzonym jak salon. Specjalizował się w leczeniu ludzi cierpiących na skutek „głębokiego stresu emocjonalnego spowodowanego utratą bliskiej osoby".

Ludzi takich jak ja, John O'Hara.

Wiedziałem na pewno tylko to, że jeśli ten facet w końcu nie poręczy, że jestem zdrowy psychicznie, będę skończony w FBI. Kaput. Wylany. Sayonara w promocji.

Ale tak naprawdę nie na tym polegał problem.

Problem był w tym, że miałem to w dupie.

– Więc jest pan Doktorem Zgryzotą? – odezwałem się, opadając na fotel, który wyraźnie miał sprawić, że zapomnę, iż w rzeczywistości jestem „na kozetce".

Doktor Kline z lekkim uśmiechem pokiwał głową, jakby dowcipkowanie na samym wstępie było właśnie tym, czego się po mnie spodziewał.

– A z tego, co słyszałem, pan jest Agentem Bombą Zegarową – odpalił. – Możemy zaczynać?

# Rozdział 5

Facet zdecydowanie nie tracił czasu.

– Jak dawno temu zmarła twoja żona, John? – zapytał doktor Kline, od razu przechodząc do rzeczy.

Zauważyłem, że nie ma pióra ani notatnika. Nic nie zostanie zapisane. Po prostu słuchał. Prawdę mówiąc, spodobało mi się takie podejście.

– Została zabita mniej więcej dwa lata temu.

– Jak to się stało?

Patrzyłem na niego, nieco zbity z tropu.

– Nie czytał pan o tym w moich aktach?

– Przeczytałem wszystko. Trzy razy – odparł. – Chcę jednak usłyszeć to od ciebie.

Z jednej strony chciałem poderwać się z fotela i przywalić gościowi prawym sierpowym za to, że próbuje mnie zmusić do przeżywania na nowo najgorszego dnia w moim życiu. Ale druga część mojej osoby – ta mądrzejsza – rozumiała, że nie prosi mnie o nic, czego ja sam bym nie robił. Codziennie, ni mniej, ni więcej. Nie mogłem o tym zapomnieć.

Nie mogłem zapomnieć o Susan.

Susan i ja byliśmy agentami specjalnymi FBI, choć kiedy się poznaliśmy i wzięliśmy ślub, byłem tajnym detektywem w nowojorskiej policji. Gdy kilka lat później zostałem agentem, przydzielono mnie do zupełnie innej sekcji niż Susan, do wydziału walki z terroryzmem. Pomijając nieliczne wyjątki, Biuro tylko pod takim warunkiem zgadza się na zatrudnianie par małżeńskich.

Susan urodziła dwóch pięknych chłopców i przez jakiś czas było cudownie. Później przestało być. Po ośmiu latach wzięliśmy rozwód. Oszczędzę wam wyliczania powodów, zwłaszcza dlatego, że żaden nie okazał się dość wielki, żeby nas rozdzielić.

Jak na ironię, oboje zrozumieliśmy to dopiero wtedy, gdy pracowałem nad sprawą dotyczącą pewnej czarnej wdowy, seryjnej zabójczyni, która o mało mnie nie otruła. Susan i ja pogodziliśmy się i wraz z Johnem Juniorem i Maxem znów tworzyliśmy rodzinę. Do pewnego popołudnia mniej więcej dwa lata temu.

Opowiedziałem doktorowi Kline'owi, jak Susan wracała do domu z supermarketu, kiedy inny samochód przejechał na czerwonym świetle i worał się w bok jej auta z prędkością prawie stu kilometrów na godzinę. Ograniczenie na tej drodze wynosiło pięćdziesiąt. Susan poniosła śmierć na miejscu, podczas gdy ten drugi kierowca został ledwie draśnięty. Co więcej, sukinsyn był pijany.

Pijany prawnik, jak się okazało.

Odmawiając dmuchania w alkomat i decydując się na badanie krwi w szpitalu, zyskał parę godzin – dość, żeby poziom alkoholu spadł poniżej dopuszczalnego. Został oskarżony o spowodowanie wypadku ze skutkiem śmiertelnym i dostał minimalny wyrok.

Czy to sprawiedliwe? Wy mi powiedzcie. On wróci do swoich dzieci, ja zaś musiałem posadzić moje i wytłumaczyć, że już nigdy więcej nie zobaczą swojej mamy.

Doktor Kline milczał przez kilka sekund, gdy skończyłem mówić. Jego twarz niczego nie zdradzała.

– Co kupowała? – zapytał w końcu.

– Słucham?

– Co Susan kupowała w supermarkecie?

– Słyszałem pana. Po prostu nie mogę uwierzyć, że to pierwsze pańskie pytanie po tym wszystkim, co powiedziałem. Czy to ważne?

– Nie powiedziałem, że ważne.

– Masło – mruknąłem. – Susan chciała upiec ciastka dla chłopców, ale nie miała masła. Czysta ironia, nie sądzi pan?

– Jak to?

– Mniejsza z tym.

– Nie, proszę, mów – zachęcił mnie doktor Kline.

– Była agentką FBI, wiele razy mogła zginąć w pracy.

Wtedy stało się tak, jakby wewnątrz mnie pstryknął jakiś włącznik. Albo może wyłącznik. Nie mogłem się opanować, słowa ze złością wylewały się z moich ust.

– Ale nie, zabił ją jakiś pijany dupek, gdy wracała z supermarketu!

Nagle zabrakło mi tchu, jakbym przed chwilą ukończył maraton.

– Proszę. Zadowolony pan?

Doktor Kline pokręcił głową.

– Nie, nie jestem zadowolony, Johnie. Jestem zmartwiony – powiedział spokojnie. – Czy wiesz dlaczego?

Oczywiście, że wiedziałem. Właśnie dlatego Biuro mnie

zawiesiło. Właśnie dlatego mój szef, Frank Walsh, nalegał na to, żebym tu przyszedł na badanie głowy.

Stephen McMillan, pijany prawnik, który zabił Susan, niespełna tydzień temu wyszedł z więzienia.

– Myśli pan, że zamierzam go zabić, prawda?

Kline wzruszył ramionami, zbywając pytanie.

– Powiedzmy, że ludzie, którym na tobie bardzo zależy, martwią się o to, co być może planujesz. Więc powiedz mi, John... czy mają powody do obaw? Zamierzasz się zemścić?

# Rozdział 6

Riverside w Connecticut leży jakąś godzinę jazdy od centrum Manhattanu. Dając upust drzemiącym we mnie ambicjom kierowcy wyścigowego Maria Andrettiego, pokonałem trasę w czterdzieści minut. Wszystkim, czego chciałem, był powrót do domu i uściskanie moich chłopców.

– Jezu, tato, chcesz mnie zmiażdżyć czy co? – pisnął Max, który rzucał piłką baseballową w siatkę ustawioną na naszym trawniku przed domem. Powiem, że jak na dziesięciolatka naprawdę miał do tego dryg, oczywiście uwzględniając ojcowskie klapki na oczach.

Wreszcie wypuściłem go z objęć.

– Jesteście spakowani? – zapytałem.

Tydzień temu zaczęły się wakacje. Max i jego starszy brat, John Junior, nazajutrz rano mieli jechać na miesięczny obóz.

Max pokiwał głową.

– Tak. Babcia pomogła mi wszystko ogarnąć. Nawet napisała markerem moje imię na wszystkich majtkach. Dziwne. Co najmniej.

Nie spodziewałbym się niczego innego po babci Judy.

– Są w domu? Oboje z dziadkiem?

– Nie. Pojechali na zakupy – odparł Max. – Dziadek chce steki na kolację. To nasz ostatni wspólny wieczór.

Po śmierci Susan jej rodzice, Judy i Marshall Holtowie, zdecydowali się na przeprowadzkę z Florydy, gdzie mieszkali od czasu przejścia na emeryturę. Powiedzieli, że nie dam rady samotnie wychować chłopców, wciąż pracując w Biurze, i mieli rację. Poza tym chyba wiedzieli, że kontakt z Maxem i Johnem Juniorem pomoże – choćby trochę – złagodzić ból po stracie córki, ich jedynego dziecka.

Byli absolutnie niesamowici od dnia przyjazdu i nie mógłbym w pełni wyrazić swojej wdzięczności za ich czas, miłość i poświęcenie, ale mogłem przynajmniej zafundować im czterotygodniowy rejs wycieczkowy po Morzu Śródziemnym, kiedy chłopcy będą na obozie. Zapłaciłem z przyjemnością, gdy jeszcze dostawałem z Biura czeki z wypłatą. Nie znaczy, że po zawieszeniu zmieniłbym zdanie. Chodzi o to, że w obecnych okolicznościach Marshall i Judy nigdy nie przyjęliby takiego prezentu. Po prostu tacy są.

– Gdzie jest twój brat? – zapytałem Maxa.

– Przy komputerze. A gdzie indziej? – odparł, przewracając oczyma pod swoją czapką Jankesów. – Komputeromaniak.

Max wrócił do eliminowania wyimaginowanych pałkarzy Red Sox, a ja wszedłem do domu i na górę do pokoju Johna Juniora. Naturalnie drzwi były zamknięte.

– Puk, puk – zapowiedziałem się, wchodząc od razu.

John Junior rzeczywiście siedział przy biurku przed komputerem. Na mój widok oderwał ręce od klawiatury.

– Daj spokój, tato, nie możesz naprawdę zapukać? – powiedział z jękiem. – Czy nigdy nie słyszałeś o prawie do prywatności?

Zachichotałem.

– Masz trzynaście lat, stary. Możesz ze mną dyskutować, gdy zaczniesz się golić.

Z uśmiechem potarł brzoskwiniowy meszek na podbródku.

– Może to nastąpi prędzej, niż myślisz – powiedział.

Miał rację. Mój starszy chłopak szybko dorastał. Może zbyt szybko.

John Junior miał jedenaście lat, kiedy stracił matkę, bardzo trudny wiek. W odróżnieniu od Maxa, J.J. był dość duży, żeby przeżywać wszystko jak dorosły – pełnię bólu i cierpienia, dotkliwe poczucie straty. Wciąż jednak był tylko dzieckiem. Właśnie dlatego uważałem to za ogromnie niesprawiedliwe. Tragedia przyspieszyła proces jego dojrzewania w sposób, na jaki nie powinno być narażone żadne dziecko.

– Nad czym pracujesz? – zapytałem.

– Aktualizuję swoją stronę na Facebooku – odparł. – Na obozie nie pozwolą nam tego robić.

Tak, wiem. Między innymi dlatego tam jedziesz, kolego. Zero gier wideo, telefonów komórkowych i laptopów. Tylko świeże powietrze i matka natura.

Stanąłem za nim i rzuciłem okiem na jego macbooka. Natychmiast się wkurzył, zasłaniając ekran rękami.

– Tato, to moje prywatne sprawy!

Nigdy nie chciałem być ojcem, który szpieguje swojego dzieciaka albo potajemnie loguje się do jego komputera, żeby sprawdzić, czy nie mówi albo nie robi czegoś, czego nie powinien. Ale też wiedziałem, że w internecie nie ma niczego „prywatnego".

– Kiedy wrzucisz coś do sieci, każdy na świecie może to zobaczyć – powiedziałem.

– I co z tego?

– Dlatego musisz być ostrożny, to wszystko.

– Jestem – odparł. Odwrócił wzrok.

W chwilach takich jak ta naprawdę brakowało mi Susan. Ona by wiedziała, co powiedzieć i, równie ważne, czego nie mówić.

– John, spójrz na mnie.

Powoli uniósł głowę.

– Ufam ci – oznajmiłem. – Ale ty też musisz mi ufać. Ja tylko próbuję ci pomóc.

Pokiwał głową.

– Tato, wiem wszystko o zagrożeniach w sieci. Nie podaję żadnych osobistych informacji ani nic takiego.

– To dobrze – powiedziałem. I na tym koniec.

Przynajmniej tak myślałem. Wychodząc z pokoju Johna Juniora, nie miałem pojęcia, najmniejszego pojęcia, że czeka mnie rozgryzienie jednej z największych i najbardziej obłąkanych spraw w mojej karierze.

I że zacznie się szybciej, niż da się powiedzieć „Kolacja na stole".

# Rozdział 7

– Wiecie, jak Włosi nazywają kolację na dworze? – zapytała Judy, patrząc na swoich wnuków, jakby siedzieli nie przy naszym okrągłym stole na tarasie, ale w szkolnych ławkach. Matka Susan przez dwadzieścia osiem lat uczyła w szkole podstawowej. Niełatwo wykorzenić stare nawyki.

– Skarbie, daj chłopcom spokój – powiedział Marshall, tnąc półkilogramowy stek. – Szkoła się skończyła.

Judy radośnie go zignorowała. Byli małżeństwem jeszcze dłużej, niż pracowała jako nauczycielka.

– *Alfresco* – kontynuowała. – To znaczy „na świeżym powietrzu". – Powoli powtórzyła słowo, wymawiając je tak, jak brzmiałoby na jednaj z tych klasycznych taśm Berlitza do nauki języków. – Al-fres-co.

– Hej, chwileczkę, znam go! – wtrącił Marshall, mrugając do chłopaków zza okularów w drucianej oprawce. – Al Fresco! Razem walczyliśmy w Wietnamie. Dobry stary Al Fresco. Ależ był z niego agregat!

Max i John Junior wybuchnęli śmiechem. Zawsze się śmiali z żartów dziadka. Nawet Judy pozwoliła sobie na uśmiech.

Ja też się uśmiechałem. Patrzyłem na rodzinę, która została zdruzgotana przez tragedię, ale jakoś zdołała się pozbierać i żyła dalej.

Rany, jakieś myśli o pozbieraniu się i życiu dalej, O'Hara? Może odzyskasz swoją odznakę? Jakieś pozory życia. Tak? Nie? Parę minut później Judy zrobiła coś, czego unikała od wypadku Susan. Zaczęła mówić o śmierci innej osoby. Przez jakiś czas na sam dźwięk tego słowa zaczynała płakać.

– Dziś w wiadomościach widziałam coś strasznego – powiedziała. – Ethan Breslow i lekarka, którą poślubił, zostali zamordowani w podróży poślubnej.

Marshall pokręcił głową.

– Nigdy nie przypuszczałem, że to powiem, ale naprawdę współczuję jego ojcu.

– Chwila... a kto to taki ten Ethan Breslow? – zapytał John Junior.

– Syn bardzo bogatego człowieka – odparłem.

– Bardzo, bardzo bogatego człowieka – dodał Marshall. – Warner Breslow jest kimś w rodzaju miliardera Donalda Trumpa... tylko mniej skromny.

Judy spojrzała na niego z dezaprobatą, choć nie miała zamiaru zaprzeczyć. Ego Warnera Breslowa zdobyło światową sławę. Miało nawet swoją własną stronę w Wikipedii.

– Złapali zabójcę? – zapytałem.

– Nie – odparła Judy. – W wiadomościach podali, że nie było żadnych świadków. Młodzi chyba się wybrali do Turks i Caicos.

– Turks i gdzie? – zapytał Max, nieświadom, że właśnie sprowokował babcię do poprowadzenia kolejnej lekcji.

– Turks i Caicos – powtórzyła. – To karaibska wyspa, a w zasadzie dwie grupy wysp.

Gdy zaczęła krótką lekcję historii poświęconą Brytyjskim Indiom Zachodnim, w domu zadzwonił telefon. Miałem zamiar wstać, ale Marshall mnie ubiegł.

– Ja odbiorę – powiedział.

Niespełna dwadzieścia sekund później wrócił do stołu ze zdezorientowaną miną, dość zszokowany. Przyniósł aparat.

– Kto to? – zapytałem.

– Warner Breslow – odparł. – Chce z tobą mówić.

# Rozdział 8

Zbieg okoliczności to za mało powiedziane; lepsze określenie, że to było po prostu niesamowite.

Marshall podał mi telefon i wszedłem do domu, do mojego pokoju przy kuchni. Nigdy nie spotkałem Warnera Breslowa, nie mówiąc już o rozmowie z nim. Do teraz.

– O'Hara, słucham.

Przedstawił się i przeprosił, że dzwoni do mnie do domu. Słuchałem każdego słowa, ale tym, co naprawdę słyszałem – co naprawdę mną wstrząsnęło – był jego głos. Kiedy widziałem go w telewizji, udzielającego wywiadów, mówił tak, jak przystało na potężnego samca überalfa, którym był. Prawdziwy mistrz świata.

Teraz po prostu sprawiał wrażenie pokonanego i może bezradnego.

– Zakładam, że słyszał pan o moim synu i jego żonie – powiedział.

– Tak, słyszałem. Proszę przyjąć wyrazy współczucia.

Zapadła cisza. Chciałem dodać coś więcej, ale nie przychodziło mi na myśl nic sensownego czy stosownego. Nie znałem tego człowieka i jeszcze nie wiedziałem, dlaczego dzwoni.

Ale miałem przeczucie.

– Polecił mi pana nasz wspólny znajomy – podjął. – Sądzi pan, że może pan mi pomóc?

– Przypuszczam, że to zależy. Czego pan potrzebuje? Jakiej pomocy pan oczekuje?

– Nie pokładam zbytniej wiary w bandzie detektywów spod palmy. Chcę pana wynająć, żeby przeprowadził pan własne dochodzenie niezależnie od policji Turks i Caicos.

– To trochę trudne.

– Właśnie dlatego do pana dzwonię. Czy mam wyrecytować pański życiorys?

Nie, nie musiał. A jednak...

– Panie Breslow, niestety agentom FBI nie wolno dorabiać na boku.

– A co z zawieszonymi agentami FBI?

Wertowałem mój mentalny kołonotatnik, próbując wykombinować, kim może być nasz wspólny znajomy w Biurze. Breslow miał do kogoś dojście.

– Chyba mógłbym porozmawiać z moim szefem – powiedziałem.

– Ja już to zrobiłem.

– Zna pan Franka Walsha?

– Jesteśmy starymi przyjaciółmi. Biorąc pod uwagę sytuację, pańską i moją, gotów jest zrobić wyjątek w tej sprawie. Biuro daje panu zielone światło.

Następnie, zanim zdążyłem zrobić wdech, Breslow przeszedł od razu do rzeczy. Może był pogrążony w rozpaczy, ale nie przestał być biznesmenem. Niezwykle potężnym i wpływowym.

– Dwieście pięćdziesiąt tysięcy dolarów – powiedział.

– Słucham?

– Za pański czas i usługi. Plus wydatki, oczywiście. Jest pan tego wart.

Kiedy nie zareagowałem od razu, wywarł pewien nacisk. A może pomachał marchewką?

– Popraw mnie, John, jeśli się mylę, ale jesteś zawieszony bez wynagrodzenia, prawda?

– Odrobił pan pracę domową.

– A co z twoimi chłopcami? – zapytał. – Czy odrabiają prace domowe? Chodzi mi o to, czy dobrze się uczą?

– Jak na razie tak – odparłem z lekkim wahaniem. Wciągał w to moje dzieci. – Dlaczego pan pyta o moich synów?

– Ponieważ nie wspomniałem o premii. Powinieneś wiedzieć, jaka będzie, zanim udzielisz mi odpowiedzi. Oto co dostaniesz, jeśli twoja praca zapewni mi jedyną małą pociechę, jaką mogę mieć w tej sytuacji. Sprawiedliwość.

A potem Warner Breslow sprecyzował, ile warta jest dla niego sprawiedliwość. Określił moją premię.

I coś wam powiem: ten człowiek naprawdę znał się na prowadzeniu interesów.

# Rozdział 9

Prawie pięć tysięcy kilometrów dalej, na siódmym piętrze szpitala psychiatrycznego Eagle Mountain na przedmieściach Los Angeles trzydziestojednoletni Ned Sinclair leżał na łóżku, być może po raz milionowy licząc białe płytki na suficie. Był to bezmyślny nawyk, działanie samozachowawcze podjęte w imię... no tak, zachowania zdrowych zmysłów. Liczenie płytek, na okrągło, stanowiło jego jedyną ucieczkę z tego zapomnianego przez Boga i ludzi piekła.

Do teraz.

Ned słyszał popiskiwanie kółek wózka jadącego po szarym linoleum w korytarzu, rozwożącego to, co pielęgniarki sarkastycznie nazywały drinkami przed snem – różne narkotyki podawane pacjentom psychiatrycznym, żeby byli mili i spokojni w nocy, kiedy w szpitalu zostaje tylko podstawowy personel.

– Czas na leki – powiedział ktoś za drzewami. – Dzisiejszej nocy bez żadnych gierek, Ned.

Ned się nie odwrócił, żeby spojrzeć. Liczył płytki. Dwadzieścia dwa... dwadzieścia trzy...

Od czterech lat, od przybycia do Eagle Mountain, ta sama pielęgniarka pchała wózek w dni powszednie. Miała na imię Roberta i była mniej więcej tak życzliwa i ujmująca jak jedna ze szpitalnych ścian. I miała podobną budowę. Rzadko kiedy odzywała się do swoich współpracowników, a już na pewno nie wdawała się w pogawędki z pacjentami. Robiła tylko to, za co jej płacono: rozdzielała leki. Nic więcej. I Nedowi to odpowiadało.

Ale dwa tygodnie temu Roberta została zwolniona. Lepkie palce do pewnych pigułek, jak mówiono. Zawsze po cichu.

Jej miejsce zajął facet, który lubił, gdy zwracano się do niego po przezwisku, As. „DupAs" pasowałoby lepiej. Pielęgniarz był hałaśliwy, nieprzyjemny, tępy i nie wiedział, kiedy się zamknąć. Wyraźnie morze kandydatów do pracy na nocną zmianę było płytkie jak kalifornijska kałuża w sierpniu.

– Dalej, Ned, wiem, że mnie słyszysz w tej swojej popieprzonej główce – rzucił As, pchając wózek. – Powiedz coś. Mów do mnie, koleś.

Ale Ned nie miał nic do powiedzenia.

As nie odpuszczał. Nie cierpiał, gdy ktoś go olewa. Miał tego dość w barach, gdzie dostawiał się do kobiet z wdziękiem kuli do wyburzania. Patrząc wściekle na Neda, zastanawiał się, za kogo uważa się ten debil, że nie raczy się do niego odezwać.

– Wiesz, rozpytałem się o ciebie – podjął. – Dowiedziałem się, że byłeś swego rodzaju matematycznym geniuszem, przemądrzałym profesorem na uniwerku. Ale spotkało cię coś złego. Co się stało? Ktoś cię skrzywdził? Sam się skrzywdziłeś? Czy dlatego siedzisz tu na siódmym piętrze?

Siódme piętro w Eagle Mountain zarezerwowane było dla PAN-ów – takim skrótem personel określał „pacjentów agresywnych z natury". Z tego powodu nigdy – przenigdy – nie pozwalano im posiadać niczego ostrego ani niczego, co można naostrzyć. Nawet nie mogli sami się golić.

Ned zachował milczenie.

– Zaraz, zaraz... właśnie sobie przypomniałem, co to było – mówił As. – Powiedzieli, że ci odbiło po śmierci siostry. – Uśmiechnął się szelmowsko. – Ostra była, Ned? Założę się, że tak. Nora, zgadza się? Przeleciałbym tę słodką dupencję, gdyby tu była. Ale oczywiście jej tu nie ma, co nie? Nora nie żyje. Tylko kości miednicy zamiast zgrabnej dupy, oto co z niej zostało!

Salowy zaśmiał się ze swojego żartu, zupełnie jak dzieciaki, które dokuczały Nedowi z powodu jego jąkania się przez wszystkie te lata dawno temu w Albany.

Wtedy Ned po raz pierwszy odezwał się do Asa.

W końcu miał coś do powiedzenia.

# Rozdział 10

– Mogę prosić moje pigułki? – zapytał spokojnie Ned. Powietrze uszło z wydętej piersi Asa jak z dmuchanego zamku po parafialnym festynie. Po tych wszystkich jego przechwałkach, podpuszczaniu, nieskrywanym okrucieństwie, nie mógł uwierzyć, że tylko na to stać Neda. Na nic. Przemądrzałemu, jak mniemał, profesorowi brakowało ducha walki.

– Wiesz co? Myślę, że jesteś ciotą – zakpił As, sięgając po kubeczek z pigułkami.

Wczoraj wieczorem jednak wcale nie myślał. Poproszono go o zastąpienie Eduarda, który zwykle dostarczał kolację wszystkim pacjentom. Eduardo poszedł na chorobowe. Jak na ironię, przyczyną było zatrucie pokarmowe, być może wywołane skosztowaniem któregoś ze szpitalnych dań głównych.

Tak więc As zrobił rundkę wczorajszego wieczoru, bezmyślnie wrzucając tace do kolejnych pokoi na kolejnych piętrach. Łącznie z siódmym. Zapomniał, że PAN-y mają dostać inny deser niż pozostali pacjenci. Była to drobna pomyłka.

Z drugiej strony czasami różnica pomiędzy życiem i śmiercią jest równie drobna, jak różnica pomiędzy kanapką lodową a lodami na patyku.

Na patyku.

– Proszę, bierz – powiedział As, z kubkiem pigułek w ręce. Ned sięgnął, ale to nie kubek złapał. Z siłą imadła zacisnął dłoń na nadgarstku Asa.

Szarpnął go w stronę łóżka, jakby pociągnięciem linki zapuszczał spalinową kosiarkę. W jakimś sensie tak było. Niech zacznie się cięcie.

Ned uniósł drugą rękę, złośliwie dźgając patyczkiem od lodów. Przez pocieranie nim o żelbetonową ścianę nadał mu ostrość brzytwy. Zadał Asowi cios w pierś, ramię, policzek i ucho, potem wrócił do klatki piersiowej i dźgał raz za razem. Krew tryskała wysoko w powietrze jak fajerwerki.

Potem, na finał, wbił patyczek głęboko w byczy kark nieudolnego pielęgniarza – w dziesiątkę! – przecinając arterię szyjną jak kawałek czerwonej lukrecji.

Jak się trzymasz, As?

Nie trzymał się. Upadając na podłogę, As próbował krzyknąć, zawołać o pomoc, ale z jego ust popłynęła tylko krew. Facet, który nie umiał się zamknąć, w końcu nie mógł wypowiedzieć nawet jednego słowa.

Ned wstał z łóżka i patrząc, jak As się wykrwawia na podłodze, odliczał sekundy do jego śmierci. To jak liczenie płytek na suficie, pomyślał. Prawie kojące.

A teraz pora ruszać.

Ned zebrał swoje rzeczy osobiste, tych kilka, które szpital pozwolił mu zachować. Wymeldowywał się. Przemknie obok personelu z nielicznej nocnej zmiany cichutko jak mysz.

Albo jak mały chłopiec z pistoletem tatusia.

Przed wyjściem z pokoju Ned ostatni raz popatrzył na martwego Asa rozciągniętego na podłodze. Facet nigdy się nie dowie, dlaczego go zabił – a gdyby nawet znał prawdziwy powód, i tak nie mógłby go pojąć. Nie miało znaczenia, że był wrednym sukinsynem. Neda nie mogłoby to mniej obchodzić.

Pierwszego dnia pracy As zrobił coś, co wprawiło w ruch mechanizm ukryty głęboko w mózgu Neda.

Po prostu straszne, okropne...

Podał mu swoje prawdziwe nazwisko.

# Rozdział 11

Szuuu! – uderzył mnie podmuch gorącego powietrza, gdy tylko wysiadłem z prywatnego odrzutowca Warnera Breslowa na międzynarodowym lotnisku Providanciales w Turks i Caicos. Temperatura sięgnęła trzydziestu pięciu stopni i rosła. Dżinsy i koszulka polo natychmiast przywarły do mojej skóry jak przylepce.

Odrzutowiec Breslowa, bombardier global express XRS, mógł maksymalnie zabrać dziewiętnastu pasażerów plus załogę, ale podczas tego lotu przewoził minimum. Był tylko pilot, jedna stewardesa i ja. To tak à propos dodatkowego miejsca na nogi...

Gdy tylko postawiłem stopę na płycie lotniska, podszedł do mnie młody mężczyzna, około trzydziestki, w białych płóciennych spodenkach i białej płóciennej koszuli z krótkimi rękawami.

– Witamy w Turks i Caicos, panie O'Hara. Jestem Kevin. Jak minął lot?

– To był najgorszy koszmar Ala Gore'a – odparłem, potrząsając jego ręką. – Poza tym lot był naprawdę fantastyczny.

Uśmiechnął się, ale byłem całkiem pewien, że nie załapał. Tak to jest z żartami na temat globalnego ocieplenia. Albo śmieszą, albo trafiają w próżnię.

Jeszcze nie wiedziałem, kim jest Kevin, ale wszystko inne do tego momentu było jasne jak słońce. Rozmawiałem w Biurze z Frankiem Walshem, który potwierdził, że rzeczywiście zaaprobował moją pracę dla Breslowa.

Co do charakteru jego znajomości z Breslowem nie wdawał się w szczegóły. Gdy człowiek znał Franka, to wiedział, że nie należy drążyć tematu. Toteż nie drążyłem.

Tymczasem Breslow oddelegował jednego ze swoich drogich prawników, który już następnego ranka po naszej pierwszej rozmowie zjawił się w moim domu, żeby mi przekazać podpisaną umowę. Miała tylko dwie strony i wyraźnie została sformułowana tak, że była bardziej korzystna dla mnie. Nie prosiłem o kontrakt na piśmie, to Breslow nalegał.

– Zaufaj mi, kiedy ci mówię, że nigdy nie powinieneś wierzyć nikomu na słowo – powiedział tonem pełnym znaczenia.

Poza umową dostałem również zapieczętowaną kopertę.

– Co to? – zapytałem.

– Zobaczy pan – odparł prawnik z uśmiechem. – Po prostu może się przydać.

Miał rację.

Tego ranka żałowałem tylko tego, że nie mogę wraz z Marshallem i Judy jechać do Berkshires, żeby odstawić Maxa i Johna Juniora na obóz. Wyściskawszy chłopaków na pożegnanie, obiecałem, że zobaczymy się za dwa tygodnie w obozowy dzień odwiedzin.

Max, któremu zależało, żebym nie złamał słowa, zmusił mnie do złożenia „superpoczwórnej obietnicy", że się zjawię.

– I nie krzyżuj palców – przestrzegł mnie, a John Junior przewrócił oczami.

Już tęskniłem za nimi jak szalony.

– Jedziemy? – zapytał Kevin, wskazując przez ramię zaparkowaną w pobliżu srebrną limuzynę. Kiedy się zawahałem, w końcu zrozumiał.

– Och, przepraszam, założyłem, że pan wie. Jestem z kurortu Gansevoort – wyjaśnił. – Pan Breslow zarezerwował u nas miejsce dla pana.

Skinąłem głową. Tajemnica Kevina została rozwiązana. Sprawiło mi to niekłamaną przyjemność. Widziałem Gansevoort w dziale turystycznym „New York Timesa" i był absolutnie piękny – pierwszorzędny. Co nie znaczy, że przyjechałem tutaj się bawić. Rzucę torbę, wezmę szybki prysznic i ruszę prosto do Governor's Club, żeby zacząć śledztwo.

Breslow początkowo założył, że tam będę chciał się zatrzymać – na „miejscu zbrodni" – ale mu powiedziałem, że będę się czuł bardziej komfortowo gdzieś w pobliżu. Przez „komfort" oczywiście nie rozumiałem jakości prześcieradeł.

Byłoby zupełnie inaczej, gdybym mógł pokazać odznakę, ale tutaj byłem nie agentem O'Harą, tylko Johnem O'Harą. I na razie chciałem, żeby w Governor's Club wszyscy tak o mnie myśleli.

Podobnie jak miejscowi policjanci. Niebawem złożę im uprzejmą wizytę i wymienię uwagi z detektywami prowadzącymi sprawę, jeśli będą skłonni do współpracy. Przy odrobinie szczęścia będą. Na razie jednak chciałem podróżować incognito, na ile okaże się to możliwe.

Zanim jednak zrobiłem krok w kierunku limuzyny, kątem oka dostrzegłem błysk światła. Odwróciłem się i zobaczyłem pędzący ku nam biały samochód. Naprawę zasuwał. Gdyby miał skrzydła, oderwałby się od ziemi.

Pytanie, czy ma hamulce?

Samochód nie zwolnił; co więcej, zbliżał się coraz szybciej.

Wreszcie, wykonując numer rodem ze szkoły jazdy Starsky'ego i Hutcha, zahamował tuż przed nami, tylne koła ślizgały się po gorącym asfalcie.

Na boku samochodu widniał napis: POLICJA KRÓLEWSKA TURKS I CAICOS.

Spojrzałem na Kevina, który miał taką minę, jakby zamierzał sfajdać się w swoje płócienne szorty.

– Pan Breslow przypadkiem nie załatwił nam eskorty? – zapytałem.

Kevin przecząco pokręcił głową.

I ja pokręciłem głową. Koniec, kropka.

I tyle, jeśli chodzi o moje incognito. Najwyraźniej miałem się spotkać z policją nieco wcześniej, niż zamierzałem.

Czy wspomniałem, jak tam było gorąco?

Witamy w Turks i Caicos, O'Hara.

# Rozdział 12

Okręgowy komendant policji Joseph Eldridge, któremu podlegał każdy centymetr kwadratowy wszystkich czterdziestu wysp i wysepek składających się na terytorium Turks i Caicos, zapalił cygaretkę za swoim nieskazitelnym biurkiem. Wydmuchnął dym i popatrzył na mnie tak, jakby wiedział coś, o czym ja nie wiedziałem.

Niewątpliwie wiedział to coś. Mianowicie, dlaczego zostałem „odeskortowany" z lotniska prosto do jego biura.

Oprócz niego w pokoju było jeszcze dwóch mężczyzn: przewodniczący rady turystyki i zastępca komendanta policji. Nie poznałem ich nazwisk, ale nie miało to znaczenia. Siedzieli z boku i nic nie wskazywało, że mają zamiar zabrać głos. Rozmowa toczyła się wyłącznie pomiędzy Eldridge'em i mną.

– Nie miałem pojęcia, czego się spodziewać po panu Breslowie – zaczął Eldridge. – Wiedziałem tylko tyle, że coś się zdarzy. A może raczej powinienem powiedzieć, że ktoś się zjawi.

Wyglądało na to, że bogactwo i reputacja wyprzedziły Breslowa. Uśmiechnąłem się.

– No tak, zawsze dobrze być kimś, prawda?

Eldridge rozparł się w fotelu, wybuchając głębokim śmiechem. Trochę przypominał starszego Denzela Washingtona i miał basowy głos Jamesa Earla Jonesa. W sumie sprawiał wrażenie dość przyjemnego faceta.

A jednak istniała cienka linia pomiędzy byciem mile i niemile widzianym w Turks i Caicos, i ja najwyraźniej siedziałem na niej okrakiem jak linoskoczek.

– Jakie więc są pańskie plany na czas pobytu na wyspach? – zapytał.

Skoro Eldridge był dość sprytny, żeby przewidzieć, że Breslow wynajmie prywatnego detektywa, i dość skrupulatny, żeby sprawdzać dokumenty każdego przylatującego prywatnego samolotu, dopóki nie znajdzie tego należącego do Breslowa, nie miałem zamiaru z nim pogrywać. Abstrahując od moich spraw osobistych, byłem „urlopowanym" agentem FBI, próbującym pomóc człowiekowi, który poniósł niewyobrażalną stratę.

Tak właśnie mu powiedziałem, dodając:

– Jestem tu po prostu po to, by dopilnować, że w czasie śledztwa zostaną poruszone niebo i ziemia. Nikomu tym nie zaszkodzę, prawda?

Eldridge pokiwał głową.

– Ma pan broń? – zapytał.

– Nie.

– Czy FBI wie, że pan tu jest?

– Tak.

– Pracuje pan sam?

– To zależy.

– Od czego?

– Od pańskiej chęci dzielenia się ze mną informacjami – odparłem. – Na początek, co dotąd ujawniło pańskie dochodzenie? Macie jakichś podejrzanych? Wyniki autopsji?

Eldridge strzepnął popiół do leżącej na biurku wielkiej muszli, która pełniła funkcję popielniczki. Musiał podjąć decyzję.

Z jednej strony mogłem mu pomóc w prowadzaniu śledztwa. Mało prawdopodobne, żeby pracował dla niego ktoś z moim przygotowaniem i doświadczeniem. Z drugiej strony dopiero co się poznaliśmy. Miał prawo przypuszczać, że mogłem mieć trochę nierówno pod sufitem. Aha, panie komendancie, czy mój szef przypadkiem nie wspomniał, że widuję się z psychiatrą?

Eldridge przez chwilę mierzył się ze mną wzrokiem, po czym popatrzył na dwóch mężczyzn siedzących pod ścianą. Po raz pierwszy zareagował na ich obecność.

Może sprawiło to spojrzenie, jakim ich obrzucił, a może taki był plan od samego początku, ale obaj nagle wstali i wyszli z pokoju, jakby właśnie przypomnieli sobie, że zaparkowali na zakazie.

Teraz miałem Eldridge'a wyłącznie dla siebie.

A może było na odwrót.

# Rozdział 13

Patrzyłem, jak Eldridge zaciąga się cygaretką, z jego ust wydobywała się idealnie cienka smużka dymu.

– Agencie O'Hara, kiedy pan tu przybył, co zobaczył pan przed komisariatem? – zapytał.

– Stado reporterów z całego świata – odparłem. – Nawet z Bliskiego Wschodu.

– I jak wyglądali?

– Mieli głód w oczach. Jak wataha wilków, które nie jadły co najmniej od czterdziestu ośmiu godzin. Widziałem to już wcześniej.

Uśmiechnął się.

– Otóż to. Więc proszę nie brać tego do siebie, kiedy powiem, że nie mogę wyjawić żadnych szczegółów dotyczących śledztwa. Choćby dlatego, że chciałbym wierzyć, że nauczyłem się czegoś na cudzych błędach.

Z miejsca zrozumiałem, o czym mówi: o Arubie.

W sprawie Natalee Holloway wyciekło tyle informacji i błędnych informacji, że policja Aruby w końcu wyszła na nieudolnych gliniarzy ze slapstickowych komedii. Eldridge był zdecydowany nie dopuścić, żeby coś takiego zdarzyło się pod jego dowództwem.

A jednak miałem tu robotę i on o tym wiedział.

– Czy mogę przynajmniej założyć, że cały pański wydział kryminalny pracuje nad sprawą? Każdy inspektor. Każda osoba w dół hierarchii służbowej aż do ostatniego konstabla? – zapytałem.

Już odrobiłem małą pracę domową na temat organizacji tutejszej dochodzeniówki. Podczas gdy detektywi w nowojorskiej policji mają stopnie – pierwszy, drugi i trzeci – w Turks i Caicos są cztery poziomy starszeństwa w wydziale kryminalnym: detektywi inspektorzy, następnie sierżanci, a potem kaprale i konstable.

Do licha, dla mnie wyglądało to tak, że tu nawet dozorca powinien się zajmować łapaniem zabójcy.

– Tak, może pan zapewnić pana Breslowa, że wszyscy pracujemy nad sprawą – odparł Eldridge. – Wszyscy, obecnie łącznie w panem. Zakładam, że jak najszybciej uda się pan do Governor's Club?

Skinąłem głową.

– Tak.

– Z pewnością pan wie, że Governor's Club jest prywatnym ośrodkiem i że jego szefowie mogą wnieść oskarżenie o bezprawne wkroczenie na ich teren, jeśli tylko zechcą.

Znów wbiłem w niego oczy, próbując odczytać jego myśli. Nie mogłem. Czyżby naprawdę próbował wejść mi w paradę?

– Sądzi pan, że istnieje taka możliwość? – zapytałem. – To znaczy, czy naprawdę mogą uznać moją obecność za wtargnięcie?

– Całkiem możliwe. Świadczą usługi klientom z najwyższej

półki, elicie, i są bardzo drażliwi na punkcie szanowania prywatności goszczących u nich osób.

Nagle do mnie dotarło, co robi Eldridge. Naprawdę próbował mi coś powiedzieć, tylko nie chciał używać zbyt wielu słów. To było poza protokołem. Miałem czytać między wierszami. Używał szyfru.

Jeśli tylko okażę się dość sprytny, żeby go rozpracować.

– Tak, rozumiem, o co panu chodzi – powiedziałem. – Byłoby mi ogromnie przykro, gdybym postawił pana w niezręcznej sytuacji z powodu takiej błahostki, jak zarzut bezprawnego wkroczenia. Musiałby pan mnie aresztować, prawda?

– Tak, niestety. Bez wahania.

Wstałem i potrząsnąłem jego ręką.

– W takim razie dołożę wszelkich starań, żeby zaoszczędzić panu kłopotu.

# Rozdział 14

Czułem się jak dzieciak z tajnym pierścieniem dekodującym z pudełka płatków śniadaniowych. Eldridge całkiem sprytnie dał mi do zrozumienia, że nie ma żadnych tropów i będzie wdzięczny za moją pomoc, chociaż będę musiał pomagać mu po kryjomu. Kierownictwo Governor's Club najwyraźniej nie paliło się do współpracy i choć nie mogło mu zabronić kontaktów z personelem, tamtejsi goście – elita – to była już zupełnie inna historia.

Z rozmowy o możliwości aresztowania za wtargnięcie wynikało, że Eldridge radzi mi zameldować się w ośrodku jako gość. Mogą mnie wprawdzie przejrzeć i wykopać, ale nie za wtargnięcie. Nikt nie będzie mógł postawić mi zarzutów.

Dlatego ledwie po godzinie pobytu w Turks i Caicos moje plany znowu się zmieniły.

– Dla palących czy niepalących, panie O'Hara? Mamy wolne oba rodzaje pokoi.

Uprzejma i śliczna brunetka za biurkiem recepcji w Governor's Club nie puściła pary z ust, ale nie trzeba było być wielkim filozofem czy nawet zawieszonym agentem FBI, żeby wykombinować, że w następstwie morderstwa dwojga gości w ośrodku będzie, och, może tylko parę zwolnionych apartamentów. Jak inaczej wyjaśnić, że wszedłem tam bez rezerwacji w czerwcu – szczycie sezonu podróży poślubnych – i mimo to znalazło się dla mnie miejsce?

– Proszę dla niepalących – odparłem.

– Doskonale, panie O'Hara.

Zatrzymałem się w bungalowie z widokiem na ogród, najtańszym, jaki mieli – a może, dokładniej rzecz ujmując, najmniej drogim. Mimo wszystko kosztował siedemset pięćdziesiąt dolarów za dobę. Niezły interes! Dobrze, że Breslow pokrywał wszystkie moje wydatki.

Ochłodziłem się, biorąc szybki prysznic, potem wskoczyłem w strój, dzięki któremu miałem się wtopić w popołudniowy tłum: spodenki kąpielowe, bawełniana koszulka i emulsja do opalania z filtrem 30. Stałem się go prostu kolejnym zameldowanym gościem, zmierzającym nad basen i gotowym się wmieszać w tabuny podobnych turystów. Oczywiście dyskretnie.

Czy ktoś zauważył coś dziwnego, zanim Ethan i Abigail zostali zamordowani?

Niestety, jeśli był tu ktoś, kto coś widział, nie spędzał czasu na basenie. À propos dyskrecji: okolice basenu były prawie wyludnione. Jeden pusty leżak obok drugiego.

Zdecydowałem, że moim następnym przystankiem będzie plaża, piękny pas białego piasku nachylony łagodnie ku czemuś, co nazywało się Grace Bay.

Zobaczyłem opalających się gości, ale rozproszonych i nielicznych, dosłownie można ich było policzyć na palcach. Niespecjalnie ułatwiało to nawiązywanie rozmowy.

Plan D. Kiedy wszystko inne zawodzi, zacznij pić.

Ruszyłem do baru na plaży, małej chaty z sześcioma pustymi stołkami i samotnym barmanem, który wyglądał na znudzonego. Zamówiłem turk's head, miejscowe piwo, i zastanawiałem się nad moim następnym ruchem.

Jak się okazało, wcale nie musiałem się ruszać.

Po pięciu minutach do baru podszedł mężczyzna po sześćdziesiątce i zamówił poncz na rumie. Gdy witaliśmy się życzliwym skinieniem głowy, zauważyłem, że jego oparzenia słoneczne powoli przechodzą w opaleniznę.

Innymi słowy, prawdopodobnie spędził w ośrodku więcej niż kilka dni.

Pociągnąłem łyk piwa, odwróciłem się w jego stronę. Miałem zaplanowane otwarcie.

– Rany, cicho jak w grobie, co nie?

Mężczyzna stłumił chichot.

– Można tak rzec.

Potrzasnąłem głową, jakby mówiąc: „A mogłem wziąć bezalkoholowe!".

– Jezu, święta racja. Niefortunny dobór słów – powiedziałem. – Jestem tu od dzisiaj, ale o wszystkim słyszałem. Straszne, co? To chyba wyjaśnia, skąd te pustki.

– Tak. Zaraz po tym wydarzeniu mnóstwo ludzi zwiewało stąd na łeb na szyję. Raczej im się nie dziwię.

Mężczyzna trochę przeciągał samogłoski. Teksas, może Oklahoma. Przedsiębiorca, może prawnik. Na pewno nie lekarz. Lekarze zwykle nie noszą złotych roleksów.

Uśmiechnąłem się, wskazując na niego piwem.

– Pan jednak postanowił zostać, co? Nie rozumiem.

– To jak w tym filmie – powiedział. Namyślał się przez

sekundę, jego czoło się pofałdowało, gdy próbował przypomnieć sobie tytuł. – *Świat według Garpa*. Wie pan, kiedy samolot wbija się w dom, a Robin Williams mimo wszystko go kupuje?

– A tak, pamiętam. Jakie są szanse, że to się powtórzy, zgadza się?

– Właśnie.

– Przy okazji, jestem John.

– Carter – przedstawił się, potrząsając moją ręką.

– Oczywiście, każdy poczuje się o niebo lepiej, jeśli złapią zabójcę. Słyszałeś coś?

Barman postawił poncz na barze. Carter natychmiast wyjął ze szklanki plasterek pomarańczy i maleńką parasolkę, jakby obrażały jego męskość.

– Nic nie słyszałem – powiedział pomiędzy łykami. – Sprawę otacza tajemnica. Najwyraźniej hotelowi, a ściślej mówiąc, całej wyspie, nie zależy na jeszcze większym rozgłosie.

– A przed morderstwem?

– To znaczy?

– Sam nie wiem – mruknąłem, wzruszając ramionami. Teraz uważaj, O'Hara. – Widziałeś może, czy ci dwoje rozmawiali z kimś w szczególności?

– Nie. Widziałem ich tylko raz. Jedli późną kolację w restauracji. Gruchali jak gołąbki, tacy zapatrzeni w siebie.

Chybiony strzał z tym moim nowym kumplem Carterem, pomyślałem. Ale zaraz potem zobaczyłem, że znowu marszczy czoło. Tym razem naprawdę mocno.

– O czym myślisz? – zapytałem.

– Właśnie coś mi się przypomniało – odparł.

# Rozdział 15

Mów do mnie, Carter.

– Właściwie widziałem ich dwa razy – powiedział. – Gdy się nad tym zastanowiłem...

Carter odstawił szklankę zroszoną z gorąca i opisał, jak widział Ethana i Abigail Breslowów o zachodzie słońca spacerujących po plaży. Uważał, że było to może dzień przed morderstwem. Zagadnął ich jakiś mężczyzna idący w przeciwnym kierunku.

– Słyszałeś rozmowę? – zapytałem, wciąż siląc się na lekki ton pogawędki.

– Nie. Zagłuszał ich szum wody i siedziałem tutaj, na koktajlu z żoną. Wszyscy troje się uśmiechali, ale poznałem, że Breslow i jego żona czują się skrępowani – Pochylił się lekko. – I nie tylko dlatego, że tamten facet miał na sobie te skąpe kąpielówki Speedo.

– Skąd wiesz, że czuli się nieswojo?

– Mowa ciała – odparł. – Jestem w tym dobry.

– Grasz w pokera?

– Tak, zgadza się, w pokera i kości. Szczerze mówiąc,

właśnie dlatego się dziwię, że zapomniałem o tym facecie, z którym rozmawiali. Przecież widziałem go wcześniej... w kasynie. Cholera, powinienem powiedzieć o tym policji, prawda? Nic na to nie odrzekłem. Przynajmniej tak mi się zdawało. Ale Carter nie żartował; biegle odczytywał mowę ciała.

Znowu się pochylił, tym razem jeszcze bliżej.

– Zaczekaj no. Jesteś gliną, prawda?

– Coś w tym rodzaju.

Miałem nadzieję, że nie będę musiał wchodzić w szczegóły. Może dlatego tak szybko postawiłem Carterowi następny poncz – „Zatrzymaj owocki, proszę" – ale nie dociekał. Poprosiłem go, żeby opisał tego faceta, którego widział z Breslowami.

– Ciemne włosy, wyglądał przyzwoicie. Pewnie pod czterdziestkę.

– Wysoki? Niski?

– Chyba średniego wzrostu. Mniej więcej taki wysoki jak chłopak Breslowa. I w dobrej kondycji.

– Myślisz, że jest tutejszym gościem?

– Nie wiem. Jak mówiłem, poza tym widziałem go tylko w kasynie.

– W którym? – Wiedziałem, że są dwa na wyspie.

– W Casablance. Speedo i ja graliśmy w kości przy tym samym stole, tyle że on stawiał na *don't pass*. Wysoko obstawiał. I dużo wygrywał.

– Znał krupierów?

– Chodzi ci o to, że oszukiwał?

– Nie... może to stały klient, ktoś, kto mieszka na wyspie.

– Tak. Gdy o tym wspomniałeś... Tak, krupierzy go znali. To dobrze, prawda? Są szanse, że go znajdziecie.

Wypiłem ostatni łyk turk's head. Niezłe, jak na wyspiarski browar.

Podziękowałem Carterowi za czas i pomoc. Gdy miałem zsunąć się ze stołka, zobaczyłem, że szeroko otwiera oczy.

– Kurwa, nie wierzę – mruknął, patrząc nad moim ramieniem.

Odwróciłem się.

– O co chodzi?

– To on... ten facet! Jedzie na skuterze. Widzisz go? Tam!

Osłoniłem oczy dłonią, żeby nie raziło ich słońce. Facet rzeczywiście pasował do opisu Cartera, łącznie ze skąpymi kąpielówkami Speedo – albo, jak nazywała je Susan, hamakiem dla banana.

– Jesteś pewien, że to on? – zapytałem.

– Jak cholera.

Uznałem to za potwierdzenie.

# Rozdział 16

Szedłem szybko przez biały piasek plaży Grace Bay, a przez głowę przelatywały mi różne badania i statystyki, które w ciągu lat czytałem o przestępcach wracających na miejsce zbrodni. Włamywacze? Około dwunastu procent. Mordercy? Prawie dwadzieścia procent. Skacze do dwudziestu siedmiu, gdy dochodzi czynnik seksualny.

Nie chciałem, żeby facet myślał, że idę prosto do niego, więc przystanąłem, żeby zanurzyć stopy w wodzie. Z odległości około sześciu metrów patrzyłem, jak wyciąga skuter na piasek, żeby go fale nie zabrały.

– Pomóc? – zapytałem, podchodząc.

– Nie, dzięki, dam sobie radę – odparł, nawet na mnie nie patrząc. Wysławiał się jak Amerykanin, ale nie mówił z amerykańskim akcentem. Mister Speedo był monsieur Speedem. Francuzem.

Kawałek dalej na plaży jeden przy drugim stały dwa inne skutery – yamaha waverunners – które należały do ośrodka.

– Słuchaj, przyszło mi na myśl, że jutro wybiorę się na przejażdżkę. Ile biorą za wynajem czegoś takiego? – zapytałem.

Speedo jednak nie dosiadał yamahy. Miał szafirowego kawasaki, zresztą dość zdezelowanego. Może to był jego skuter, a może nie, lecz prawie na pewno nie należał do Governor's Club.

Innymi słowy, strugałem głupka. Moje prawdziwe pytanie brzmiało: Jesteś tu gościem, Speedo?

– Wpadłem z wizytą – odparł krótko. – Nie wiem, ile sobie liczą.

– Pewnie będę musiał tam spytać – powiedziałem, patrząc na wypożyczalnię sprzętu przy barze. Przed chatą siedział facet, obsługując zero klientów, jeszcze bardziej znudzony niż barman. Wszędzie wokół panował ten sam klimat. Nic równie skutecznie jak podwójne morderstwo nie zabija interesów w luksusowym ośrodku wypoczynkowym.

Speedo odwrócił się i odszedł, nie przełamując stereotypu francuskiego podejścia do cudzoziemców.

Chwileczkę, *mon frère*, jeszcze z tobą nie skończyłem. Dopiero zacząłem.

Szedł w kierunku ścieżki prowadzącej do basenu. Dopędziłem go mniej więcej w połowie drogi.

– Przepraszam – powiedziałem. – Chciałbym spytać o jeszcze jedną rzecz.

Nie mógłby wyglądać na bardziej zdumionego, kiedy się ku mnie odwrócił.

*Sacré bleu!* Czego teraz chce ten głupi amerykański turysta?

– Jestem trochę zajęty – burknął.

– Ja też – odpaliłem. – Próbuję rozwiązać sprawę morderstwa.

Miałem nadzieję, że się wzdrygnie. Nie wzdrygnął się. Idealnie spokojny, po prostu pokiwał głową.

– Tak, Breslowowie – powiedział.

– Wiesz coś o nich?

– Jasne. Cała wyspa o tym gada.

– Zabawne, że tak powiedziałeś. Gada. Jak rozumiem, gadałeś z Breslowami tu na plaży dzień czy dwa przed morderstwem.

– I co z tego?

– Znałeś ich?

– Nie.

– O czym rozmawialiście?

Przestąpił z nogi na nogę.

– A kim ty właściwie jesteś? – zapytał.

– Czy to zmieni twoją odpowiedź, jeśli ci powiem?

Speedo przez chwilę mierzył mnie wzrokiem, a ja robiłem to samo.

– O nurkowaniu z fajką – powiedział w końcu.

– O nurkowaniu z fajką?

– Tak. Pytali mnie o Rafę Martwego Człowieka – powiedział, wskazując nad moim ramieniem.

W chwili gdy się odwróciłem, żeby spojrzeć, już wiedziałem, że popełniłem błąd.

# Rozdział 17

Jak to bywa z niespodziewanymi ciosami, ten też okazał się dobry. Prosto w brzuch, mocno i szybko. Dość powiedzieć, że zbił mnie z nóg.

Oddychaj, O'Hara! Oddychaj!

Nikłe szanse. Klęczałem, zwinięty w bezradną kulę, opierając przedramiona na piasku.

Speedo tymczasem wyglądał jak początek jednoosobowego triatlonu, gdy pędził przez plażę prosto ku wodzie. Tylko ja wiedziałem, że nie ma zamiaru uciekać wpław. Cholera!

Podźwignąłem się, zobaczyłem, że wlecze ku wodzie swój skuter, i natychmiast zacząłem biec... w przeciwnym kierunku.

Facet obsługujący chatę ze sprzętem ledwie miał czas mrugnąć okiem.

– Wrócę – rzuciłem, zgarniając kluczyki z lady. Przy odrobinie szczęścia pokiwa do mnie ręką i zawoła: „Dobrej zabawy!".

Aha, akurat.

– Hej, człowieku! – usłyszałem, gdy zawracałem biegiem

na plażę. Teraz dopiero się działo. Ja ścigałem Speeda, a facet od sprzętu ścigał mnie. – Hej, ty! Stój!

Nagle kątem oka dostrzegłem moją południową kawalerię. Carter zsunął się ze stołka i pędził przez plażę jak generał Sherman przez Georgię. Jak na starszego faceta całkiem nieźle zasuwał.

Gdy, najszybciej jak mogłem, wlokłem do wody jeden z dwóch skuterów ośrodka, obejrzałem się i zobaczyłem, że Carter niemal przyblokował faceta z szopy. Chryste, co za widok. Plaża nigdy nie była świadkiem takiej akcji.

Podczas gdy Carter szybko próbował wyjaśnić sytuację, ja usiłowałem przejść kurs utrwalający wiedzę o subtelnościach prowadzenia skutera. Bez wątpienia minęło więcej niż dwadzieścia lat, odkąd siedziałem na czymś takim.

Po prostu jak jazda na motocyklu, racja?

Przekręciłem kluczyk, wcisnąłem przycisk start i dźwignię przepustnicy. Potem trzymałem się ze wszystkich sił. Speedo miał przewagę na starcie, ale jeszcze mnie nie zgubił.

– Dorwij go! – wrzasnął Carter.

Na litość Jamesa Bonda, jak ja się w to wpakowałem?

# Rozdział 18

Udami ściskałem siodełko, podskakując na falach, łapiąc do płuc znacznie więcej powietrza, niż chciałem. Za każdym razem, gdy wbijałem się w grzywacz, woda bryzgała mi w twarz, sól piekła w oczy. Silnik pracował na najwyższych obrotach. Ręce i nogi trzęsły mi się tak bardzo, że aż drętwiały od wibracji.

Hej, czy ktoś się dobrze bawi? Na pewno nie ja. Może Speedo ma ubaw.

Pędząc za Francuzem, zastanawiałem się, dokąd mnie prowadzi – albo czy w ogóle wybiegł myślą tak daleko do przodu. Dzieliło nas jakieś sto metrów, a ja desperacko próbowałem zmniejszyć dystans.

Nie zmniejszałem.

Raczej odległość pomiędzy nami wzrastała. Ale dopóki go widziałem, miałem szanse. Facet nie będzie jechać na swojej maszynie w nieskończoność, w końcu musi dobić do brzegu. Już widziałem moją przyszłość: kolejny wyścig, tym razem na własnych nogach.

Nagle zobaczyłem coś innego.

W dali z wody wystawał szereg poszarpanych skał. Wyglądały jak małe czarne pionki w partii szachów, która już w połowie była rozegrana.

Speedo pędził prosto na nie.

Zanim to zrozumiałem, zniknął.

Wykorzystał przewagę gry na własnym boisku i nagle odniosłem wrażenie, że narzucił mi swoje reguły. Ale nie miałem czasu, żeby zwolnić i wszystko przemyśleć.

Dociskałem dźwignię przepustnicy i siedziałem mu na ogonie, skręcając w lewo i w prawo w drodze przez ten labirynt. Byłem przemoczony, wyczerpany i o wiele za blisko tych skał. Skutery wodne nie są wyposażone w poduszki powietrzne, prawda?

Wreszcie znów wypadłem na otwartą wodę. Ku mojemu zdumieniu nawet trochę zmniejszyłem dystans.

Speedo, który wyprzedzał mnie o jakieś pięćdziesiąt metrów, nerwowo zerkał przez ramię. Po raz pierwszy zdjąłem rękę z kierownicy.

I pomachałem.

Zaczynałem chwytać, jak trzeba to robić, jak wykorzystywać fale, żeby zwiększały moją prędkość. Dotrzymuję tempa? Do licha, nie, doganiam!

Zmierzał do brzegu. Spojrzałem przed siebie i zobaczyłem pas plaży przed innym ośrodkiem. W którą stronę pobiegnie?

Niebawem zrozumiałem, że bieganie nie leży w jego planach.

Przede mną na wodzie rozpościerał się wielki krąg czerwonych pływaków. Wszędzie wokół podskakiwały głowy nurków, ich fajki w jaskrawych kolorach podnosiły się i opadały. Ale w kręgu nie było nikogo.

Z wyjątkiem Speeda.

I potem mnie.

Natychmiast zaczął skręcać, jakbyśmy znów znaleźli się wśród tych sterczących skał, tylko że tu nie widziałam żadnych skał.

Dopóki nie było za późno.

Ryms! Bum!

Zjeżdżając z wielkiej fali, zobaczyłem, że woda pode mną znika, a jej miejsce zajmują poszarpane koralowce. To wyjaśniało obecność czerwonych pływaków.

Kolana się pode mną ugięły. Gdy wylądowałem, skuter przechylił się w prawo. Próbowałem się na nim utrzymać.

Nie udało się. Przeleciałem nad kierownicą, zrobiłem salto w powietrzu jak Charlie Brown próbujący kopnąć piłkę.

To wszystko, co pamiętam.

# Rozdział 19

Dobra wiadomość była taka, że nie umarłem.

– Chce pan teraz wysłuchać złych wiadomości? – zapytał Joe Eldridge. – Ponieważ mam ich parę.

Stał przy nogach mojego łóżka, wyraz jego twarzy wahał się pomiędzy litością i rozdrażnieniem. Z pewnością komendant policji nie spodziewał się zobaczyć mnie tak prędko, nie wspominając o tym, że leżałem w centrum medycznym Grace Bay z paroma pękniętymi żebrami i umiarkowanym wstrząśnieniem mózgu.

– Tym, czego naprawdę chcę, są środki przeciwbólowe – wymamrotałem.

I wcale nie żartowałem. Ból rozsadzał mi głowę. Do licha, rozsadzał całe moje ciało. Samo mruganie sprawiało katusze.

Jak wyjaśnił Eldridge, złe wiadomości nie dotyczyły ucieczki Speeda. Naprawdę nazywał się Pierre Simone, był naciągaczem i oszustem karcianym.

Ale nic więcej.

– Nie powierzyłbym mu opieki nad dziećmi – powiedział Eldridge – ale nie jest mordercą. Nie stosuje przemocy.

– Skąd ta pewność? – zapytałem.

Splótł ręce na piersi.

– Proszę mi wierzyć, znam go.

Zobaczyłem, że Eldridge w prawej ręce trzyma szarą kopertę, lecz jeszcze nie był gotów, żeby o niej mówić. Stwierdzenie „wierz mi" wymagało bardziej drobiazgowego wyjaśnienia. Przecież ten Pierre o mało mnie nie zabił. Więc rozwiąż mi tę zagadkę, panie komendancie...

– Dlaczego chciał mnie załatwić? – zapytałem.

– W Stanach wydano na niego nakaz aresztowania. Za jakieś lipne czeki w Nowym Jorku, jak się zdaje – odparł Eldridge. – Mówi pan z amerykańskim akcentem i pewnie zasypał go pan pytaniami. Spanikował.

– Spanikował?

– Z pewnością pan wie, że Turks i Caicos przestrzegają umowy o ekstradycji pomiędzy Stanami Zjednoczonymi i Wielką Brytanią.

– Nie tylko wiem, jestem skłonny ją wykorzystać – oznajmiłem, a Eldridge się uśmiechnął. Wbiłem w niego oczy. – Myśli pan, że żartuję?

Uniósł dłonie.

– Nie. Przepraszam, nie o to chodzi. Jeszcze nikt panu nie powiedział, prawda?

– O czym?

– Po wypadku stracił pan przytomność. To Pierre wyniósł pana na brzeg i udzielił pomocy. Przypuszczam, że czuł się winny.

– Chwila. Więc ma go pan w areszcie?

Eldridge zachichotał.

– Aż tak winny to on się nie czuje. Zwiał, gdy tylko

wezwano karetkę. Ale jak powiedziałem, nie jest osobą skłonną do stosowania przemocy.

Leżałem w łóżku, słuchając Eldridge'a, ale więcej mówiło mi to, co widziałem. Komendant miał taką samą minę jak wtedy, kiedy spotkaliśmy się w jego biurze. Wiedział coś, czego ja nie wiedziałem.

Nagle mnie olśniło.

– Cholera, jest pańskim informatorem, prawda?

Eldridge skinął głową.

– Pierre okazał się bardzo pomocny przy paru sprawach, które prowadziłem w ostatnich latach. W zamian od czasu do czasu przymykam oczy na jego machlojki. Ale nie dlatego mam pewność, że nie jest podejrzany.

To rzekłszy, podał mi kopertę. Kierunek mojego dochodzenia miał ulec diametralnej zmianie. Podróż do Turks i Caicos w końcu się opłaciła.

# Rozdział 20

– Coś do oclenia? Deklaracja? – zapytał celnik na lotnisku Kennedy'ego.

Owszem. Dopóki żyję, nawet nie spojrzę na skuter wodny. Może być?

Pilot Warnera Breslowa podał mi jego numer telefonu, żebym mógł zadzwonić, gdy będę gotów wracać do domu.

– Po prostu zadzwoń do mnie, a ja wyślę samolot, żeby cię zabrał – powiedział. Założył, że spędzę w Turks i Caicos co najmniej kilka dni. Też tak sądziłem.

Dopóki nie otworzyłem koperty od komendanta Eldridge'a.

Nazajutrz w południe wylądowałem w Nowym Jorku i pojechałem do posiadłości Breslowa w Belle Haven w Greenwich. Podwójne widzenie po wypadku przepadło bez śladu, podobnie jak ćwierkanie ptaków krążących w mojej głowie. Co do posiniaczonych żeber, uznałem, że jeśli będę unikać kichania, czkawki i klubów komediowych, to jakoś sobie poradzę.

– Wejdź – powiedział Breslow, witając mnie przy drzwiach frontowych.

Nie zdziwiłem się, że jego głos jest przygaszony – podobnie zresztą jak wszystko inne. Zniknął połysk starannie uczesanych srebrnych włosów, jego znak firmowy, tak jak i błysk w źrenicach. Oczy miał zaczerwienione i podkrążone, niewątpliwie od płaczu i z braku snu. Policzki mu się zapadły, plecy przygarbiły. Ale najważniejsze było to, czego nie mogłem zobaczyć. Czego brakowało. Jego serca. Zostało mu wyrwane z piersi.

– Tędy – powiedział, gdy wymieniliśmy uścisk dłoni.

Skręciliśmy w prawo przy obrazie Matisse'a, przemierzyliśmy długi korytarz i zrobiliśmy zwrot w prawo przy Rothku. Wprowadził mnie do pokoju, który zwał kącikiem do czytania.

Ładny mi kącik. Od podłogi do sufitu obstawione regałami pełnymi książek pomieszczenie było zdecydowanie ogromne. Dorzucić trochę kawy, ciastek i wałęsających się hipsterów, a mogłoby uchodzić za księgarnię Barnes & Noble.

Gdy usiedliśmy w miękkich skórzanych fotelach przy oknie, Breslow po prostu na mnie patrzył, czekał. Nie trzeba było mówić, że nie spodziewał się po mnie tak szybkiego powrotu, więc tego nie powiedział. Oczywiście założył, że miałem ku temu dobry powód, i oczywiście miał rację.

– Pomówmy o pańskich wrogach – odezwałem się, przechodząc od razu do rzeczy.

Breslow pokiwał głową. Kąciki jego ust uniosły się leciutko. Prawdopodobnie od tygodnia na jego twarzy nie pojawiło się nic, co byłoby bliższe uśmiechowi.

– Nie powinieneś najpierw spytać, czy mam wrogów? Tak robią w filmach.

– Z całym szacunkiem, gdyby to był film, teraz głaskałby pan kota. Nikt nie gromadzi takiego majątku, jaki pan posiada, nie będąc od czasu do czasu łajdakiem.

– Uważasz, że mój syn został zamordowany z zemsty, że ktoś próbuje wyrównać ze mną rachunki? – zapytał.

Słuchałem jego słów, ale bardziej skupiałem się na tonie. Był daleki od niedowierzania. Podejrzewałem, że ta myśl już przyszła mu do głowy.

– To możliwe – odparłem.

– Jak bardzo?

Nie wahałem się.

– Na tyle, że prawdopodobnie powinien pan przestać nagrywać tę rozmowę.

Nie zapytał mnie, skąd wiem, a ja nie miałem zamiaru mu mówić. Wyciągnął rękę i pstryknął włącznikiem lampy, która stała między nami.

– Zakładam, że przeczytałeś moje akta – skomentował.

# Rozdział 21

Prawdę mówiąc, nie, nie czytałem jego akt, które miało FBI. Jeszcze nie.

Ale czytałem gazety, szczególnie te sprzed paru miesięcy, kiedy zakupił włoską firmę farmaceutyczną Allemezia Farmaceutici w cieniu podejrzeń bardziej dziwacznych i tajemniczych niż cokolwiek w filmie Davida Lyncha.

Zaczęło się od nagrania wideo, które pojawiło się na stronie internetowej czołowej włoskiej gazety, „Corriere della Sera". W żywych kolorach ukazywało Chińczyka, który, ubrany tylko w uszy króliczka i pieluchę, kicał po apartamencie hotelowym z dwiema nagimi włoskimi prostytutkami. Po numerku w trójkącie, który przyprawiłby o rumieniec producenta filmów porno Rona Jeremy'ego, facet wciągnął długą jak chiński mur kreskę koki z brzucha jednej z dziewczyn.

Dobra, może tak wygląda przeciętna noc w Mediolanie – tylko że mężczyzną był Li Yichi, zastępca dyrektora naczelnego Cheng Mie Pharmaceutical, największego koncernu farmaceutycznego świata. Li przyjechał do Mediolanu, żeby sfinalizować zakup Allemezii Farmaceutici za trzynaście miliardów euro. Interes był prawie ubity.

Ale dwadzieścia milionów odsłon na YouTube wszystko zmieniło. Rada nadzorcza Allemezii odrzuciła ofertę Cheng Mie, powołując się na tę aferę.

Oczywiście, wiele pytań pozostało bez odpowiedzi, przy czym nie najmniej ważne z nich brzmiało, jak Li mógł być tak nieostrożny. I, do diabła, o co chodziło z tymi króliczymi uszami, pampersem i włoskimi prostytutkami? *Molto* dziwaczne, nie?

I najważniejsze pytanie ze wszystkich, rozumiane dosłownie i w przenośni: kto stał za kamerą? Czy żonaty chiński dyrektor został wrobiony? Jeśli tak, to przez kogo? Kto mógł zyskać?

Na pewno Warner Breslow.

Gdy Cheng Mie Pharmaceutical zniknęło z obrazka, akcje Allemezii gwałtownie spadły i koncern rozpaczliwie potrzebował nowego oferenta zainteresowanego przejęciem. Wtedy wkroczył Breslow i kupił Allemezię za miliard euro mniej, niż dawał Cheng Mie. À propos okazji.

Ale nie dlatego przypomniałem sobie tę sprawę, nie dlatego wszedłem do sieci, żeby przeczytać wszystkie artykuły.

Zrobiłem to z powodu tego czegoś, co było jej następstwem.

Na drugi dzień po podaniu do wiadomości publicznej, że Breslow kupił Allemezię, Li, gwiazdor wideo, powiesił się w swoim biurze. Znalazł go ojciec, Li Kunlun – prezes Cheng Mie Pharmaceutical.

– Chcę, żeby pan coś zobaczył – powiedziałem do Breslowa, otwierając kopertę.

Był to raport z sekcji Ethana i Abigail.

# Rozdział 22

– Jak wynika z badań toksykologicznych, w organizmie Ethana i Abigail znaleziono ślady cyklosarinu, bojowego środka trującego – powiedziałem. – Kiedy zostali uwięzieni w saunie, morderca nie pozostawił niczego przypadkowi. Otruł ich.

Breslow podniósł wzrok znad protokołu sekcji zwłok, przymrużył oczy.

– Innymi słowy, dlatego jesteś tutaj, nie tam. Nie szukamy kogoś z Turks i Caicos, prawda?

Pokręciłem głową.

– Cyklosarinu raczej nie kupi się w sklepie.

– A skąd można go wziąć?

– To zależy, z kim pan pogada w świecie wywiadu i czy dana osoba wypowie się oficjalnie, czy nie. Jedynym krajem, który na sto procent produkuje cyklosarin w znaczących ilościach, jest Irak. Wysokie miejsce na liście podejrzanych zajmują...

– Chiny – dokończył za mnie Breslow. Wiedział, do czego zmierzam.

Chodziły słuchy, że Cheng Mie Pharmaceutical blisko współpracowało z pekińskim rządem przy pracach nad rozwojem produkcji broni chemicznej. Li Kunlun, prezes koncernu, był nawet oficerem w chińskich siłach zbrojnych.

– Więc obwinia mnie o samobójstwo swojego syna i w zamian zabija mojego? – zapytał Breslow podejrzliwie. – To niezupełnie w chińskim stylu.

– Podobnie jak noszenie króliczych uszu i pampersa.

Breslow lekkim skinieniem głowy przyznał mi rację.

– Co teraz? – zapytał. – Mało prawdopodobne, że go przesłuchasz.

– Nawet gdybym mógł, jeszcze bym tego nie robił. Nie bez jakiegoś ogniwa wiążącego sposób i motyw zabójstwa.

– Takiego jak chińskie paszporty przybywające na wyspę?

– Na początek.

– Mam zadzwonić do Ambasady Amerykańskiej w Pekinie? Może pomogą.

– Kogo pan tam zna? – zapytałem.

– Wszystkich – odparł.

Rany. Dlaczego nie byłem zaskoczony?

A jednak wolałbym nie być zawieszonym agentem FBI, który postawi na głowie stosunki dyplomatyczne pomiędzy USA i Chinami. Przynajmniej jeszcze nie.

– Nie. Nie zagramy tą kartą, dopóki nie dowiemy się czegoś więcej – powiedziałem.

Zakończyłem wizytę, mówiąc Breslowowi, że będę go informować na bieżąco. Potem mnie odprowadził. Gdy w holu uścisnął mi rękę, wyczułem, że coś mu chodzi po głowie, może jakieś pytanie pozostawione bez odpowiedzi.

Faktycznie.

– Jestem ciekaw, dlaczego nie spytałeś – powiedział.

– O co?

– Czy to ja wynająłem te włoskie prostytutki i dałem im kamerę wideo.

– To nie jest moja sprawa.

– Jest, jeśli doprowadziła do śmierci mojego syna.

Patrzyłem na Breslowa, zastanawiając się, co robi. Przyznaje się do winy? Wciąż mnie ocenia? A może coś innego? Nie żeby naprawę miało to znaczenie. Nie zapytałem, ponieważ już znałem odpowiedź. Pochodziła z książeczek detektywistycznych dla dzieci z serii *Encyclopedia Brown*, które uwielbiałem czytać w dzieciństwie. Zrobił coś, co go zdradziło.

Nie jesteś taki szczwany, jak ci się wydaje, Warnerze Breslow.

# Rozdział 23

Nie mogłem sobie przypomnieć, kiedy ostatni raz przyjechałem do domu, wiedząc, że nikogo w nim nie zastanę. Czy to Marshall albo Judy, czy John Junior albo Max, zawsze ktoś odpowiadał, gdy wchodziłem przez drzwi i krzyczałem: „Halo? Jest tu kto?".

Przed wyjazdem ich wszystkich nie poświęcałem jednej myśli temu, że będę sam. Teraz poza mną w domu nie było nikogo i czułem się trochę dziwnie. Odrobinę smutno. I ciut niesamowicie.

W drodze do drzwi zabrałem pocztę. Wyjąłem heinekena light z lodówki i zacząłem przeglądać korespondencję. Chłopcy ledwie mieli czas rozpakować torby, więc nie było szans, że dostałem od nich list. Kilka rachunków, trochę ulotek reklamowych i...

Co to?

Pomiędzy najnowszym numerem „Sports Illustrated" i katalogiem L.L. Bean znalazłem małą paczkę, w kopercie z bąbelkami. Mój adres wypisany był czarnym markerem, a koperta została oklejona – naprawdę solidnie – przejrzystą taśmą samoprzylepną. Mówimy o całej rolce.

Cokolwiek znajdowało się w środku, samo nie wylezie.

Tyle uwagi poświęciłem taśmie, że nie od razu zauważyłem coś innego. Stempel pocztowy wskazywał na Park City w Utah, ale nie było adresu zwrotnego. Ani w lewym górnym rogu, ani na odwrocie, ani nigdzie.

Super. Alert dla paranoicznych myśli...

Można wybaczyć agentowi FBI, że jest trochę... hm... strachliwy, gdy chodzi o tajemnicze przesyłki. Unabomber, ktokolwiek? Listy z wąglikiem przysyłane po jedenastym września? Jeśli chodzi o ścisłość, od tamtej pory wszelkie przesyłki bez adresu zwrotnego, dostarczane do mnie czy każdego innego agenta w moim biurze, musiały być prześwietlane.

Ale to nie było moje biuro. To był mój dom i raczej nie miałem aparatu rentgenowskiego stojącego w piwnicy obok starego zestawu narzędzi Black & Decker.

Raz kozie śmierć.

Potrząsnąłem paczką jak dzieciak w bożonarodzeniowy poranek, złapałam nożyczki i rozciąłem brzeg koperty. Jak dotąd nic się nie stało. Nie zobaczyłem żadnego podejrzanego proszku i z pewnością nie była to bomba.

To była Biblia.

Poważnie? Biblia?

Moja pierwsza myśl była taka, że jakaś kościelna organizacja charytatywna postanowiła zintensyfikować proces gromadzenia funduszy.

Ale nie było żadnego listu. Żadnego nagabywania o datki. Tylko Pismo Święte.

Nie, chwileczkę. Ściślej mówiąc, skradzione Pismo Święte.

Otworzyłem Biblię i zobaczyłem na wewnętrznej stronie okładki stempel: WŁASNOŚĆ HOTELU FRONTIER, PARK CITY, UTAH.

Hotel Frontier? Nigdy o nim nie słyszałem, nie mówiąc o pobycie tam. Byłem całkiem pewien, że nawet nie znam nikogo z Park City. Raz przed laty jeździłem na nartach w Deer Valley, ale na tym koniec, moja jedyna wizyta.

Wypiłem resztkę piwa i już miałem zbyć przesyłkę wzruszeniem ramion, żeby zająć się bardziej naglącymi sprawami – takimi jak na przykład wyjęcie drugiego piwa – kiedy zauważyłem, że jedna kartka jest zagięta.

Otworzyłem na niej.

Następnie, zanim się obejrzałem, praktycznie przewróciłem dom do góry nogami.

# Rozdział 24

Nie z powodu czegoś, co przeczytałem.

Z powodu czegoś, czego nie mogłem przeczytać.

Zagiętym rogiem ktoś zaznaczył pewną część Starego Testamentu, Hymn Mojżesza z Księgi Powtórzonego Prawa. Brakowało fragmentu – dosłownie wyciętego ze środka kartki – pomiędzy 32,34 a 32,36 w Księdze Powtórzonego Prawa.

Co mówi wers 35 z rozdziału 32?

Może bym wiedział, gdybym bardziej uważał w szkółce niedzielnej, kiedy byłem ministrantem w kościele Świętego Augustyna. Ale byłem dzieciakiem siedzącym w głębi salki, patrzącym na zegar i odliczającym minuty, bo nie mogłem się doczekać, kiedy podadzą ciastka i lemoniadę.

Dlatego ruszyłem z kopyta. Tornado przemykające z pokoju do pokoju.

Wiedziałem, że gdzieś w domu jest Biblia Króla Jakuba. Piękna. Oprawiona w skórę, z kartkami złoconymi na skrajach. Należała do Susan. John Junior czytał z niej na pogrzebie. Wciąż pamiętałem, jaki był dzielny, powstrzymując łzy, żeby dokończyć ustęp.

– Mama nie chciałaby, żebym płakał – powiedział mi później.

Dlatego najpierw zajrzałem do jego pokoju. Regał obok biurka Johna Juniora był zbyt oczywistym miejscem. Który trzynastolatek odkłada coś tam, gdzie być powinno? Po przejrzeniu półek sprawdziłem szafę. Potem stolik przy łóżku. Potem pod łóżkiem.

Pokój Maxa? Poszedłem w głąb korytarza i zrobiłem to samo, zaglądałem wszędzie. Czułem się jak ojciec z tych popołudniowych programów robiący kipisz w pokoju swojego dzieciaka w poszukiwaniu skrytki z trawką. Oczywiście, Max miał tylko dziesięć lat. Nie znalazłem nawet „Playboya".

Ani Biblii.

Szukałem, zdeterminowany jak wszyscy diabli, żeby ją znaleźć. W końcu to było dziwne. Ktoś próbował coś mi powiedzieć, i ktokolwiek to był, wymyślił sprytny sposób.

Czy „sprytny" to właściwe słowo? Zależy od wiadomości, prawda?

Przetrząsnąłem pokój gościnny, skądinąd zwany pokojem Marshalla i Judy. Wróciłem na dół i zajrzałem do mojej jaskini. W końcu sobie przypomniałem. Ha!

To ja ją miałem.

Włożyłem ją do pudełka z rzeczami Susan, które trzymałem pod naszym łóżkiem po jej stronie, ni mniej, ni więcej. Doktor Kline miałby z tym używanie, prawda?

Przywlokłem pudło do mojej sypialni. Ciągnąc je, założyłem emocjonalne klapki na oczy. Nie chciałem ugrzęznąć w innych rzeczach, pamiątkach. Zostały już wystarczająco zlane łzami. Na wszystkich wypisana była chlipiąca, łzawa historia.

Na szczęście Biblia leżała na samym wierzchu. Nie musiałem się przekopywać. Usiadłem na łóżku, otworzyłem Księgę Powtórzonego Prawa i odszukałem Hymn Mojżesza. Przesuwając w dół strony palec wskazujący, znalazłem brakujący fragment, 32,35. Przeczytałem raz, potem drugi.

*Moja jest odpłata i kara,*
*w dniu, gdy się noga ich potknie.*
*Nadchodzi bowiem dzień klęski,*
*los ich gotowy, już blisko\*.*

Przeczytałem fragment jeszcze kilka razy, chociaż nie wiedziałem, dlaczego to robię. Może miałem nadzieję, że coś mi umyka, że jest jakaś inna interpretacja.

Nie było.

Niezależnie, z której strony spojrzeć, ktoś mi groził. Ktoś wziął mnie na cel.

Chyba przyda mi się drugie piwo.

---

\* Biblia Tysiąclecia.

# Rozdział 25

Ned Sinclair siedział za kierownicą skradzionego chevy malibu, z drugiej strony ulicy obserwując, jak John O'Hara wraca do domu.

Patrzył, jak John O'Hara zabiera pocztę. Patrzył, jak przechodzi przez drzwi frontowe.

Gdy słońce zajdzie, pod osłoną ciemności Ned zrobi to, po co tu przybył. Co tak bardzo pragnął zrobić.

Przez otwarte okna samochodu wpadało klikanie główki zraszacza na pobliskim trawniku, rozpryskującego wodę w powolnych, miarowych kręgach.

Klik, klik, klik, klik...

Ten sam dźwięk, bez końca. Bezustanny. Monotonny.

Muzyka dla jego uszu. Piękna jak koncert Brahmsa.

Jego wspomnienia, że był profesorem matematyki na Uniwersytecie Kalifornijskim, spłowiały do szybkich, dalekich błysków. Widział niewiele, ale prawie zawsze to samo. Równania. Wszędzie równania. Te piękne wzory liczb wypełniające każdy centymetr kwadratowy tablicy, jedna linia po drugiej.

I zawsze chodził przed nimi – a właściwie się skradał –

z kredą w ręce. Rozwiązał jedno równanie, po czym przechodził do następnego, i do następnego.

Każde kolejne padało ofiarą jego geniuszu.

Parę minut po dziewiątej, gdy resztki światła zgasły na niebie, Ned wysiadł z samochodu. Delikatnie zamknął za sobą drzwi, spojrzał w lewo i prawo, żeby sprawdzić, czy jest sam, czy nikt go nie obserwuje. Chodniki były puste, nie nadjeżdżały żadne samochody. W dali paliło się kilka świateł na werandach, ale nic więcej. Ned był prawie niewidzialny.

Jakby w ogóle go tu nie było.

Powoli przeszedł przez trawnik O'Hary pod boczną ścianę domu, gdzie pomiędzy drewnianym ogrodzeniem i hortensjami biegła trawiasta ścieżka.

Po drodze zajrzał w okno wykuszowe, żeby sprawdzić, czy w domu jest ktoś jeszcze, choć w zasadzie był pewien, że O'Hara jest sam.

Ned siedział w samochodzie przed jego domem przez cały dzień. Nie widział, by ktoś wchodził czy wychodził, i właśnie w tym sęk.

Wszystko pięknie się układało. Idealnie. Właśnie tak, jak sobie wyobrażał przez wszystkie te dni i noce w szpitalu.

Zbliżając się do podwórka za domem, Ned usłyszał ciche dźwięki muzyki. Natychmiast rozpoznał artystę. Dlaczego nie? Jego ojciec słuchał Sinatry na okrągło.

*Najlepsze jeszcze przed nami? Nieznajomi w nocy?*

Ned się uśmiechnął. Nie.

Leciała piosenka *Zwij mnie nieodpowiedzialnym*.

Gdy Ned wyjrzał zza węgła, spotkała go miła niespodzianka. Nie musi zawracać sobie głowy wchodzeniem do domu. O'Hara siedział na tarasie. Pił piwo.

Ned zrobił kilka kroków w jego stronę, wychodząc z ciemności w mglisty blask pobliskiego reflektora.

– Pan John O'Hara? – zapytał.

Wiedział, że to on, ale chciał się podwójnie upewnić. To było jak równanie. Zawsze sprawdzaj swoją pracę. Potem sprawdź drugi raz. Nie może być żadnych błędów.

O'Hara, zaskoczony, wyprostował się szybko na krześle. Osłonił oczy ręką, żeby lepiej widzieć nieproszonego gościa. Ned Sinclair patrzył mu w oczy.

– Tak – odparł O'Hara. – A kto pyta?

Ned wyjął pistolet z kieszeni wiatrówki, polerowany metal rękojeści sprawiał równie przyjemne wrażenie, jak wielki, cudowny kawałek kredy w jego ręce.

– Jestem Ned – powiedział, celując w głowę O'Hary. – A ty jesteś trupem.

Pociągnął za spust i zabił Johna O'Harę.

# Część druga

---

## Czymże jest nazwa?

# Rozdział 26

Agentka specjalna Sarah Brubaker bez przerwy słyszała w myślach powtarzające się słowa. „Tam już nikogo nie ma i nigdy jej nie znajdziecie – powiedział ten chory sukinsyn. – Biedactwo nie wytrzyma długo. Umrze i zniknie jak wszystkie inne. Prawdopodobnie już nie żyje".

Agentka Brubaker sięgnęła pod przepoconą bluzkę. Ostrzem szwajcarskiego scyzoryka przecięła ramiączka biustonosza. Rozpięła zapinkę z przodu, wyciągnęła stanik spod bluzki. Włożyła go do kieszeni spodni razem z nożem.

– Do licha, co pani robi? – zapytał Doug Trout, szef policji w Tallahassee.

– Proszę mi dać dwie recepturki – poleciła Sarah, ignorując nie tylko jego pytanie, ale również szybkie zerknięcie na biust wyraźnie zarysowany pod bluzką.

Tak. Doskonale wiedziała, co robi.

Trout zniknął w magazynku, a Sarah zebrała długie do ramion kasztanowe włosy. Słyszała w głowie tykanie upływających sekund.

Z wyjątkiem dwóch gliniarzy, którzy stali w obu końcach

korytarza, w wydziale operacyjnym nad głównym terminalem lotniska krajowego Tallahassee panowała pustka. Stan WNP. Wyłącznie Niezbędny Personel.

Jedyny osobnik nienależący do personelu siedział z rękami i nogami przykutymi do krzesła i stołu po drugiej stronie drzwi za plecami Sarah. Mały pokój konferencyjny bez okien pełnił funkcję tymczasowej celi więziennej.

Przez siedem miesięcy prawdziwy zwyrodnialec, niejaki Travis Kingslip, terroryzował północno-zachodnią część Florydy – uprowadził, zgwałcił i zamordował pięć dziewczynek w promieniu stu sześćdziesięciu kilometrów od Tallahassee. Sarah, przydzielona do sprawy po zaginięciu czwartej ofiary, całymi dniami próbowała dojść do tego, kim jest sprawca – żyła nadzieją, że on w którymś momencie na czymś się potknie i popełni błąd. Nie popełnił błędu.

Zrobił to za niego jakiś dupowaty złodziej. Ćpun.

Sąsiad zadzwonił na policję, gdy zauważył, że ktoś się zakrada przez okienko piwniczne do niewielkiego domu w stylu ranczerskim w miasteczku Lamont, około pięćdziesięciu kilometrów od lotniska. Dom należał do niejakiego Kingslipa.

Policjanci, którzy zareagowali na wezwanie, nie tylko złapali złodzieja, ale też dokonali głównego przełomu w sprawie morderstw.

Ściany w sypialni Kingslipa wytapetowane były wydrukowanymi zdjęciami piersi dziewczynek, zrobionymi z bardzo bliskiej odległości, pod każdym możliwym kątem i przyciętymi w taki sposób, że nie było widać twarzy. Przypominało to próbę zidentyfikowania manekina.

Przynajmniej dopadli człowieka winnego posiadania pornografii dziecięcej. Ale potem przybyła Sarah i na jednym ze zdjęć zauważyła znamię w kształcie nasiona fasoli. Pasowało do opisu podanego jej przez rodziców jednej z zaginionych dziewczynek.

Godzinę później Sarah wraz z połową policji Tallahassee wypadła na płytę lotniska, gdzie temperatura sięgała trzydziestu dziewięciu stopni. Kingslip, bagażowy, przyznał się od razu.

– Wystarczyło poprosić – powiedział.

Potem, zaraz po odczytaniu pouczenia o przysługujących mu prawach, zaczął się śmiać. Był to chory, obłąkańczy śmiech, który Sarah słyszała o wiele za często podczas ścigania seryjnych zabójców.

Być może śmiech Kingslipa brzmiał najgorzej ze wszystkich.

– Tam już nikogo nie ma i nigdy jej nie znajdziecie – powiedział. – Biedactwo nie wytrzyma długo. Umrze i zniknie jak wszystkie inne. Prawdopodobnie już nie żyje.

Komendant Trout wrócił z dwiema gumkami i zaintrygowanym wyrazem twarzy.

– Proszę – powiedział.

Sarah wzięła gumki i szybko związała kucyki za uszami. Trout popatrzył na nią i pokiwał głową. Zrozumiał.

– Mam z panią nie wchodzić, prawda? – zapytał.

W zasadzie tylko stwierdził. Było to ewidentnie pytanie retoryczne. Odkąd Sarah przybyła z Quantico, zdążył ją poznać na tyle, że mógł być pewny jednej rzeczy. W zasadzie dwóch.

Nie znał osoby bardziej zdeterminowanej niż Sarah Brubaker.

I Travis Kingslip należał wyłącznie do niej.

# Rozdział 27

Sarah zamknęła drzwi i złapała za oparcie jedno z krzeseł stojących w pokoju konferencyjnym. Przeciągnęła je, postawiła na wprost Kingslipa i usiadła. Ich kolana niemal się stykały. Nie chciała znajdować się tak blisko niego, lecz było to konieczne. Prawdę mówiąc, mogło być sprawą życia i śmierci.

Miał na sobie niebieski kombinezon o dwa numery za duży i cuchnął papierosami, potem i paliwem lotniczym. Jego włosy spływały spod czapki siatkowej z daszkiem jak kawałki czarnego sznurka, który został zanurzony w tłuszczu, a zęby przypominały zgniłe ziarno kukurydzy.

Natychmiast spuścił wzrok na jej piersi. Nie było to ukradkowe zerknięcie; jawnie wlepił w nie oczy. Nie musiał mówić, co chce z nią zrobić w tej chwili. Jego ciemne, zimne, bezduszne spojrzenie pozostawiało niewiele wątpliwości.

Jak dotąd idzie dobrze, pomyślała Sarah.

Nie było czasu na pogawędki ani na przełamywanie lodów. Nie było czasu na zdobywanie jego zaufania. Chciała mu się spodobać i to był najszybszy sposób, nieprzyjemny i nieprzyzwoity. Przykro mi, pani Steinem.

Kingslip poruszył skutymi rękami i nogami.

– Może zdejmiesz mi te obrączki, skarbie? Obiecuję, nie ugryzę – powiedział. – Śmiało, zdejmij je.

– Może to zrobię – odparła Sarah. – Ale najpierw ty musisz zrobić coś dla mnie.

Wciąż słyszała słowa, które Kingslip wyrzekł na płycie lotniska, jedno zdanie w szczególności. „Biedactwo nie wytrzyma długo".

Gdzieś ją ukrył, na pewno. Czy już umiera? Czy ją zranił? Zabił?

Sarah słyszała, jak zegar tyka coraz głośniej, ale wiedziała, że tego nie może przyśpieszyć. Przypuszczała, że ma tylko jeden strzał, i musiała zrobić to jak trzeba.

– Gdzie ona jest, Travis? – zapytała spokojnym, acz stanowczym tonem. – Powiedz mi. Po prostu powiedz mi prawdę.

– Nigdy nie mówię – odparł śpiewnie, głosem przyprawiającym o ciarki.

– W pobliżu twojego domu?

Gapił się na jej biust.

– Ładna jesteś, wiesz?

Sarah wiedziała. Było to jednocześnie błogosławieństwem i przekleństwem jej życia, szczególnie zawodowego. Teraz uznała swoją urodę za dar niebios.

– Jest gdzieś w pobliżu twojego domu, Travis? – powtórzyła.

Już przeszukano każdy centymetr jego domu w Lamont. Nie znaleziono żadnych tajemnych pomieszczeń, zamaskowanego poddasza ani studni w piwnicy, niczego podejrzanego w zamrażarce. Nie mieli do czynienia z Buffalo Billem z *Milczenia owiec*.

Kingslip nie odpowiedział. W zasadzie Sarah nie potrzebowała odpowiedzi. Bardziej patrzyła, niż słuchała. Drgnienie, tik, mrugnięcie – wypatrywała czegoś, co zdradziłoby jego myśli.

Brnęła dalej. Nie miała wyboru.

– Jest w pobliżu? – zapytała. – Gdzieś w pobliżu lotniska? Strzał w dziesiątkę.

Zdradziły go brwi. Ta lewa lekko się uniosła, gdy padło słowo „lotnisko". Na ułamek sekundy i o ułamek centymetra, ale Sarah dostrzegła znak, jasny jak słońce na niebie.

Pochyliła się ku niemu. Buchał od niego smród tak odrażający, że zebrało jej się na wymioty.

– Jest w pobliżu lotniska, prawda, Travis? Można tam dojść pieszo czy będę musiała wziąć samochód?

– Nigdy nie powiem – ćwierknął.

Już powiedział. Brew znowu drgnęła, tym razem wtedy, gdy padło słowo „samochód".

Sarah już przeszukała jego auto na parkingu i zasięgnęła języka w wydziale komunikacji hrabstwa Jefferson. Na jego nazwisko zarejestrowany był tylko jeden pojazd.

Chyba że wcale nie chodziło o jego samochód.

– Jest w samochodzie, Travis? Trzymasz ją w czyimś samochodzie? Czyj to samochód?

Nagle zrobił minę naiwniaka, który zasiadł do gry w pokera i nie może wykombinować, dlaczego wszystkim udaje się przejrzeć jego blefy. Skąd ona wie? Ile wie?

– Nigdy jej nie znajdziesz – powiedział, robiąc zwrot o sto osiemdziesiąt stopni.

Nagle przestała mu się podobać, ale nic nie szkodzi. Sarah miała kolejne przeczucie.

– Dlaczego jej nie znajdę? – zapytała.

– Po prostu nie znajdziesz, dlatego.

– To niezbyt dobry powód. Skąd ta pewność?

– Znikąd.

– Daj spokój, Travis. Jesteś na to za sprytny.

– Masz rację – potwierdził, wyzywająco kiwając głową.

Uśmiech Sarah zniknął. Nadeszła jej kolej, żeby zagrać na emocjach.

– Nie, wcale nie jesteś sprytny. Byłeś dość głupi, żeby dać się złapać, prawda?

– Pieprzę cię.

– Chciałbyś, prawda, Travis? – Spojrzała na swoje piersi. – Chcesz zrobić mi zdjęcie? Naprawdę ładne i z bliska?

Kingslip zaczął się wiercić, dygotał jak jednoosobowe trzęsienie ziemi, kajdanki na jego nadgarstkach i kostkach grzechotały, zderzając się z nogami krzesła i ze stołem. Jego nagła złość na Sarah kłóciła się z jego chorym, perwersyjnym pociągiem do niej.

– Pieprzę cię! – powtórzył, podnosząc głos do krzyku.

– Dlaczego nie zdołam jej znaleźć, Travis?

– PIEPRZĘ CIĘ!

– Dlaczego? Powiesz mi dlaczego?

– BO JEST ICH ZBYT WIELE, DZIWKO! MYŚLISZ, ŻE JESTEŚ SPRYTNA!? WCALE NIE JESTEŚ!

Sarah zerwała się z krzesła, wypadła z pokoju.

Jej przeczucie okazało się trafne.

# Rozdział 28

– Za mną! Ruszać się, idziemy!

Sarah krzyczała do każdego policjanta, którego mijała w biegu z korytarza wydziału operacyjnego na dół po schodach do strefy odbioru bagażu i za dwuskrzydłowe drzwi w panującą na zewnątrz skwarną duchotę. Nawet komendant Trout nie wiedział, dokąd ona idzie.

Mimo wszystko śpieszył za nią, klucząc przez tłum złożony głównie z turystów. Truchtał na tyle szybko, na ile mu pozwalała jego postura byłego zawodnika szarżującego w reprezentacji stanu Floryda.

Dziewięciu, może dziesięciu policjantów gnało za Sarah przez strefę postoju taksówek i limuzyn przed terminalem.

Samochody hamowały z wizgiem opon, kierowcy naciskali klaksony. Przechodnie albo wytrzeszczali oczy, albo pierzchali im z drogi.

– Cholera – mruknął facet pracujący w wypożyczalni Avis, taki młody, że chyba przed tygodniem dostał prawo jazdy. Gromada gliniarzy wtargnęła do jego budki. Przewodziła im ładna kobieta, która, no tak, raczej nie miała stanika.

– Bagażniki! – krzyknęła, machając legitymacją. – Otwórz wszystkie bagażniki na parkingu!

– Co? – wymamrotał, osłupiały ze zdumienia. – Nie mogę tego zrobić.

Sarah przepchnęła się obok niego i szarpnęła dużą tablicę ogłoszeniową, na której wisiały kluczyki wszystkich samochodów w wypożyczalni. Potrzasnęła nią i kluczyki posypały się na podłogę przed ladą.

Trout zdążył się zorientować w sytuacji.

– Wy dwaj, zostać tutaj! – wrzasnął, wskazując podwładnych. – Sprawdzić każdy bagażnik. Pozostali ze mną!

Sarah tymczasem popędziła do wypożyczalni Hertz. Sama zabrała kilka kluczyków i zaczęła otwierać bagażniki.

– Czego szukamy? – zapytał ją jeden z policjantów.

Nie odwróciła się, żeby odpowiedzieć. Była to klasyczna zagrywka typu „dowiesz się, kiedy zobaczysz". Dziewczynki zamkniętej w bagażniku, prawdopodobnie związanej i zakneblowanej.

Boże, czy jeszcze żyje? – zastanawiała się Sarah. Proszę, żeby żyła.

Natychmiast spróbowała wymazać z pamięci wyobrażenie dziewczynki. Wpajano jej, że nie należy przywiązywać się do ofiary. To szkodzi koncentracji.

Była to trudna lekcja i nawet po siedmiu latach pracy w FBI nie w pełni ją opanowała.

Bagażniki otwierały się z pyknięciem.

Kolejno, od wypożyczalni Thrifty do Enterprise, od Budget do National, podnosiły się klapy bagażników. Cały wachlarz pojazdów: ekonomiczne, średniej wielkości, duże, nawet SUV-y.

Gliniarze się rozproszyli, pracownicy każdej wypożyczalni biegali z pilotami, gorączkowo naciskając kciukami guziki na pilotach.

Pyk! Pyk-pyk!

Sarah biegała od samochodu do samochodu, zaglądając do kolejnych bagażników. Wzdłuż jednego rzędu, wzdłuż następnego. Pusty... pusty... pusty...

– Cholera! Cholera! Cholera!

Teraz wszyscy brali udział w akcji, wszyscy gliniarze i pracownicy, nawet sami właściciele wypożyczalni. Jakiś biznesmen w przepoconej marynarce beżowego garnituru biegał od bagażnika do bagażnika.

Panował chaos, ale dobrego rodzaju. Wszystkie elementy współgrały.

– Każdy wóz! Sprawdzamy każdy wóz! – ryknęła Sarah, przechodząc na następny parking, który należał do jednej z miejscowych wypożyczalni, Sunshine Rentals.

Wtedy dostrzegła coś kątem oka.

Jeden element układanki, który nie pasował do pozostałych.

# Rozdział 29

Był prądem powrotnym w przyboju ludzi skupionych na jednym celu.

Jakiś facet, mechanik, chyłkiem się oddalał od całego tego zamieszania, zerkając przez ramię i najwyraźniej dokładając starań, żeby się stać niewidzialnym. Ponieważ miał na sobie jasnożółty kombinezon Sunshine Rentals, nie było to łatwe.

Sarah się powstrzymała. Już chciała do niego wrzasnąć.

Ruszyła za nim, nie zwracając na siebie uwagi w panującym zamęcie. Jeśli ten facet ma więcej wspólnego z Travisem Kingslipem niż tylko kombinezon, najważniejsze było to, dokąd ją może doprowadzić.

– Hej! – krzyknął ktoś.

Odwróciła się i zobaczyła komendanta Trouta może dwadzieścia metrów dalej, patrzącego na nią z miną „Co się dzieje?".

Sarah przyłożyła palec wskazujący do ust – sza! – a potem wskazała na mechanika, który kierował się ku tylnemu narożnikowi parkingu Sunshine, gdzie naprawiano i myto samochody.

Trout skinął głową, skręcając w lewo. Razem tworzyli formację w kształcie litery V, mechanik stanowił wierzchołek, a oni końce ramion.

Za nimi stało mnóstwo samochodów z jeszcze niesprawdzonymi bagażnikami, a za Sunshine Rentals znajdowały się kolejne miejscowe wypożyczalnie. Ale po zrobieniu kilku kroków uwagę Sarah przyciągnął biały chrysler sebring przy krótkim murze z pustaków. Kabriolet stał przekrzywiony. Pod lewym przednim kołem – a raczej w miejscu, gdzie powinno być koło – tkwił lewarek.

Mechanik szedł prosto do tego auta.

Sarah i Trout wymienili spojrzenia. Może facet po prostu próbował pomóc, dopilnować, żeby wszystkie samochody zostały sprawdzone, ale coś w jego chodzie – i w tym, jak popatrywał przez ramię – budziło podejrzenia. Jeśli chce komuś pomóc, pomyślała Sarah, to tylko sobie.

Teraz ostrożnie. Trzymaj się blisko, ale nie za blisko. Jak cień późnego popołudnia...

Mechanik, chudzielec średniego wzrostu, podszedł do białego sebringa. Ale nie do bagażnika. Otworzył drzwi po stronie kierowcy, sięgnął w dół, odwrócony do Sarah plecami. Nie widziała, co on robi.

W przeciwieństwie do Trouta.

– Broń! – wrzasnął nagle.

Sarah wyrwała pistolet z kabury. Mechanik się odwrócił, celując prosto w jej pierś. O tym, kto strzeli pierwszy, mógłby zadecydować rzut monetą. Zamiast tego...

Łup!

Trout pobiegł po asfalcie i skoczył, rzucając na mechanika

każdy centymetr i kilogram ciała byłego futbolisty. Potężnie pchnął faceta, zanim ten zdążył nacisnąć spust.

Obaj runęli na asfalt ze strasznym łoskotem i chrzęstem, jakby pękały kości, przy czym mechanik ucierpiał znacznie bardziej. Leżał rozpłaszczony, krew lała mu się z głowy i stracił co najmniej jeden przedni ząb.

Ale pistoletu z ręki nie wypuścił.

Siła rozpędu przerzuciła Trouta za mechanika. Komendant fiknął kozła i padł na plecy. Błyskawicznie przekręcił się na brzuch, gotów strzelić ze swojego SIG sauera P229.

Tyle że się spóźnił. Mechanik już stał i trzymał go na muszce.

TRACH!

Mechanik przez sekundę stał bez ruchu, z palcem zastygłym na spuście. Poruszała się tylko struga krwi tryskająca mu z karku.

Sarah strzeliła drugi raz i w końcu mechanik puścił pistolet. Broń upadła na ziemię. Po chwili on zrobił to samo.

Travis Kingslip miał wspólnika.

Sarah minęła mężczyznę, nie sprawdzając mu pulsu. Na pierwszy rzut oka potrafiła rozpoznać nieboszczyka.

– Dzięki – powiedział Trout, podchodząc za nią do sebringa. – Ale mnie pani wystraszyła.

– Nie. To ja dziękuję – odparła Sarah.

Trout otworzył drzwi po stronie kierowcy i wcisnął klawisz na desce rozdzielczej, żeby otworzyć bagażnik.

Pyk!

Była tam. Wyglądała dokładnie tak, jak Sarah ją sobie wyobrażała, zanim się napomniała, że powinna zachować dystans emocjonalny. Czy kiedykolwiek zacznie przestrzegać tej zasady? Czy naprawdę tego chce?

Na podłodze bagażnika, związana i zakneblowana, leżała trzynastoletnia dziewczynka, która zaginęła tego dnia rano. Słońce praktycznie przemieniło bagażnik w piekarnik. Była na wpół przytomna, doznała udaru cieplnego.

Ale żyła.

Wydobrzeje. Może dzięki temu, że Sarah zaangażowała się emocjonalnie.

# Rozdział 30

Nazajutrz rano na drzwiach pokoju Sarah w hotelu Tallahassee wisiała tabliczka z napisem NIE PRZESZKADZAĆ. Niech tak będzie. Niech tak będzie.

Wstała późno. Przebiegła ponad pięć kilometrów, po powrocie wzięła długi prysznic, a później zamówiła do pokoju najbardziej serowy z serowych omletów i spałaszowała go z wielką przyjemnością. Odbudowała zapas wszystkich kalorii, które spaliła poprzedniego dnia. Do tego boczek na toście. Pychota!

Przez minutę oglądała CNN, potem przełączyła na VH1 Classic, żeby obejrzeć parę teledysków. Nie pamiętała, kiedy ostatni raz to robiła.

Nie znała większości piosenek – i wcale jej się nie podobały – ale nie miało to znaczenia. Zwiększyła głośność i po jakimś czasie jeszcze bardziej, kiedy puścili stary wideoklip Guns N' Roses *November Rain*. Absolutnie uwielbiała tę piosenkę. Przypominała jej czasy, kiedy była nastolatką w Roanoke, w Wirginii. Sarah zdecydowanie należała do tych, którzy łatwo się zadurzają.

Plan na resztę dnia był prosty. Nie miała żadnego planu.
Może pójdzie poleżeć przy basenie, trochę poczyta. Uwielbiała biografie. Ostatnio woziła ze sobą biografię twórcy komiksów, Charlesa Schulza, ale dotąd brakowało jej czasu na lekturę. Teraz miała czas.

Przypuszczała, że całe dwadzieścia cztery godziny.

Był to jej dzień zdrowia psychicznego, od dawna zaległy. Ze schwytaniem Travisa Kingslipa wiązała się góra papierkowej roboty i nie miała zamiaru od razu się do niej zabierać. Nie ma mowy.

Jutro agentka Brubaker wróci do Quantico. Dzisiaj Sarah Brubaker ma labę.

I było to absolutnie fantastyczne wrażenie. Towarzyszyło jej przez całą drogę nad basen, gdzie rozpostarła ręcznik na leżaku, ułożyła się i otworzyła biografię Schulza na pierwszej stronie.

Wtedy zadzwoniła jej komórka.

No nie. Proszę, nie...

Nie był to jej prywatny telefon. Ten mógłby zignorować. To był jej telefon służbowy, z szyfrowaną łącznością satelitarną, własność FBI.

Dzwonił jej szef, Dan Driesen, i wcale nie po to, żeby się z nią przywitać. Już przysłał pocztą elektroniczną gratulacje za schwytanie Kingslipa. Chodziło o coś innego.

– Sarah, musisz się stawić na zebraniu – oznajmił. – Szybko. Dzisiaj.

Driesen był względnie wyrozumiały i cierpliwy. Na niektóre tematy – biurokracja rządowa, łowienie na muchę albo klasyczne samochody – mógł mówić godzinami.

Ale przez telefon nadawał w telegraficznym skrócie.

– Do ViCAP zgłoszono trzy morderstwa popełnione w różnych stanach – dodał. – Wszystkie wskazują na samotnego seryjnego zabójcę w drodze.

ViCAP, czyli Violent Criminal Apprehension Program, jest ogólnokrajowym rejestrem komputerowym FBI, w którym zapisywane są wszystkie brutalne przestępstwa popełnione w Stanach Zjednoczonych.

– O jakim czasie mówimy? – zapytała Sarah.

– Dwa tygodnie.

– To szybko.

– Superszybko.

– Trzy morderstwa?

– Tak.

– Trzy różne stany?

– Na razie – odparł Driesen.

– Jakie jest powiązanie?

– Ofiary – odparł. – Wszystkie mają takie samo nazwisko. O'Hara. W życiu nie słyszałem o czymś równie porąbanym.

# Rozdział 31

Kanapki były wyraźnym sygnałem.

Sarah uczestniczyła w niezliczonych zebraniach prowadzonych przez Dana Driesena i nie przypomina sobie, by przy tej okazji zaserwował cokolwiek choćby w minimalnym stopniu jadalnego. Ani muffinek czy bajgli, ani ciastek czy czegokolwiek innego na przekąskę. A już na pewno nie kanapki, nigdy. Po prostu nie było to w jego stylu. Chcecie narad z cateringiem? Idźcie do Marthy Stewart.

A jednak tym razem były. Kanapki pośrodku stołu w pokoju konferencyjnym.

Sarah przyleciała pierwszym samolotem z Tallahassee, prosto z lotniska Reagana pojechała taksówką do Quantico, zostawiła walizkę w swoim biurze i udała się najkrótszą drogą do pokoju konferencyjnego. Zdążyła ledwie parę sekund przed wyznaczonym na czwartą zebraniem. Talerz z kanapkami był pierwszą rzeczą, na którą zwróciła uwagę. Wybór sandwiczy nigdy nie miał równie wymownego podtekstu.

To nie będzie zwyczajne zebranie.

Co więcej, to nie Driesen wydawał rozkazy. On je wykonywał. Tańczył, jak mu zagrają.

Sarah uznała, że niebawem wszystkiego się dowie. Driesen się jeszcze nie zjawił.

Tymczasem zbierała gratulacje z okazji rozwiązania sprawy w Tallahassee od obecnych w pokoju agentów i analityków, z przewagą tych drugich. Jednostka Analiz Behawioralnych, BAU, zajmuje się przede wszystkim gromadzeniem i interpretowaniem informacji. Na każdego agenta w terenie przypada trzech analityków pracujących w Quantico.

– Co się dzieje? – zapytał Ty Agosta, psychiatra kryminalny i być może ostatni człowiek na globie, który nosił sztruksowe marynarki z łatkami na łokciach. Nie tylko je nosił, ale też kazał im pracować.

– Miałam nadzieję, że to wy mi powiecie – odparła Sarah.

– Driesen godzinę temu zamknął się w swoim biurze – wyjaśnił Agosta. – To wszystko, co nam wiadomo.

– Z kim?

Skinął w stronę drzwi. Z nimi.

Sarah odwróciła się i zobaczyła, że Dan Driesen wchodzi do pokoju, jak zwykle stawiając długie kroki. Towarzyszyli mu trzej mężczyźni w ciemnych garniturach z przypiętymi identyfikatorami gości. Ich sztywna postawa sugerowała, że są za pan brat z noszeniem kabury na szelkach od świtu do nocy.

Jeden z nich wyglądał znajomo. Sarah widziała go wcześniej, ale nie mogła przypisać nazwiska do twarzy. Z pewnością Driesen go przedstawi, podobnie jak dwóch pozostałych.

A jednak tego nie zrobił. Po prostu rozpoczął zebranie. Trzej mężczyźni, jakby przybyli tylko obserwować przebieg narady, zajęli miejsca na krzesłach ustawionych pod ścianą pokoju.

To znaczy zaraz po tym, jak poczęstowali się kanapkami.

– Nevada, Arizona, Utah – zaczął Driesen.

Technik Stan, który obsługiwał monitory ustawione z przodu pokoju, przygasił światła.

Gdy Driesen kontynuował, za jego plecami rozbłysnął największy płaski ekran. Ukazały się na nim wypunktowane informacje, które Sarah usłyszała rano przez telefon.

Trzy różne stany.

Trzech martwych ludzi.

W ciągu dwóch tygodni.

Wszystkie ofiary noszące to samo imię i nazwisko.

Napisy zniknęły. Za Driesenem pojawiło się ostatnie czarne kółko i słowa wypisane wielkimi literami.

ZABÓJCA JOHNÓW O'HARÓW.

# Rozdział 32

– Jezu, przecież są setki Johnów O'Harów – zauważył Eric Ladum, analityk techniczny zajmujący miejsce naprzeciwko Sarah. Ilekroć nie siedział przy swojej klawiaturze, zawsze bawił się piórem, żeby zająć czymś palce.

– Więcej niż tysiąc – powiedział Driesen. – Plus minus.

Sarah odwróciła się w stronę bandy trzech pod przeciwległą ścianą. Nie odezwali się słowem. Nawet nie zostali przedstawieni. Ona jednak teraz wiedziała, dlaczego tu są. Wiedziała, kim są.

Driesen kontynuował, podając szczegóły policyjnych śledztw w sprawie dwóch pierwszych ofiar. Obaj mężczyźni zostali zastrzeleni z trzydziestkiósemki. Jeden strzał w głowę, drugi w klatkę piersiową. Nie było podejrzanych ani solidnych tropów i zwłoki były „czyste", co znaczyło, że sprawca nie pozostawił żadnych dowodów, śladów, niczego.

– A teraz trzeci O'Hara – podjął Driesen. – Instruktor narciarski z Park City w stanie Utah. Znaleziono go wczoraj rano na tarasie za domem.

Na ekranie ukazały się zrobione na miejscu przestępstwa zdjęcia mężczyzny. Leżał na wznak – to, co zostało z jego twarzy, zwracało się ku niebu – w kałuży zaschniętej krwi z rozbryzgami po strzale oddanym z bliska. Trumna na pewno nie będzie otwarta.

Podczas pierwszego roku pracy w zespole, kiedy w trakcie zebrań na ekranie ukazywały się krwawe dokonania seryjnych zabójców, Sarah zawsze na parę sekund odwracała wzrok, przepełniona niesmakiem. To był instynkt. Mechanizm obronny. Sposób, w jaki jej umysł reagował na widok czegoś tak bardzo niepokojącego i odbiegającego od normy.

Teraz, nie wiadomo, czy to lepiej, czy gorzej, Sarah tylko mrugnęła.

– W prawej kieszeni wiatrówki ofiary znajdował się egzemplarz *Ulissesa* Jamesa Joyce'a w miękkiej okładce – dodał Driesen i umilkł, jakby czekał na pytania. Eric Ladum, wciąż obracający pióro, z radością skorzystał z okazji.

– Sądzi pan, że podłożył go zabójca? – zapytał.

Driesen skinął głową.

– Tak.

– Czy coś zostało podkreślone? Jakiś fragment? Słowa? – dociekał Ladum.

– Nie. Wszystkie strony są nietknięte. Nie ma nawet jednego oślego ucha.

– Chwileczkę – odezwała się Sarah. – Mówimy o facecie o nazwisku O'Hara, zgadza się? *Ulisses* dla Irlandczyków jest praktycznie Biblią.

– To prawda, ale ten O'Hara mieszkał w Utah, a książka pochodzi z Bakersfield w Kalifornii – wyjaśnił Driesen. – Z tamtejszej biblioteki.

– Została wypożyczona? – zapytała.

– To nie takie znowu szczęście.

– Czy skontaktowaliśmy się z biblioteką, żeby sprawdzić... Driesen jej przerwał.

– Tak, w bibliotece brakuje jednego egzemplarza.

– Od kiedy?

– Od...

– Gratulacje! – dobiegł głos spod ściany. Należał do jednego z bandy trzech, tego, którego Sarah nie mogła skojarzyć. W jednym słowie udało mu się zawrzeć irytujący tryplet zniecierpliwienia, arogancji i sarkazmu.

Gdy wszyscy odwrócili się w jego stronę, wstał.

– Nie dość, że szukamy tego faceta za trzy morderstwa, to jeszcze możemy go zamknąć za kradzież książki z biblioteki. Dobra robota, ludzie! Po prostu cudowna!

Ty Agosta pochylił się, wspierając łokcie z łatkami na stole. Psychiatra zdecydował, że zadanie prostego pytania nie jest przestępstwem.

– Przepraszam, kim pan jest?

Było tak, jakby się wcale nie odezwał albo w ogóle nie było go w pokoju. Został kompletnie zignorowany.

– Słuchajcie, może zabójca próbuje nam coś przekazać, a może nie – kontynuował tajemniczy gość. – Musicie jednak mi powiedzieć, jak zamierzacie złapać tego psychola.

I nagle tak po prostu w głowie Sarah zabrzęczały dwa dzwonki.

Pierwszym było nazwisko faceta. Jason Hawthorne. Był zastępcą dyrektora Secret Service. Nie zjawił się tu w imieniu swojego szefa ani nawet szefa jego szefa, czyli sekretarza Departamentu Bezpieczeństwa Krajowego.

Jason Hawthorne i jego pożerająca kanapki świta przybyli tutaj w imieniu szefa wszystkich szefów.

Prezydenta.

Był to drugi dzwonek, który zabrzęczał w jej głowie.

Szwagier prezydenta nazywał się John O'Hara.

# Rozdział 33

– Sarah, możesz przyjść do mojego biura? – zapytał Driesen, gdy zebranie się skończyło i pokój konferencyjny opustoszał. Wymienił pożegnalny uścisk dłoni z Hawthorne'em, co wyraźnie nie było aktem wzajemnej adoracji.

– Jasne – odparła Sarah, jakby chodziło o drobiazg. Ale to była wielka sprawa.

W BAU odbywały się zebrania dwojakiego rodzaju. Oba były tajne, ale tylko jedno całkowicie niecenzurowane. To zebranie miało miejsce w biurze Driesena, który za zamkniętymi drzwiami niczego nie owijał w bawełnę.

Po odejściu Hawthorne'a Sarah przeszła z Driesenem przez sekretariat, w którym urzędowała Allison, do narożnego biura z widokiem na wielki poligon szkoleniowy korpusu piechoty morskiej.

– Zamknij za sobą drzwi – polecił jej szef, zajmując miejsce za biurkiem.

Zrobiła to, po czym usiadła na krześle stojącym naprzeciwko biurka. Driesen patrzył na nią przez chwilę. Nagle, nie do wiary, zachichotał.

Nie było niczego zabawnego w sprawie dotyczącej seryjnego zabójcy i śmierci trzech niewinnych ludzi, ale czasami wisielczy humor pozwala zachować zdrowe zmysły. W tym wypadku zasugerowany żart dotyczył prezydenta. Konkretnie tego, co sobie pomyślał w dalekich – i zdecydowanie nieoficjalnych – zakamarkach umysłu, kiedy się dowiedział o Zabójcy Johnów O'Harów.

Mam cel, który możesz dostać za friko, stary. Bierz go, jest twój.

John O'Hara, szwagier prezydenta, był pierwszoligowym nieudacznikiem. Jeśli nie został zarejestrowany przez kamery TMZ, gdy wytaczał się z baru na Manhattanie o trzeciej nad ranem, to pokazywano go w kablówce – mniej więcej o tej samej porze – występującego we własnym telebazarze, w którym sprzedawał „autentyczne" prezydenckie prześcieradła i powłoczki na poduszki. „Dokładnie takie, jakie mają w sypialni Lincolna!".

Prawdopodobnie dlatego, że je ukradł.

Facet był żenadą kalibru Billy'ego Cartera. W końcu spełniło się marzenie nocnego błazna.

– Sądzi pan, że ta sprawa jest z nim jakoś powiązana? – zapytała Sarah. – Nie potrafię sobie wyobrazić...

Driesen wzruszył ramionami.

– Nie miałoby to większego sensu. Z drugiej strony zabijanie ludzi o tym samym imieniu i nazwisku niezupełnie jest logiczne, prawda?

– Ale ze wszystkich nazwisk do wyboru...

– Wiem. Hawthorne, jak widziałaś, już wszedł na najwyższy stopień gotowości bojowej. Wczoraj wieczorem zwiększył ochronę szwagra.

– Czy O'Harę powiadomiono, dlaczego potrzebuje ochrony? – zapytała. Pomyślała, że już zna odpowiedź.

– Nie. To kolejna delikatna kwestia. O'Hara jest gadatliwy, a ta sprawa nie może wyjść na światło dzienne. Nie możemy spowodować ogólnokrajowej paniki obejmującej każdego biednego sukinsyna, który przypadkiem nazywa się John O'Hara, przynajmniej jeszcze nie.

– Dlatego zjawił się Hawthorne, a nie Samuelson?

Driesen się uśmiechnął, jakby mówiąc „punkt dla ciebie". Doceniał fakt, że jego młoda agentka okazała się całkiem wprawna w rozpoznawaniu implikacji politycznych. Cliff Samuelson, szef Hawthorne'a, był dyrektorem Secret Service.

– Nie zapytałem, ale można przyjąć takie założenie. Im dalej od prezydenta, tym lepiej.

– Boże, już widzę nagłówek: PREZYDENT CHRONI SZWAGRA O'HARĘ, ALE NIE INNYCH O'HARÓW.

– Nie trzeba mówić, że taki nagłówek nie może się ukazać.

– Ale w pewnym momencie...

– Tak, w pewnym momencie będziemy musieli poinformować społeczeństwo o zabójstwach, roztrąbić sprawę na cały świat. Ale pomiędzy pierwszym i trzecim martwym O'Harą na mapie jest ponad czterdziestu Johnów O'Harów, których zabójca nie zastrzelił. Problem w tym, że nie możemy udawać, że zdołamy ochronić ich wszystkich.

– Więc tymczasem?

– To tylko utrudni twoją pracę – powiedział.

Sarah przekrzywiła głowę.

– Moją pracę?

– Chyba nie sądzisz, że zaprosiłem cię tutaj, żeby pogawędzić o moich wędkarskich planach na weekend, prawda? Wyjeżdżasz jutro rano.

Sarah nie musiała pytać, dokąd wysyła ją szef. Pierwsza zasada polowania na seryjnych zabójców? Zawsze zaczynaj od najcieplejszego trupa.

– Słyszałam, że w Park City jest ładnie o tej porze roku – powiedziała z kamienną twarzą.

Uśmiechnął się.

– Posłuchaj, zdaję sobie sprawę, że właśnie wróciłaś z Florydy i że twoja walizka stoi w twoim biurze. Dlatego weź sobie wolne na dzisiejszy wieczór. I nie chodzi mi o to, żebyś pojechała do domu i zrobiła pranie.

– W porządku, zero prania – zapewniła ze śmiechem.

– Mówię serio. Idź się zabawić, zaszalej. Bóg wie, że prawdopodobnie tego ci potrzeba.

Miał całkowitą rację.

– Jakieś propozycje? – zapytała.

– Nie, ale jestem pewien, że coś wymyślisz.

# Rozdział 34

Sarah po raz drugi nacisnęła dzwonek na najwyższym piętrze Piermont Residences w centrum Fairfax. Stała w korytarzu przed drzwiami mieszkania Teda i zachodziła w głowę, dlaczego nie odpowiada. Wiedziała, że jest w domu.

Ledwie parę minut temu zadzwoniła do niego ze swojego mieszkania, cztery piętra niżej, najpierw wybierając *67, żeby jej nazwisko nie pojawiło się na wyświetlaczu.

To całkiem zabawne, pomyślała, można boki zrywać. Ostatnim razem, kiedy zadzwoniła do chłopaka i przerwała połączenie, była pewnie w siódmej, może ósmej klasie, słuchała Bananaramy na walkmanie Sony i nosiła dżinsy marmurki Guess.

Teraz nasłuchiwała odgłosów z mieszkania Teda, mając na sobie długi granatowy płaszcz przeciwdeszczowy. I nic więcej. Pod spodem była naga jak ją matka zrodziła.

Zaszalej? Idź się zabawić? Gdyby tylko Driesen mógł mnie teraz zobaczyć. Chociaż, gdy się nad tym zastanowić, to raczej niezbyt dobry pomysł.

Niech Ted otworzy drzwi. Pośpiesz się, skarbie, bo zaczyna mnie podwiewać. Nie wspominając o tym, że jestem ciut zażenowana.

123

Spotykali się dopiero od pięciu miesięcy. Z drugiej strony ten związek trwał o dwa miesiące dłużej niż poprzedni i trzy miesiące dłużej niż przedostatni.

Wydawało się, że z Tedem jest inaczej. I znacznie lepiej. Był wziętym prawnikiem, „dynamicznym i przebojowym", jak napisano o nim w „Washington Post". Wiedział wszystko o długich godzinach i o stresie pracy zawodowej. Jasne, może miał o jedno zdjęcie za dużo – rozwieszone w mieszkaniu fotki ukazywały go jako stuprocentowego mężczyznę, tu spływ pontonem po bystrzach, tam narty w Back Bowls Vail – ale Sarah była skłonna przymknąć oko na tę odrobinę próżności. Nie był zaborczy; nie chciał mieć jej na własność. To było miłe, bardzo miłe.

Oczywiście to, że był absolutnie seksowny, stanowiło premię.

Sarah mocno przycisnęła ucho do drzwi. Pomyślała, że słyszy muzykę, ale nie na tyle głośną, żeby zagłuszyła dźwięk dzwonka.

Nagle ją olśniło. Było to tylko przeczucie, ale ostatnio przeczucia jej nie zawodziły. Odwróciła się, sięgnęła pod szafkę z wężem pożarniczym na ścianie naprzeciwko drzwi Teda, szukając pudełeczka z magnesem.

Definicja zaufania w raczkującym związku? Kiedy on ci powie, gdzie trzyma swój zapasowy klucz.

Może po tej nocy ona mu powie, gdzie trzyma swój.

# Rozdział 35

Sarah weszła do mieszkania i na chwilę przystanęła w holu, żeby określić, skąd płynie muzyka. Płynęła z sypialni Teda, na końcu korytarza.

Raczej nie przepadała za jazzem, ale po zrobieniu dwóch kroków rozpoznała saksofon barytonowy Gerry'ego Mulligana. Ted był wielkim fanem Mulligana i niemal z nabożną czcią słuchał jego nagrań, szczególnie tych z koncertów na żywo. Carnegie Hall, Glasgow, Village Vanguard.

„Mully jest bogiem", powtarzał z upodobaniem, zwykle po drugiej butelce wina bordeaux, którą wypili na kanapie.

Gdy zrobiła jeszcze kilka kroków, usłyszała coś innego. Szum wody. Właśnie tak myślała.

Rzeczywiście, kiedy doszła do sypialni, zobaczyła, że drzwi do łazienki są zamknięte. Ted brał prysznic. Spod drzwi sączył się strumyczek pary.

Uśmiechnęła się. Idealnie. Nie mogła się doczekać, żeby zobaczyć jego minę.

Pozostała tylko decyzja, kiedy zdjąć płaszcz.

Sarah po cichu otworzyła drzwi, potem na palcach, na

bosaka, przeszła po płytkach. Para kłębiła się wokół niej, gęsta jak mgła w San Francisco. Ted lubił gorące tusze.

Później, była tego pewna, zażartuje głupawo, że ten dzięki niej był jeszcze gorętszy.

Raz kozie śmierć. Nie mogę uwierzyć, że to robię.

Płaszcz spadł na podłogę, gdy Sarah otworzyła zaparowane drzwi kabiny. Rozpostarła ręce, jakby mówiąc: „Ta-da! Oto jestem!".

Niespodzianka, skarbie!

Ted był zaskoczony, niezwykle. Niewiarygodnie zaskoczony.

Oczywiście podobnie jak kobieta, z którą był pod prysznicem.

# Rozdział 36

Naprawdę minęło kilka sekund, zanim Sarah to wszystko ogarnęła – kilka długich, dręczących i głęboko upokarzających sekund, które zdawały się trwać całą wieczność. To się dzieje naprawdę, czyż nie? A ja stoję goła jak mnie Pan Bóg stworzył.

– Sarah, zaczekaj! – krzyknął Ted.

Nie miała zamiaru. Kto by czekał? Podniosła płaszcz, pośpiesznie przycisnęła go do piersi i wybiegła z łazienki. Na domiar złego poślizgnęła się na wilgotnych płytkach i o mało nie upadła, wykręcając kostkę.

– Niech cię cholera, Ted!

Sypialnia Teda rozmywała się jej przed oczami, gdy przez nią kuśtykała, ale mimo to dostrzegła wskazówki, które jakimś cudem przeoczyła. Wgłębienia nie na jednej, ale na dwóch poduszkach na rozesłanym łóżku. Dwa kieliszki do wina na stoliku obok. To bordeaux, kutasie? Jak mogła tego nie zauważyć?

Już wiedziała dlaczego. Ponieważ mu ufała.

Z jednej strony chciała wrócić i rozmówić się z Tedem na oczach „tej drugiej", kimkolwiek była.

Z drugiej strony nie miała szans w walce z nieznośnym bólem, który jej doskwierał. Po tych kilku sekundach, gdy niemal sparaliżowana stała przed kabiną, poddała się instynktowi. Instynkt nakazywał ucieczkę. Uciekaj! Krzycz! Wynoś się stamtąd! Nie mogła się powstrzymać.

I to zraniło ją jeszcze bardziej.

W pracy nigdy nie brakowało jej odwagi, determinacji, jaj, i nie dawała się bez względu na okoliczności. Ale tutaj – bez odznaki, zupełnie bez niczego – mogła tylko rzucić się do ucieczki. Czuła się bezbronna, śmieszna i zawstydzona.

– Sarah, stój! Proszę! – zawołał Ted. Był tuż za nią, biegł, żeby ją dopędzić, okręcając się ręcznikiem w talii. Ociekał wodą.

Sarah przystanęła w holu. Nie chciała, żeby ta scena rozegrała się poza jego mieszkaniem i być może na oczach jakiegoś sąsiada. Poza tym jeszcze nie włożyła płaszcza, wciąż tylko przyciskała go do siebie.

– Odwróć się – poleciła.

Ted zamrugał, zbity z tropu.

– Co?

Spojrzała na siebie. Nie powinien oglądać jej nagiej, nie teraz. Nigdy.

Zrozumiał.

– Aha.

Sarah włożyła płaszcz, gdy Ted się odwrócił.

– Chcę tylko wyjaśnić – powiedział przez ramię.

– Wyjaśnić? A co tu wyjaśniać? Popełniłeś wielki błąd, a ja jeszcze większy, myśląc, że się różnisz od wszystkich innych podrywaczy w Waszyngtonie.

Odwrócił się.

– Nie jestem podrywaczem, Sarah. A w ogóle co tutaj robisz? Powinnaś mnie uprzedzić.

– Dlaczego? Żebyś dalej mógł mnie okłamywać?

– Właściwie to nigdy nie skłamałem.

– To nie sala sądowa, Ted. Teraz nie jesteś prawnikiem.

– To samo mogę powiedzieć o tobie.

– Jak mam to rozumieć? – zapytała.

– To znaczy, że ani na chwilę nie przestajesz być tym, kim jesteś.

– A więc o to chodzi? O moją pracę? Powinieneś mi powiedzieć, jeśli miałeś problem z tym, że jestem agentką FBI.

– Nie sądziłem, że miałem.

– A czym się zajmuje ta dziewczyna pod prysznicem?

Nie chciał odpowiedzieć, ale świdrowała go wzrokiem, dopóki tego nie zrobił.

– Pracuje w moim biurze.

– Jest prawniczką? – zapytała, choć wiedziała, że nie jest.

– Praktykantką – odparł z zakłopotaniem.

– Chcesz powiedzieć, że pracuje dla ciebie. Jesteś jej szefem.

– A ty teraz jesteś psychoanalityczką, co? Pięknie! – fuknął. – Zaraz mi powiesz, że czuję się zagrożony przez ciebie.

– A tak jest?

– Wiesz co? Przyszedłem tu, żeby przeprosić, ale pieprzyć to, wcale nie jest mi przykro.

– Widzę. Rozumiem, Ted. Wierz mi, rozumiem.

– Jestem facetem, Sarah. Facet nie lubi mieć dziewczyny, która... – Urwał.

– Co? Co zamierzałeś powiedzieć? – zapytała. – Mów dalej, jakoś to zniosę.

– Jak sądzisz, co czuję, gdy wiem, że moja wyszkolona w FBI dziewczyna może mi skopać dupę? – wygarnął.

Sarah pokręciła głową.

– Po pierwsze, była dziewczyna, jeśli w ogóle byłam twoją dziewczyną. I po drugie, co się wtedy czuje... nie wiem. Ale może coś takiego.

Zacisnęła pięść i przyłożyła mu sierpowym z taką siłą, że uderzył plecami o ścianę, zrzucając na podłogę zdjęcie przedstawiające go na harleyu-davidsonie. Szkło rozbiło się na kawałki.

Spokojnie, bez jednego słowa Sarah odwróciła się i ruszyła do drzwi, żeby opuścić mieszkanie. Zrobiła, co do niej należało.

Ale koniec końców nie mogła się oprzeć. Wróciła do Teda, który wciąż siedział na podłodze, trzymając się za szczękę.

– I jak? Jakie to uczucie, gdy dziewczyna skopie ci dupę? I nawet nie jestem taka duża, Ted.

# Rozdział 37

Może był to tylko zbieg okoliczności, a może karma, ale nazajutrz po południu, gdy samolot zaczął opadać nad Salt Lake City, ze słuchawek jej iPoda płynęła piosenka *Zmiana dobrze ci zrobi* Sheryl Crow.

Sarah mogła tylko mieć nadzieję. Skrzyżować palce, najlepiej również te u stóp. Ale wiecie, co jeszcze? Nie mogła ścierpieć myśli o tym, jak skończył się jej związek z Tedem. To było żenujące, po prostu koszmarne. I smutne. Sądziła, że go kocha.

Jazda z lotniska do Park City była dobrym początkiem. Sarah miała przed sobą tylko wstęgę drogi, otwartą przestrzeń i góry wznoszące się na horyzoncie, więc podróż przypominała czterdziestominutowy oddech. Kabriolety nigdy nie wyglądają dobrze w raportach z wydatków, więc Sarah otworzyła szyberdach w wynajętym chevy camaro 2SS.

Czasami cholernie przyjemnie jest wystawić rękę ku niebu, pędząc setką na godzinę, i czuć chłodne powietrze omywające czubki palców.

Prędzej, niż uważała za możliwe, znalazła się przed komendą policji w Park City.

– Agentko Brubaker, jestem Steven Hummel. Miło panią poznać – powiedział komendant.

Nie wysłał sekretarki czy jakiegoś asystenta, tylko przywitał ją osobiście przy drzwiach frontowych posterunku. To zawsze dobrze wróżyło. Zwykle po czymś takim współpraca szła jak po maśle.

Rzeczywiście, komendant Hummel okazał się bezpośrednim człowiekiem, co miało sens w miasteczku, które w całości mogłoby spełniać funkcję zachodniego biura terenowego firmy wysyłkowej L.L. Bean. Latem Park City jest rajem dla turystów i – niezależnie od dwutygodniowej inwazji nijakich hollywoodzkich typów co roku w styczniu ściągających tu na Festiwal Filmowy Sundance – rajem dla narciarzy w zimie.

Hummel może miał mundur zapięty na ostatni guzik, ale gdy Sarah popatrzyła na jego ogorzałą twarz i zmierzwione szpakowate włosy, z łatwością mogła sobie wyobrazić, jak wygląda po służbie. Dżinsy, kraciasta koszula i prawdopodobnie zimne miejscowe piwo w ręce.

– Proszę – powiedział. – Chodźmy do mojego biura. Czekamy na panią.

W połowie drogi natknęli się na żującego gumę młodego byczka, który oczywiście znalazł się tam „zupełnie przez przypadek". Najwyraźniej zależało mu, żeby komendant przedstawił go Sarah.

– Agentko Brubaker, to detektyw Nate Penzick – powiedział Hummel usłużnie.

Penzick wypiął pierś i wyciągnął rękę.

– Witamy w Park City – burknął.

W jego tonie nie było niczego, co mogłoby sprawić, żeby Sarah poczuła się tu mile widziana. Od razu się domyśliła, że Penzick jest detektywem z wydziału zabójstw przydzielonym do sprawy O'Hary.

Czasami tak się zdarzało, gdy pojawiała się w mieście czy miasteczku. Zawsze trafiali się policjanci, którzy nie życzyli sobie, żeby jakiś agent federalny im mówił, jak mają wykonywać swoją robotę. Nie znaczy to, że Sarah kiedykolwiek miała zamiar kimkolwiek rządzić. A jednak do detektywów Penzicków tego świata z góry przyjęty osąd przywierał jak klej. Wszyscy agenci FBI uważają się za najlepszych na świecie.

– Dzięki – odparła Sarah z uśmiechem, ignorując ton Penzicka tak, jak i jego miażdżący uścisk dłoni. – Miło pana poznać.

Rozbrajaj ich uprzejmością – zawsze hołdowała tej zasadzie. Choć w to szczególne popołudnie, po koszmarnej nocy, musiała zmobilizować trochę dodatkowej siły woli, żeby nie złapać faceta za wykrochmalone klapy i nie wyklarować, że kiepscy naśladowcy macho raczej się nie mieszczą na jej liście adresatów kartek bożonarodzeniowych. Więc daruj sobie tę pozę, facet, dobra?

Penzick przymrużył oczy.

– Szef nabrał wody w usta co do powodu pani obecności, ale się domyślam, że ma ona związek z morderstwem O'Hary – powiedział.

– Zgadza się – potwierdziła Sarah. Okłamywanie faceta nie miało sensu.

Penzick żuł gumę tak energicznie, że chrzęściły mu stawy żuchwy. Jeśli komendant Hummel był wyluzowany jak niedzielne popołudnie, to ten facet mógł uchodzić za poniedziałkową godzinę porannego szczytu.

– Po co więc ta tajemnica? – zapytał. – Chodzi mi o to, że przecież wszyscy gramy w jednej drużynie, prawda? Sarah spojrzała na spochmurniałego Hummela, który najwyraźniej już żałował, że ich sobie przedstawił.

– Nie, poważnie, o co chodzi? – naciskał Penzick. – Co tym razem ukrywa rząd?

Hummel w końcu interweniował.

– Obawiam się, że będzie pani musiała wybaczyć to Nate'owi. Stał się innym człowiekiem, kiedy wyemitowali *Z archiwum X.*

Aha, trzask.

– Bardzo zabawne, szefie – skomentował Penzick. Ale zrozumiał sugestię. Zamknij temat, kowboju. Zwrócił się do Sarah najbardziej uprzejmym tonem, na jaki mógł się zdobyć. – Nie mogę się doczekać, agentko Brubaker, rozpoczęcia naszej współpracy.

– Bez obaw, Nate – powiedział Hummel, spoglądając na zegarek. – Będę zaskoczony, jeśli agentka Brubaker zostanie w Park City dłużej niż godzinę.

Sarah popatrzyła na niego pytająco. Była to dla niej nowina, wręcz grom z jasnego nieba. Co? Przecież dopiero co tu przyjechałam. Jak sądzisz, dokąd się wybieram?

Hummel niczego nie wyjaśnił, przynajmniej nie przy młodym detektywie.

– Jak sugerowałem wcześniej, przejdźmy do mojego biura.

# Rozdział 38

Po zamknięciu drzwi biura Hummel zachowywał się w taki sposób, iż Sarah pomyślała, że jego słowa o jej rychłym wyjeździe z miasta miały być jakimś żartem. Albo że facet cierpi na poważne zaburzenia pamięci krótkotrwałej. Zdecydowanie była zdezorientowana, ale też zaciekawiona. Hummel nie udzielił żadnych wyjaśnień. Podszedł prosto do biurka, wysunął szufladę. Wyjął parę jednorazowych rękawiczek i torbę na dowody zawierającą egzemplarz *Ulissesa*.

– Przypuszczam, że najpierw chce pani to zobaczyć – powiedział.

Sarah włożyła rękawiczki i przewertowała książkę. Rzeczywiście, była dokładnie taka, jak zaraportowano – egzemplarz biblioteczny bez żadnych podkreśleń, notatek i jak powiedział Driesen, „nawet jednego oślego ucha".

Hummel rozparł się na krześle za biurkiem i splótł ręce na karku.

– Pamiętam, że musiałem przeczytać to w ogólniaku. Do diabła, prawie nic z tego nie rozumiałem.

– Wiem, o co panu chodzi. To niezupełnie czytadło na plażę, prawda?

– Ale jednego jestem pewny.

– Mianowicie?

– Książka nie należała do ofiary.

– Zgadza się. Skąd pan wie?

– Stąd, że znałem Johna O'Harę – odparł. – Jak to się mówi? Faceci chcieli być nim, dziewczyny chciały być z nim? Był piekielnie porządnym gościem, ale jednego mu brakowało... – Hummel urwał, szukając odpowiednich, a może bardziej oględnych przez szacunek dla zmarłego słów, którymi mógłby wyrazić swoje myśli. – Powiedzmy, że jedyną lekturą Johna było menu.

– Zawsze jest ten pierwszy raz.

– Nie z dziewięćsetstronicową książką naszpikowaną irlandzkim dialektem, równie zrozumiałym jak chińskie krzaczki, czy to klasyka, czy nie. John nie był fanem Jamesa Joyce'a. Do licha, nie był nawet fanem Stephena Kinga.

Sarah pokiwała głową. Uczciwie powiedziane.

Jak Hummel, też czytała *Ulissesa* w liceum. Było to ponad dziesięć lat temu. Rano przed wyjazdem na lotnisko zgrała książkę na swój czytnik e-booków Kindle i po starcie zajęła się lekturą. Gdzieś nad Kansas wywiesiła białą flagę i skapitulowała na rzecz iPoda.

Dlaczego morderca nie zostawił najnowszej powieści Patricii Cornwell?

– Zakładając, że zabójca podrzucił tę książkę, czy ma pani jakieś pomysły, co to może oznaczać? – zapytał Hummel.

– Jeszcze nie. A pan?

Uśmiechnął się.

– Zabawne, że pani pyta. Szczerze mówiąc, chyba mam.

# Rozdział 39

Hummel nie zapomniał o tym, co powiedział przed swoim biurem. Po prostu przygotowywał grunt pod wyjaśnienia.

– Każde miasto w kraju przesyła raporty o przestępstwach do ViCAP – zaczął. – I większość miasteczek. Ale nie wszystkie, zgadza się?

– Zgadza się – potwierdziła Sarah. – Zwykle dlatego, że nie mają czego zgłaszać, bo wskaźnik przestępczości jest bardzo niski albo w ogóle zerowy. I dobrze.

– Powiedzmy, że morderstwo miało miejsce w jednym z tych małych miasteczek. Być może nikomu nawet przez myśl nie przeszło, żeby je zgłosić do ViCAP. Przynajmniej nie od razu.

– Jestem pewna, że tak się zdarzyło. Pewnie więcej niż kilka razy.

– Też tak sądzę – zgodził się Hummel. – Oczywiście, skąd można wiedzieć? Jedynym sposobem byłoby bezustanne kontrolowanie każdej mieściny.

– Właśnie dlatego stworzono ViCAP, żeby nikt nie musiał tego robić. A jednak, jak pan powiedział, niektóre przestępstwa jakoś się prześlizgują.

– Chyba że człowiek dokładnie wie, gdzie szukać – powiedział, wskazując egzemplarz *Ulissesa*.

Sarah nie zrozumiała.

– Co ma pan na myśli?

– Była pani kiedyś w Bloom, w stanie Wisconsin?

Teraz załapała. Leopold Bloom jest głównym bohaterem książki.

– I mieszka tam jakiś John O'Hara? W Bloom?

– Tak, ale może miejsce niekoniecznie wiąże się z fikcyjną postacią. Na przykład, co pani sądzi o Joyce w stanie Waszyngton?

– To prawdziwe miasto?

– Tak, i mieszka tam dwóch Johnów O'Harów.

Sarah kiwała głową, zastanawiając się nad tym.

– Przy swojej trzeciej ofierze w trzecim mieście zabójca postanawia zostawić nam małą zachętę i podpowiada, gdzie znów zamierza zabić.

– Albo gdzie już zabił – powiedział Hummel. – To małe miasteczka.

– W przeciwieństwie do, powiedzmy... Dublina w Ohio.

Hummel wskazał na nią ręką, jakby był gospodarzem teleturnieju, a ona podała właściwą odpowiedź.

– Otóż to. Miasto przyzwoitej wielkości; wszystko przekazują do ViCAP. A jednak zadzwoniłem, bo jest tam zameldowanych trzech Johnów O'Harów.

– Chwileczkę... już pan zadzwonił?

– Tak.

– Chyba pan nie wyjawił...

Hummel uniósł dłonie, wyraźnie rozbawiony.

– Nie ma obawy. Nie zapytałem, czy mają tam jakiegoś

martwego Johna O'Harę. Poprosiłem o informację, czy w ciągu ostatnich dwudziestu czterech godzin miały miejsce jakieś morderstwa.

– Miały?

– Nie. Nie w Dublinie, nie w Joyce, nie w Bloom.

Sarah patrzyła na Hummela, czując się coraz mniej pewnie. Jego teoria zasługiwała na szóstkę za pomysłowość, ale na pałę za wynik. Dlaczego mi o tym mówi? Musi mieć jakiś powód. Dobry, mam nadzieję.

– A inne miasta? – zapytała. Wiedziała, że powieściowa żona Blooma ma na imię Molly. – Na przykład, czy jest miasteczko Molly w Nebrasce? Może Molly w Wyoming?

– Nie, ale jest Bloomfield w Nowym Meksyku – odparł.

Sarah zmarszczyła brwi.

– To trochę naciągane, nie sądzi pan?

– Tak, zgadza się, to był strzał w ciemno. Ale ponieważ mieszka tam jeden John O'Hara, zadzwoniłem i pogadałem z Cooperem Millwoodem, komendantem policji. Powiadomił mnie, że ostatnie morderstwo w tym mieście popełniono siedemnaście lat temu. Ale zaraz potem dodał, że to dziwne, że zadzwoniłem.

– Dziwne?

– Nie do śmiechu. Komendant Millwood powiedział, że dopiero co rozmawiał ze swoim kuzynem, który jest szeryfem w pobliskim miasteczku Candle Lake. Tam od dwudziestu jeden lat nie mieli morderstwa. Do tego ranka. Dostali zgłoszenie zaginięcia.

Sarah wyprostowała się na krześle.

– Pan żartuje.

– Nigdy nie zaszkodzi sprawdzić, racja? Od ponad dwudziestu czterech godzin nikt nie widział mieszkańca Candle Lake, Johna O'Hary.

Hummel miał rację. Sarah była tu tylko przejazdem. Pierwsza zasada polowania na seryjnego zbójcę? Zawsze idź tam, gdzie jest najcieplejszy trup.

Żegnaj, Park City. Witaj, Candle Lake.

Wszystko za sprawą drugiej zasady polowania na seryjnego zabójcę.

Jeśli to w ogóle możliwe, zdaj się na łut szczęścia.

# Rozdział 40

Bramka B20 w kącie terminalu Delta na lotnisku Kennedy'ego pękała w szwach, zapchana przez niedoszłych turystów. Tego niedzielnego popołudnia wszyscy czekali – czekali i czekali – żeby wejść na pokład samolotu do Rzymu, opóźnionego najpierw o dwie godziny, a potem o kolejną godzinę.

Napięcie wzrastało.

Tymczasem baterie się wyczerpywały. Nic dziwnego, że przy darmowej ładowarce kłębiło się spaghetti przewodów niezliczonych telefonów i odtwarzaczy MP3.

Jakiś kilowatożerny dupek przyniósł nawet własny rozdzielacz, żeby zapewnić dodatkowe gniazdka dla pięciu iPadów, po jednym na każdego członka rodziny.

Być może jedynymi pasażerami, którzy ani trochę nie przejmowali się opóźnieniem, byli nowożeńcy, Scott i Annabelle Pierce, migdalący się przy jednym z małych stolików przed kawiarnią Starbucks o rzut kamieniem od bramki.

Dwoje kawiarzy rzeczywiście poznało się w Starbucksie.

141

Stało się to przy Wschodniej Pięćdziesiątej Siódmej Ulicy pomiędzy alejami Lexington i Park na Manhattanie – nie mylić ze Starbucksem pod skosem po drugiej stronie ulicy, po północnej stronie.

Annabelle zamówiła dużą chai latte z podwójną pianką, tylko że przez pomyłkę wzięła beztłuszczowe duże cappuccino, supergorące, zamówione przez Scotta.

– Spróbuję twojej, jeśli ty spróbujesz mojej – powiedział Scott.

Annabelle się uśmiechnęła, a nawet lekko spłoniła.

– Umowa stoi.

Była to miłość od pierwszego łyku i po paru minutach wymienili się numerami telefonów. Niespełna dwa lata później od tamtego dnia złożyli przysięgę małżeńską.

Teraz byli tutaj, młodzi i zakochani na umór, gotowi zacząć swój miesiąc miodowy w Rzymie. Kogo obchodzi, że lot jest opóźniony? Co znaczy parę godzin więcej?

– Obejrzyjmy jeszcze raz! – zaproponowała Annabelle, wciąż rozpromieniona po ceremonii i przyjęciu weselnym, które odbyło się w nowojorskim ogrodzie botanicznym. – Zacznij od początku.

Dostali niewyobrażalne mnóstwo prezentów, w tym wiele niedorzecznie drogich od przyjaciół ich zamożnych rodziców, ale jak dotąd najlepszym z nich wszystkich był mały cyfrowy aparat fotograficzny. Używany, ni mniej, ni więcej.

Ale za to w jakim celu!

Drużba Scotta, Phil Burnham – w skrócie Phil B. – ochrzcił nowy canon powershot, robiąc nim zdjęcia przez całe wesele.

Po przyjęciu przyczepił wstążkę do aparatu i dał go Scottowi i Annabelle, gdy wsiadali do limuzyny. Nadzwyczajny pomysł. I doskonałe wyczucie czasu. Wynajęta fotograf doręczy swoje fantazyjne czarno-białe zdjęcia w wykonanym na zamówienie oprawnym w jedwab albumie dopiero za kilka tygodni, ale dzięki drużbie Scott i Annabelle, skuleni nad trzycalowym ekranem aparatu, już teraz mogli ponownie przeżywać swój wielki dzień.

To znaczy, dopóki nagle wszystko nie wyleciało w powietrze – ich stolik, karty pokładowe, dwie kawy. Wszystko się rozsypało i rozlało po podłodze.

– Dobry Boże! – krzyknął ktoś, kto się potknął o torbę opartą o pobliskie krzesło. – Bardzo przepraszam!

– Nic nie szkodzi – powiedział Scott, podnosząc stolik.

Annabelle tymczasem sprawdzała, czy kawa nie bryznęła na jej białe spodnie capri.

– Ojej, kawa się wylała. Pozwólcie, że kupię wam nowe – zaproponowała nieznajoma osoba.

– Naprawdę nie trzeba, proszę się nie przejmować – zapewnił Scott, trochę podobny do Colina Hanksa, syna Toma.

– Nie. Nalegam. Przynajmniej tyle mogę dla was zrobić.

Scott i Annabelle wymienili spojrzenia, jakby pytając się wzajemnie: „Jak chcesz to rozegrać?". Według ich przyjaciół jedną z ich najmilszych cech było to, że potrafią przeprowadzić całą rozmowę bez wyrzeczenia jednego słowa.

Scott uniósł brew. Annabelle ściągnęła usta. Oboje skinęli głowami.

– W porządku, skoro nalegasz – powiedział uprzejmie Scott. – Dziękuję.

– Nie, to ja dziękuję. Proszę tylko powiedzieć, co pijecie.

Scott powiedział, absolutnie nieświadom, że on i jego piękna panna młoda zaraz dostaną jedną z najcenniejszych lekcji w życiu.

Za skarby świata nie pozwól, żeby seryjny zabójca postawił ci kawę.

# Rozdział 41

– W porządku, proszę bardzo, zupełnie jak nowe... jedna duża chai latte z podwójną pianką i jedno beztłuszczowe cappuccino, supergorące – powiedziało fatum Scotta i Annabelle, które w ich oczach szybko i gładko z niezdary przemieniło się w osobę z sercem na dłoni. – Ale muszę spytać... jak możesz ją pić, skoro jest taka gorąca?

– Pewnie mam wysoki próg bólu – zażartował Scott, biorąc swoje nowe cappuccino. Jakby na dowód tego twierdzenia wypił łyk i rozciągnął usta w uśmiechu.

Ironia losu.

Fatum odpowiedziało uśmiechem – szerokim, naprawdę szerokim – po czym zwróciło się do Annabelle:

– A twoja kawa? Czy pianka jest wystarczająco gruba?

– Zaraz się przekonamy – powiedziała. Zdjęła wieczko i przysunęła kubek chai latte do ust. Zaraz potem uniosła kciuki. – Mnóstwo pianki.

– Na pewno, skarbie? – zapytał Scott z kamiennym wyrazem twarzy.

145

Annabelle miała urocze wąsiki z piany. Wyglądała jak modelka z kampanii reklamowej „Pij mleko".

– Przepraszam na sekundę – powiedział Scott do Fatum. Pochylił się i scałował wąsik z jej górnej wargi. Annabelle się zarumieniła, on się roześmiał.

Fatum porozumiewawczo pokiwało głową, wskazując na nich oboje.

– Otóż to. Jesteście nowożeńcami, prawda? Intuicja rzadko mnie myli. Mam rację?

– Strzał w dziesiątkę – odparł Scott. – Pobraliśmy się wczoraj.

– I przy odrobinie szczęścia polecimy na nasz miesiąc miodowy przed rocznicą ślubu – dodała Annabelle z cierpkim uśmiechem.

– Ty też czekasz na ten samolot? – zapytał Scott. – Lecisz do Rzymu?

– Tak – skłamało Fatum. – O ile kiedykolwiek...

– Chwileczkę – przerwała mu Annabelle, wyciągając szyję, żeby spojrzeć na bramkę. – Nie wierzę własnym oczom! Chyba w końcu wejdziemy na pokład.

Rzeczywiście, wreszcie zapowiadano lot Delta 6589 do Rzymu.

– Pewnie zobaczymy się na pokładzie. Tyle że najpierw muszę kupić gumę do żucia na pykanie w uszach. Zmiana ciśnienia dosłownie mnie zabija. Pyka mi w nich od samego startu.

– Doskonale cię rozumiem. Mam to samo – powiedział Scott. – Hej, jeszcze raz dziękuję za kawę.

– Cała przyjemność po mojej stronie. – Naprawdę. Cała przyjemność.

Scott i Annabelle zabrali swoje torby, potem poszli z kubkami kawy na koniec kolejki oczekujących na wejście do samolotu. Po paru kolejnych łykach popatrzyli na siebie. Scott przymrużył oczy. Annabelle zmarszczyła nos. Oboje wytknęli języki.

– Wiem – mruknął Scott, patrząc na swoje beztłuszczowe cappuccino, supergorące. – Twoja też smakuje trochę dziwnie, prawda?

– Z początku niczego nie czułam, może przez tę ekstrapiankę. Ale teraz...

– Wyrzućmy je.

– Nie możemy. – Annabelle spojrzała przez ramię. Zawsze przywiązywała dużą wagę do manier i etykiety, niskoligowa wersja Letitii Baldrige, specjalistki od savoir-vivre'u. – Nie tutaj.

Scott zrozumiał. Odwrócił się i zobaczył, że osoba, która postawiła im kawę, stoi przed kioskiem Hudson News, rozpakowując listek gumy do żucia.

– Pozbędziemy się ich w samolocie – szepnął.

– Dobry pomysł – odszepnęła Annabelle.

Usłyszeli komunikat:

– Ostatnie wezwanie dla pasażerów lotu sześćdziesiąt pięć osiemdziesiąt dziewięć do Rzymu.

Annabelle wzięła Scotta pod rękę.

– Co zrobimy, gdy tylko się tam znajdziemy? – zapytała.

– To znaczy po ochrzczeniu łóżka?

Dała mu żartobliwego kuksańca w bok.

– Nie wiem, może pójdziemy ochrzcić Koloseum – odparł.

Annabelle znowu miała go trącić, gdy nagle wrzasnęła. Scott się skulił, z jego ust bryzgały wymiociny. Wyglądało

147

to jak scena z *Egzorcysty*, tyle że wymiociny nie były zielone jak zupa z groszku. Były jasnoczerwone. Wymiotował własną krwią, całymi kubłami.

– Skarbie, co...

Annabelle nie dokończyła zdania. Osunęła się na ziemię, kolana w białych spodniach wylądowały – plusk! – w jej własnych wymiocinach.

Popatrzyli na siebie bezradnie. Nie odzywali się. Nie mogli mówić. Umierali. Tak szybko. Tak niewiarygodnie.

Chwytając ostatni oddech, Scott odwrócił się i zwarł wzrokiem z nieznajomą osobą, która zgniatała foliowe opakowanie gumy owocowej.

Jak się teraz sprawia twój podwyższony próg bólu, stary?

Fatum się uśmiechnęło – szeroko, naprawdę szeroko – i pomachało ręką na pożegnanie nowożeńcom z lotu 6589.

*Sogni d'oro! Arrivederci!*

# Rozdział 42

– Patrzcie, kogo tu mamy – powiedział doktor Kline, gdy wszedłem do jego gabinetu w centrum Manhattanu. – Żyjesz. Co nie znaczy, że kiedykolwiek uważał mnie za martwego. Dlaczego miałbym nie żyć? W ten sposób mi docinał za to, że nie stawiłem się na ostatnim spotkaniu; mniej więcej tak, jak mój trener futbolu w ogólniaku oznajmiał: „Miło, że pan do nas dołączył, panie O'Hara!", kiedy o dwie sekundy spóźniłem się na trening.

Różnica polegała na tym, że Kline nie wrzasnął: „A teraz dwadzieścia pompek!". Przynajmniej miałem nadzieję, że te słowa nie padną z jego ust.

– Rozmawiał pan z Frankiem Walshem, prawda? – zapytałem, siadając naprzeciwko niego na „kozetce".

Moj szef w Biurze zachowywał się jak moja matka. Czułem się niczym przedszkolak z karteczką przypiętą do sweterka. „Drogi doktorze Kline: Proszę o usprawiedliwienie nieobecności małego Johnny'ego, który opuścił ostatnią wizytę, ponieważ tropił przestępcę na Turks i Caicos.

– Tak. Walsh opowiedział mi o twoim śledztwie dla Warnera Breslowa – poinformował mnie Kline. – Zaraz potem
przykazał, że mam zapomnieć o wszystkim, co od niego
usłyszałem.

Typowe dla Franka Walsha.

– FBI oficjalnie nie zajmuje się tą sprawą – wyjaśniłem. – Dlatego tak powiedział.

– Rozumiem. I nie ma obawy. Ten pokój jest jeszcze lepszy
niż Vegas. To, co się tu dzieje, musi tu zostać... zgodnie
z prawem.

– Z jednym godnym uwagi wyjątkiem.

Kline się uśmiechnął.

– Masz rację, całkowitą rację. Chyba że mi powiesz, że
zamierzasz kogoś zabić.

Ten facet był mistrzem w płynnej zmianie kierunku
rozmowy.

– Ułatwię to panu – powiedziałem. – Frank wiedział, co
robi. Od chwili, gdy zaangażowałem się w sprawę Breslowów,
ani razu nawet nie pomyślałem o Stephenie McMillanie. Ani
razu. Szczerze.

– To dobrze.

To było dobre. Co nie znaczyło, że nadal nie chciałem zabić
sukinsyna za to, co zrobił mojej rodzinie. Po prostu nie
zastanawiałem się na okrągło, całymi dniami i nocami, jak
to zrobić.

Małymi kroczkami, O'Hara. Pomalutku, powolutku.

Zwróciłem uwagę na to, że w odróżnieniu od naszej
pierwszej sesji Kline trzyma laptop na kolanach. Coś sobie
notował.

– Mogę spytać, co pan pisze?

– Jasne – odparł. – Notuję uwagi związane z czymś, co właśnie powiedziałeś. Chodzi o pewne sformułowanie.

– Które?

– Nawiązałeś do swojego zaangażowania w sprawę morderstwa Ethana Breslowa i jego żony. Uznałem, że to ciekawe.

Nie byłem nawet świadom, że tak powiedziałem.

– Czy to jakieś freudowskie przejęzyczenie?

Kline zachichotał.

– Freud był pijakiem i seryjnym babiarzem z kompleksem Edypa.

Tak, ale co naprawdę o nim myślisz, doktorku?

– Dobra, wyłączmy z tego Sigmunda – mruknąłem. – Co z tego, że powiedziałem „zaangażowanie"?

– To świadczy o twojej motywacji – wyjaśnił. – Dlaczego akurat w ten sposób zarabiasz na życie i jaką rolę odgrywa zawód w twoim życiu osobistym.

Znak sceptycyzmu.

– Wszystko to wywnioskował pan na podstawie jednego słowa?

– Zaangażowanie się ma charakter emocjonalny, John. Jeśli we wszystkie sprawy angażujesz się emocjonalnie, co nastąpi, kiedy będziesz miał do czynienia ze sprawą naprawdę osobistą? Taką jak konfrontacja z człowiekiem winnym śmierci twojej żony?

– Wylądowałem u pana, takie jest następstwo – powiedziałem, splatając ręce na piersi. – Rozumiem, do czego pan pije, ale może właśnie dlatego jestem dobry w tym, co robię. Dlatego, że angażuję się emocjonalnie.

Pochylił się w moją stronę, patrząc mi prosto w oczy.

– Ale nikomu się nie przysłużysz, jeśli wylecisz z roboty. Albo, co gorsza, wylądujesz za kratkami.

Hmm.

Nienawidzę ludzi, którzy mówią „trafiony", kiedy zaliczą cios, ale jeśli kiedykolwiek był ku temu odpowiedni moment, to właśnie teraz. Kline w zasadzie nie mówił mi niczego, czego już sam w głębi serca dobrze bym nie wiedział. Po prostu wydobywał to na powierzchnię w sposób, w jaki ja nie mogłem ani nie chciałem tego zrobić.

Nagle stwierdziłem, że nie patrzę na Kline'a. Być może patrzyłem, ale zamiast niego widziałem moich chłopców. Zobaczyłem, jak bardzo naprawdę mnie potrzebują.

I jaki byłem samolubny.

Czy za mało przeszli? Czy byłem taki ślepy? Taki głupi?

Miałem taką obsesję na punkcie zemsty za śmierć ich matki, że zaniedbałem sławić jej życie – nasze życie – w rozmowach z naszymi synami. Popełniłem wielki, gigantyczny, kolosalny błąd.

– Doktorze, czy możemy skrócić dzisiejszą wizytę? – zapytałem.

Spodziewałem się zaskoczenia, może nawet tego, że mnie zruga. Przecież po przeskoczeniu naszego ostatniego spotkania próbowałem wykręcić się od obecnego. Dopiero co usiadłem.

A jednak Kline tylko się uśmiechnął. Umiał rozpoznać postępy na pierwszy rzut oka.

– Idź zrobić, co musisz – powiedział.

# Rozdział 43

Edward Barliss, dyrektor Obozu Wilderlocke, patrzył na mnie tak, jakbym przyleciał z Marsa. Nie, gorzej. Patrzył tak, jakbym był ojcem z piekła rodem.

Po trzygodzinnej jeździe z Manhattanu wszedłem bez zapowiedzi do jego małego, pachnącego żywicą biura na terenie zajmującego dwadzieścia hektarów obozu w Great Barrington, w Massachusetts. Czy wspomniałem o niezapowiedzianej wizycie?

– Panie O'Hara, co pan tu robi? – zapytał.

– Przyjechałem zobaczyć się z moimi dzieciakami.

– Dzień odwiedzin rodziców jest w przyszłym tygodniu.

Dobrze o tym wiedziałem. Wiedziałem też, że łamię zasady Obozu Wilderlocke i że Edward Barliss oraz jego „Wilderlockanie" z wielką powagą traktują regulamin. Poza zakazem używania gadżetów elektronicznych – zakazem, który popierałem z całego serca – dzieciakom nie było wolno dzwonić do domu, dopóki nie minie dziesięć dni czterotygodniowego turnusu. Tej zasadzie nie hołdowałem.

– Wiem, że nie jest to dzień odwiedzin, i bardzo przepraszam – powiedziałem. – Ale ta sprawa nie może czekać. Muszę się z nimi zobaczyć.

– Jakiś wypadek losowy? Czy zmarł ktoś w rodzinie?

– Nie, nikt nie zmarł.

– Ale sprawa jest pilna?

– Tak, można w ten sposób to ująć.

– Ma związek ze zdrowiem?

Patrzył na mnie, czekając na odpowiedź. Ja patrzyłem na niego, zjawisko w czerwonej kraciastej koszuli i spodenkach turystycznych, zastanawiając się, jak długo będzie trwać ta mała gra w dwadzieścia pytań. Rzut oka na jego schludne biuro – starannie ustawione segregatory, pinezki w idealnej linii na tablicy ogłoszeniowej – od razu pozwalał zrozumieć, że Barliss to człowiek, który szczyci się tym, że jest idealnie zorganizowany i ma wszystko pod kontrolą. Jako nieproszony gość byłem tu równie mile widziany jak pluskwa w jednej z jego szafek.

Zaczekaj, stary, póki nie usłyszysz reszty. Przygotuj się, dobra?

Jeśli mu się nie podobało, że przyjechałem w odwiedziny do Maxa i Johna Juniora, naprawdę nie spodoba mu się to, co dla nich zaplanowałem.

Pieprzyć owijanie w bawełnę. Powiedziałem wprost.

– Czego pan chce? – zapytał. Patrzył na mnie z głębokim niedowierzaniem. Wyglądało to tak, jakbym właśnie powiedział jakiemuś dzieciakowi, że nie ma Świętego Mikołaja, wielkanocnego zajączka ani Wróżki-Zębuszki, zjadając przy tym jego halloweenowy cukierek.

– Proszę myśleć o tym jak o krótkiej wycieczce w teren – wyjaśniłem. – Obiecuję, że odstawię ich za kilka godzin.

– Panie O'Hara, obawiam się...

Przerwałem mu. Musiałem. Barliss był dokładanie taką osobą, jakiej człowiek chce powierzyć swoje dzieci... do pewnego stopnia. Ale ostatecznie był kierownikiem obozu, nie obozowym kapo, a ja nie przejechałem całej tej drogi tylko po to, żeby zawrócić i jechać z powrotem. Trudne sytuacje wymagają zdecydowanych kroków. Nadszedł czas na poprzestawianie jego pinezek.

– Obawiasz się? Nie ma strachu, Ed – powiedziałem. – To, że jestem świeżo po wizycie u psychiatry, z którym kazał mi się widywać mój szef w FBI w obawie, że stanę się niebezpieczny dla otoczenia, nie powinno pogarszać ci samopoczucia. I gdybym nawet się wściekł, możesz być pewien, że odebrano mi broń... przynajmniej tę, o której wie Biuro. Teraz możesz kazać komuś przyprowadzić moich chłopców?

Biedny facet. Powoli sięgnął po jedną z tych krótkofalówek o niewielkim zasięgu i przekazał paru opiekunom, że mają znaleźć Maxa i Johna Juniora. Ani na chwilę nie spuszczał ze mnie oka, jakby wypatrywał jakichś nagłych ruchów.

Dwie minuty później chłopcy weszli do biura. Byli opaleni i spoceni, ubrani w szorty i bawełniane koszulki, mieli zadrapania na kolanach, smugi brudu na szyjach i łokciach. Wyglądali i pachnieli dokładnie jak... no tak... jak obóz.

Max pojaśniał, ucieszony, na mój widok. J.J.? Nie za bardzo. Na wstępie zadał to samo pytanie co kierownik Barliss.

– Tato, co tutaj robisz?

– Chcę was dokądś zabrać, chłopaki. Do miejsca, które musicie zobaczyć.

– Teraz?

– Tak, teraz. To nie potrwa długo, obiecuję. Odstawię was na kolację.

J.J. patrzył na mnie tak, jak to potrafi tylko trzynastolatek zażenowany, że łączy was DNA.

– Zwariowałeś? – zapytał.

– Nie – odparłem. – Jestem waszym ojcem. Idziemy.

# Rozdział 44

Po dziesięciu minutach jazdy chłopcy w końcu pomachali białą flagą i zrezygnowali z dopytywania, dokąd ich zabieram. Z pewnością powtarzałem się jak zdarta płyta.

– Wyjaśnię, gdy będziemy na miejscu.

Dotarliśmy tam dwadzieścia minut później.

– Hotel? Zabierasz nas do hotelu? – jęknął John Junior, gdy zobaczył znak przed Poets Inn w mieście Lenox, stan Massachusetts.

– Po pierwsze, to nie jest hotel. To zajazd – wyjaśniłem spokojnie, wskazując majestatyczny biały wiktoriański gmach z wieżyczką i werandami ze wszystkich stron. – Po drugie, tak, tutaj was przywiozłem.

– Zdaje się, że mówiłeś, że wrócimy do obozu na kolację – burknął Max, patrząc spode łba. – Dzisiaj jest pizza pepperoni, moja ulubiona.

– Spokojnie, nie spędzimy tu nocy. – Zaparkowałem, odwróciłem głowę. Siedzieli z tyłu i wyglądali jak dwa nieszczęścia. Przygnębienie do kwadratu. – Po prostu mi zaufajcie, chłopaki, dobra? Możecie to zrobić? Proszę.

Poszli ze mną, powłócząc nogami. Kazałem im zaczekać przy wejściu, a sam zamieniłem kilka słów z właścicielem, Miltonem, który siedział za biurkiem. Kiedy zadzwoniłem do niego przed wyjazdem z Manhattanu, miałem tylko dwa pytania: „Czy Pokój Roberta Frosta jest wolny?" i „Czy mógłbym wypożyczyć go na kilka minut?".

„Jest wolny" – odrzekł w odpowiedzi na pierwsze pytanie, po czym dodał „proszę bardzo", gdy usłyszał drugie. À propos gościnności, Milton okazał się równie miły jak wtedy, kiedy go poznałem... piętnaście lat temu.

– Chodźcie, chłopaki – powiedziałem do synów, gdy dostałem klucz. Tak, prawdziwy klucz. Tutaj nie było kart magnetycznych ani wkurzających cholerstw, które popiskują i mrugają na czerwono po siódmej próbie.

Weszliśmy po schodach na piętro i ruszyliśmy do Pokoju Roberta Frosta. W korytarzach leżały podniszczone chodniki i farba trochę się łuszczyła wzdłuż listew przypodłogowych, ale przeważało wrażenie przytulności. Dokładnie tak, jak pamiętałem.

– Byłeś tu wcześniej, tato? – zapytał Max, trochę zadyszany, bo musiał stawiać po dwa kroki na każdy jeden mój i starszego brata, żeby za nami nadążyć.

– Tak – odparłem, gdy otworzyłem drzwi i wszedłem. – Raz.

John Junior natychmiast spojrzał na łóżko z baldachimem i aksamitne zasłony, zupełnie z innej bajki niż jego domek w obozie.

– Dlaczego wróciliśmy? – jęknął.

– Ponieważ jestem coś wam winien, chłopaki – odparłem. – I to zaczęło się tutaj.

# Rozdział 45

Staliśmy w pokoju pomiędzy łóżkiem i ogromnym kominkiem z gzymsem z drewna wiśniowego. Max i John Junior stali ramię w ramię, patrząc na mnie. W tej chwili miałem ich przed oczami jako niemowlaki w ramionach Susan. Zaczerpnąłem powietrza i wypuściłem je.

– Kiedy zmarła wasza mama, przestałem z wami o niej rozmawiać – zacząłem. – Wmówiłem sobie, że przez takie przypominanie jeszcze bardziej będziecie za nią tęsknić. Ale popełniłem błąd. Przeciwnie, to ja się bałem, że będzie mi jej brakować. W końcu zrozumiałem, że nawet teraz, gdy jej nie ma, wciąż jest waszą mamą i zawsze nią będzie. Nic nigdy tego nie zmieni. Dlatego unikanie rozmów o niej, niedzielenie się z wami opowiastkami i wspomnieniami naszego związku, jest równoznaczne z pozbawianiem was czegoś ważnego. I nie chcę tego robić, już nie. Dlatego tu jesteśmy.

Max patrzył na mnie, zaintrygowany. Wiedziałem, że to trudne dla dziesięciolatka, ale przecież nie zawsze będzie miał dziesięć lat.

– Nie kumam, tato – powiedział.

John Junior trącił go w ramię.

– Mówi, że zatrzymał się tutaj z mamą.

Uśmiechnąłem się zalany przez falę wspomnień.

– Piętnaście lat temu, gdy na zewnątrz zalegał śnieg gruby na prawie pół metra, wasza mama i ja siedzieliśmy przed tym kominkiem i rozpijaliśmy butelkę szampana – powiedziałem. – Później zrobiłem najmądrzejszą rzecz w moim życiu. Oświadczyłem się jej.

– Powaga? Tu, w tym pokoju? – zapytał Max.

– Tak, naprawdę. Co więcej, mogę to udowodnić. – Podszedłem do szafy, obok komody, i otworzyłem drzwi. – Chodźcie tu, chłopaki.

Podeszli i zajrzeli. Zobaczyli tylko kilka pustych wieszaków.

– Pusto – stwierdził John Junior.

– Tylko tak się wydaje. – Podniosłem Maxa, posadziłem go na ramionach. – Widzisz ostatnią deskę pod sufitem? Pchnij ją.

Max wyciągnął ręce do ostatniej deski pod tylną ścianą szafy.

– O rany – szepnął, gdy ustąpiła pod jego małymi palcami.

– Teraz sięgnij do końca z lewej strony – poinstruowałem.

Macał przez chwilę.

– Nic tam nie ma – powiedział, poddając się zbyt szybko. – Czego szukam?

– Szukaj dalej. To małe, ale na pewno tam jest.

Ledwie skończyłem mówić, gdy trafił w dziesiątkę.

– Mam! – krzyknął, podekscytowany.

Opuściłem go na podłogę. Odwrócił się, otwierając dłoń. Pomijając warstwę kurzu, mały przedmiot był dokładnie taki sam jak piętnaście lat temu. Korek z butelki szampana, który wypiłem z Susan tamtej nocy.

John Junior się pochylił, żeby obejrzeć go z bliska. Nie powiedział słowa.

– Możecie to przeczytać? – zapytałem.

Max wziął korek w palce i obracał, aż dostrzegł datę. 14 STYCZNIA 1998, napisałem czarnym markerem. I jeszcze coś: POWIEDZIAŁA TAK!

Potem Max zobaczył, co napisała Susan.

– To pismo mamy? – zapytał.

Skinąłem głową.

– Cześć, dzieciaki! – przeczytał głośno. Szczęka mu opadła; nie mógł w to uwierzyć.

– Wpadła na pomysł, że pewnego dnia przyjedziemy tu z naszymi dziećmi – wyjaśniłem. – Uznała, że fajnie będzie wam to pokazać.

Spojrzałem na Johna Juniora, który wciąż nie powiedział słowa. Teraz milczał, bo nie mógł mówić. Był zbyt zajęty udawaniem, że to nie łza właśnie spłynęła z jego prawego oka. Otarł ją tak szybko, że tylko ja zdążyłem ją zauważyć, nie jego młodszy brat.

Bez słowa wyciągnąłem ręce i wziąłem go w ramiona. Przytuliłem mocno. Odwzajemnił się jeszcze mocniejszym uściskiem. Pierwszy raz.

– Co z tym zrobimy, tato? – zapytał Max. – Możemy go zatrzymać?

O tym jeszcze nie pomyślałem.

– Jasne – odparłem. – Zachowajcie go, chłopaki.

– A może odłóżmy – zaproponował cicho John Junior. – Wiesz, tam gdzie był zawsze.

Popatrzyłem na Maxa, który nie był pewien. Przygryzał dolną wargę.

– Może twój brat ma dobry pomysł, stary – powiedziałem. – Jest coś pocieszającego w świadomości, że korek tu będzie przez następne dziesiątki lat. To jak wspaniałe wspomnienie, które można zachować na zawsze.

Zobaczyłem, że twarz Maxa nagle się rozpromienia. Teraz nadeszła moja kolej na płacz.

– Tak – wymamrotał. – To trochę jak mama, prawda?

# Rozdział 46

Dotrzymałem słowa, odwiozłem Maxa i jego brata do obozu. Zdążyli na pizzę pepperoni. Powinienem skubnąć kawałek dla siebie. W połowie drogi do domu zacząłem konać z głodu. Kto by pomyślał, że po tym katharsis nabiorę takiego apetytu? Zbawienie pojawiło się w postaci knajpki Niebiański Zajazd tuż przy Taconic State Parkway. Odręczny napis w oknie oznajmiał: GRZESZNICY, TEŻ JESTEŚCIE MILE WIDZIANI! Miły akcent.

Minąłem jeden z obitych niebieskim winylem boksów, żeby usiąść przy barze i zamówić Cholesterolowe Danie Dnia: cheeseburger z bekonem, frytki i czekoladowy koktajl mleczny, ekstragęsty.

– Zaraz podam – burknęła kelnerka weteranka w blond peruce, która, oględnie mówiąc, prosiła się o lekkie szarpnięcie w lewo.

Odeszła, powłócząc nogami, a ja sięgnąłem po komórkę, żeby sprawdzić pocztę. Nic naglącego, chyba że wziąć pod uwagę testament zmarłego wuja, którego najwyraźniej miałem w Nigerii i który zostawił mi w spadku trzydzieści pięć milionów dolarów.

Właśnie miałem schować telefon do kieszeni, kiedy zadzwonił mi w ręce. Nazwisko dzwoniącego nie pojawiło się na wyświetlaczu, ale rozpoznałem numer. Eldridge, okręgowy komendant policji z Turks i Caicos.

– Cześć, Joe – powitałem go.

Byliśmy ze sobą po imieniu. Prawdę mówiąc, nazwał mnie „Johnny-o" podczas pierwszej rozmowy telefonicznej. Wtedy go zapytałem, czy może się dowiedzieć, ile chińskich paszportów wjechało do jego hrabstwa w ciągu paru ubiegłych tygodni.

– Siedem – odparł Eldridge.

Z miliarda Chińczyków na świecie tylko siedmiu wybrało się do Turks i Caicos. Co dziwne, brzmiało to dokładnie jak trzeba.

– Któryś rzucił ci się w oczy? – zapytałem.

– Jak to mówi ta wasza Sarah Palin? Idę o zakład.

Trzy chińskie pary – łącznie sześcioro osób – przybyły w ciągu trzech różnych dni, wyjaśnił. Każda para zatrzymała się w tym hotelu, który wpisała na deklaracji celnej. Sprawdził to.

– Co nie znaczy, że zabójca musiał zatrzymywać się w tym samym ośrodku co Ethan i Abigail Breslowowie – dodał. – Ale zgadnij, kto to zrobił?

Nie musiałem zgadywać. Kandydat numer siedem.

– Kto to taki? – zapytałem.

– Niejaki Huang Li – odparł. – Zameldował się w Governor's Club dwa dni przed morderstwem.

– Kiedy się wymeldował?

– Dwa dni później.

– Wiemy coś więcej?

– Niezupełnie. Facet od basenu pamięta, że go widział, ale na razie to wszystko. Rozpytam się po okolicy, jeśli wiesz, o co mi chodzi.

– Ja sprawdzę faceta stąd, zobaczę, czego się dokopię.

– Miejmy nadzieję, że czegoś więcej niż ja – powiedział. – Oczywiście zakładam, że było wszem wobec wiadomo, gdzie Breslowowie spędzają miesiąc miodowy?

Nie odpowiedziałem. Prawdę mówiąc, ledwie go słuchałem. Równie dobrze mógłby być dorosłym z komiksu *Fistaszki*.

– John? – zapytał. – Jesteś tam?

Byłem, a jakże. Ale nagle kątem oka zobaczyłem coś, co sprawiło, że zrozumiałem, że muszę być gdzie indziej.

– Joe, oddzwonię – powiedziałem.

– Wszystko w porządku?

– Nie jestem pewien.

# Rozdział 47

Patolog nawet nie oderwał wzroku od lunchu.

– Jesteś kumplem Larry'ego, prawda? – zapytał.

Prawdę powiedziawszy, nie miałem pojęcia, kim jest Larry, ale znałem pewną kobietę z Antyterrorystycznej Połączonej Grupy Roboczej, współpracującą z Larrym z nowojorskiego kompleksu portowego; brat Larry'ego z laboratorium kryminalistyki kumplował się z facetem z biura lekarza sądowego z Queens, a ten siedział przede mną za biurkiem z dietetycznym napojem Snapple w jednej ręce i nadgryzioną kanapką z szynką w drugiej.

Nazwijcie to sześcioma krokami oddalenia O'Hary w potrzebie przysługi.

Wszystko zaczęło się od trzech słów, które zobaczyłem na ekranie telewizora nad barem Niebiańskiego Zajazdu.

Reporter CNN stał przed lotnikiem Kennedy'ego. Dźwięk był ściszony, ale na pełznącym pasku przewijały się słowa, które wrzeszczały, przynajmniej dla mnie: NOWOŻEŃCY NIE ŻYJĄ.

Gdy tylko rozłączyłem się z Joem, zacząłem wydzwaniać do znajomych z czasów mojej pracy w nowojorskiej policji. Potrzebowałem szczegółów. Potrzebowałem dostępu.

Może przypadek tych nowożeńców, którzy zmarli w tak niedługim czasie po Breslowach, był tylko zbiegiem okoliczności, ale gdy poznałem makabryczne szczegóły zdarzenia w terminalu Delta, szybko zmieniłem zdanie.

Najtrudniejsze będzie uzyskanie potwierdzenia. I to szybko.

Absolutnie niezainteresowany patolog siedzący w swoim zagraconym biurze w Queens – oficjalnie zastępca naczelnego lekarza sądowego – w końcu raczył na mnie spojrzeć. Doktor Dimitri Papenziekas był Grekiem, który mówił i zachowywał się jak nowojorczyk z dziada pradziada.

– Słuchaj pan, nie jestem chodzącym Supermanem – powiadomił mnie na wstępie.

Taa, a ja nie jestem Zielonym Szerszeniem. Skoro więc to ustaliliśmy...

– Jak szybko? – zapytałem. – To wszystko, co muszę wiedzieć.

Jak szybko mógłby przeprowadzić badanie, żeby określić, czy cyklosarin był obecny w ciałach pary z lotniska?

– Jutro po południu – odparł.

– A może dziś wieczorem?

A może się odpierdolisz? – zasugerował wyraz jego twarzy.

– Dobra, dobra... na jutro rano – powiedziałem, jakbym to ja wyświadczał mu łaskę.

Dimitri wgryzł się w kanapkę i głowa mu podskakiwała z zadumą, gdy przeżuwał.

– Dobra, jutro rano – oznajmił. Potem pokiwał palcem. – Tylko żebyś się pan nie zaliczał do tych, którzy dzwonią

167

po paru godzinach z pytaniem, jak mi idzie. Bo wtedy naprawdę się nie śpieszę.

– Taa, nie cierpię takich facetów. To kutasy.

Chryste, dobrze, że mnie uprzedził. Na pewno bym do niego zadzwonił. Byłoby po sprawie, co nie, O'Hara? Jak pierdnięcie w zatłoczonej windzie.

Nie, jutro rano wystarczy. Nie musiałam na niego naciskać. Poza tym ważniejsze było nie „kiedy", ale „kto". Kto chciałby wiedzieć, że wyświadcza mi przysługę? Nikt, miałem nadzieję.

– Więc to zostanie między nami, tak? – zapytałem dla pewności.

– Tak powiedział Tiger Woods – sparował.

Śmiał się, gdy zachodziłem w głowę, co oznacza odpowiedź: przytaknięcie czy zaprzeczenie. W końcu zapewnił, że mam się nie przejmować. Nikt się nie dowie.

– Dzięki – mruknąłem.

– Spoko. Przyjaciel Larry'ego jest moim przyjacielem – oznajmił. Potem ni z tego, ni z owego puścił do mnie oko. – I jeśli kiedyś naprawdę poznasz pan Larry'ego, możesz mu to powtórzyć.

# Rozdział 48

Śpiesz się i czekaj.

Mniej więcej właśnie takie były moje odczucia, gdy wróciłem do domu w Riverside na całonocny stan zawieszenia. Mój następny ruch zależał od łaski kanapkożernego greckiego lekarza sądowego, który nie lubił być poganiany.

Tymczasem wciąż byłem winien Warnerowi Breslowowi informacje o ostatnich osiągnięciach. Po wybraniu numeru jego biura sekretarka mnie powiadomiła, że wyszedł.

– Ale przełączę pana na komórkę – dodała szybko.

Najwyraźniej moje nazwisko figurowało na jego liście priorytetów.

– Co masz? – zapytał z mety. Nie zanosiło się na uprzejmą pogawędkę. Do licha, nawet się nie przywitał.

Moje najświeższe doniesienia obejmowały wszystko, co wiedziałem o „naszym chińskim aspekcie", łącznie z tym, że czekałem na podstawowe dane jednego z właścicieli chińskich paszportów, który zatrzymał się w Governor's Club.

Nie wspomniałem jednak ani słowem o mojej wyprawie do biura lekarza sądowego w Queens i możliwym powiązaniu – albo braku związku – pomiędzy morderstwem Ethana i Abigail a śmiercią tych nowożeńców na lotnisku. Do czasu uzyskania wyników w sprawie cyklosarinu poruszanie tego tematu nie miało najmniejszego sensu.

– Na pewno nie chcesz, żebym zadzwonił do moich znajomych w ambasadzie w Pekinie? – zapytał Breslow. – Wiesz, to może przyśpieszyć sprawdzenie przeszłości tego człowieka.

Niecierpliwość w jego tonie miała związek nie tyle ze mną, ile z generalną koncepcją czekania, czymś, w czym miliarderzy nie są zbytnio dobrzy. Moja jedyna rozrywka polegała na odgadnięciu, na co właściwie czeka.

– Z całym należnym szacunkiem dla pańskich przyjaciół w ambasadzie, sprawdzanie przeszłości, o jakim mówimy, niezupełnie odbywa się przez kanały oficjalne.

Nie wykazałem się zbytnią subtelnością, ale czasami im mniej, tym lepiej. Szczególnie z kimś takim jak Breslow.

– Niech ci będzie – ustąpił. – Zadzwoń, gdy tylko będziesz wiedział coś więcej.

– Zadzwonię.

Rozłączyłem się, wyjąłem piwo z lodówki i szybko przejrzałem pocztę. Nie dostałem drugiego egzemplarza Biblii ani żadnej innej paczki.

Prawdę powiedziawszy, pomijając rachunki i katalogi, jedyną prawdziwą „pocztą” była pocztówka od Marshalla i Judy z rejsu wycieczkowego po Morzu Śródziemnym. Na obrazku widniała Malta. Na odwrocie Judy napisała krótkie wypracowanie na temat historii Malty. Oczywiście. Jedyną rzeczą niezwiązaną z Maltą było postscriptum: „Nie zapomnij podlewać mojego ogródka!".

Ojej.

Z piwem w ręce wyszedłem na zewnątrz i włączyłem zraszacz, ani o minutę za wcześnie. Ogród Judy był w opłakanym stanie. Same smutne petunie i begonie.

Po odczekaniu minuty dla pewności, że zraszacz ogarnia je wszystkie, usiadłem na leżaku. Rozprostowałem nogi i przyszło mi na myśl, że po raz pierwszy od wielu dni naprawdę mam chwilę, żeby się wyluzować. Odetchnąłem głęboko i zamknąłem oczy. Może to wcale nie takie straszne, gdy człowiek ma trochę czasu do zabicia.

Nagle uniosłem powieki.

– John O'Hara? – zapytał ktoś za mną.

# Rozdział 49

Opadło mnie złe przeczucie, jeszcze zanim odwróciłem głowę. Kiedy zobaczyłem, kto to taki, uczucie się pogorszyło.

– Do diabła, co pan tu robi?

Nie było to chrześcijańskie powitanie, ale nie mogłem się powstrzymać. Trzaśnij się młotkiem w kciuk i próbuj nie wrzasnąć. Nastąp boso na kawałek szkła i staraj się nie krwawić. Zobacz adwokata faceta, który zabił twoją żonę, zjawiającego się bez zaproszenia na twoim podwórku...

Będziesz wkurzony.

– Dzwoniłem do drzwi – powiedział Harold Cornish. – Chyba dzwonek się zepsuł.

– Umieszczę to na mojej liście zadań.

Harold Cornish, wiecznie opalony i nienagannie uczesany, stał przede mną w trzyczęściowym garniturze i nie dopatrzyłem się nawet sugestii potu. Zdumiewające. Poza salą sądową był równie zimny jak wewnątrz.

Nienawidziłem tego faceta.

I właśnie to wkurzało mnie najbardziej. Ponieważ w głębi duszy wiedziałem, że zachowuję się kompletnie irracjonalnie.

Nie nienawidziłem Cornisha dlatego, że bronił McMillana. Każdy ma prawo do rzetelnego procesu sądowego, tego nie trzeba mi mówić. Nawet największe kutasy na świecie zasługują na prawnika.

Nie, nienawidziłem Cornisha, ponieważ okazał się dobrym adwokatem. McMillanowi groziło dziesięć lat za kratkami, może nawet więcej, a w zasadzie dostał minimum. Trzy lata. Wszystko przez Cornisha.

– Oczywiście nie jest mi pan winien żadnej przysługi, ale chcę pana o coś prosić – powiedział. – Wie pan, że mój klient za parę dni zostanie zwolniony z więzienia?

Skinąłem głową. Nic więcej. Nie chciałem dopuścić, żeby zwolnienie McMillana zaabsorbowało mnie do stopnia bliskiego autodestrukcji.

– W związku z tym mam do pana prośbę – kontynuował Cornish. – McMillan bardzo chce pana przeprosić. – Natychmiast uniósł ręce. – Zanim pan zareaguje, proszę pozwolić mi skończyć.

– Zareagowałem? – wycedziłem zimno.

– Nie, nie zareagował pan i jestem za to wdzięczny. Wiem, że mój klient przeprosił pana i pańską rodzinę w sądzie, ale tym razem chce przeprosić osobiście. Prywatnie. Czy zastanowi się pan nad tym?

Natychmiast pomyślałem o doktorze Klinie i wszystkich wielkich krokach, które z nim robiłem. Nawet słyszałem w głowie jego głos nakazujący mi, żebym zachował spokój, nie stracił panowania nad sobą. Koniec z Agentem Bombą Zegarową.

Ale nie mogłem się powstrzymać. Cornish zapalił lont i nic nie mogłoby mnie zatrzymać. Wstałem, podszedłem do niego i stanąłem tak blisko, że nasze nosy prawie się stykały. Potem na całe gardło podałem mu odpowiedź.

– PRZEKAŻ SWOJEMU PIERDOLONEMU KLIENTOWI, ŻEBY POSZEDŁ DO DIABŁA!

Cornish powoli zamrugał, zrobił krok w tył i pokiwał głową.

– Rozumiem.

Trudno powiedzieć, czy naprawdę rozumiał, czy nie, ale miałem to gdzieś. Odwrócił się i odszedł bez słowa.

Zaczekałem, aż obejdzie dom i zniknie za rogiem. Wciąż miałem połowę piwa w ręce i rozprawiłem się z nim jednym długim łykiem.

Potem, niewiele myśląc, dodałem kolejną pozycję do mojej listy zadań: posprzątać z tarasu potłuczone szkło.

Trzask!

Walnąłem butelką w ścianę z taką siłą, że ramię o mało nie wyskoczyło mi ze stawu.

W przeciwieństwie do tego, w co wierzyłem, najwyraźniej wcale nie zrobiłem wielkich kroków.

W rzeczywistości miałem przed sobą długą, bardzo długą drogę.

# Część trzecia

---

## Miejsca, w które się udasz

# Rozdział 50

– Agentka Brubaker, jak sądzę – powiedział policjant, witając Sarah przed biurem szeryfa Candle Lake w Nowym Meksyku.

– Tak. – A ty pewnie wciąż jesteś w ogólniaku, pomyślała Sarah, potrząsając ręką mężczyzny. Poważnie, mam w lodówce jedzenie, które jest starsze niż ty.

– Szeryf Insley prosił, żebym zawiózł panią nad jezioro, gdy tylko się pani zjawi. Czeka tam na panią. Możemy jechać?

– Czy to tam szukacie Johna O'Hary?

– Tak. Żona O'Hary uważa, że albo pije, albo wędkuje, a w żadnym barze w mieście nikt go nie widział.

Pije albo wędkuje? Sarah przez chwilę przypatrywała się policjantowi, zastanawiając się, czy ma pojęcie, jak zabawnie to zabrzmiało w tym stereotypie małego miasteczka. Nie miał.

– Przepraszam, nie podano mi pana nazwiska – powiedziała.

– Knoll. Peter Knoll.

Sarah wsiadła do jego radiowozu chevy tahoe, który stał

zaparkowany na ulicy. Jeszcze zanim zapięła pasy, Knoll pstryknął klawiszem i ryknęły syreny. Chłopcy i ich zabawki...

– Co jeszcze może mi pan powiedzieć o Johnie O'Harze? – zapytała, gdy wypadli za rogatki. – Poza tym, że lubi pić i łowić ryby.

Knoll namyślał się przez parę sekund, postukując palcami w kierownicę.

– Wiem, że jest emerytowanym hydraulikiem. Ma dwoje dzieci, tyle że to już nie są dzieci. Dorosły i wyprowadziły się.

Sarah założyła włosy za uszy. Okna były otwarte i wiatr szalał we wnętrzu samochodu. Boża klimatyzacja.

– Wie pan, czy interesowały go książki? Czy dużo czytał?

– Nic mi o tym nie wiadomo. Nigdy nie byłem w jego domu.

– Kiedy zaginął?

– Żona zadzwoniła dzisiaj wczesnym rankiem. Oficjalnie nie minęły dwadzieścia cztery godziny, odkąd widziała go po raz ostatni, ale nie jesteśmy formalistami. Mam wuja, który mawia, że czepianie się drobiazgów jest dla czepialskich.

– Mądry wujek – podsumowała Sarah.

Z każdym przejechanym kilometrem mijali coraz mniej domów. W końcu widziała tylko drzewa i od czasu do czasu jakieś rozjechane zwierzę. Knoll skręcił w lewo na wąską szosę, która szybko przemieniła się w drogę gruntową.

– Główny wjazd jest kilka minut jazdy stąd, ale to skrót do łez – wyjaśnił.

– Do czego?

– To część jeziora najlepsza do wędkowania. Wiedzą o niej tylko miejscowi. Jeśli O'Hara jest nad jeziorem, to właśnie tam. Szeryf Insley prowadzi poszukiwania z drugim policjantem.

178

– To duży obszar?

– Tak, z mnóstwem zatoczek – odparł. – Większość ma kształt łez, stąd nazwa.

Droga zwęziła się do szlaku. Wreszcie wyjechali na małą polankę, która służyła za parking, w tej chwili dla dwóch radiowozów. Knoll podjechał do nich, wyłączył silnik.

– Powiadomię przez radio szeryfa Insleya, dam mu znać, że tu jesteśmy – powiedział. Ale zanim to zrobił, nie zdołał się powstrzymać. – Dlaczego pani do nas przyjechała? Jeśli nie ma pani nic przeciwko pytaniu.

– Żeby pomóc znaleźć Johna O'Harę – odparła. Z pewnością nie było to kłamstwo.

Dźwięk zbliżających się głosów zaoszczędził jej kłopotu odpowiadania na kolejne pytania. Nie było potrzeby kontaktować się z szeryfem przez radio. Szedł prosto w ich stronę.

Sarah wysiadła, szybko przedstawiła się szeryfowi i drugiemu policjantowi – Brandonowi Vicksowi – który nie wyglądał na starszego od Knolla. Nawet gdyby zsumować ich wiek, sporo brakowałoby im do pięćdziesiątki.

– Jakie są najświeższe informacje o naszym zaginionym? – zapytała.

Insley zdjął kapelusz i podrapał się po czole pokrytym konstelacją niezliczonych piegów.

– John O'Hara nie zaginął – powiedział niskim głosem, przeciągając samogłoski. – I to nie jest ładny widok.

# Rozdział 51

Szeryf Dick Insley miał minę, głos, postawę – prawdę mówiąc, całą aurę – starego wyjadacza, ale dwadzieścia jeden lat, które upłynęły pomiędzy poprzednim i obecnym morderstwem w jego miasteczku, to dużo czasu. Sarah praktycznie widziała kółka obracające się w jego głowie, gdy szedł do swojego radiowozu po walizkę kryminalistyczną.

Poszła za nim, spokojnie przekonując, że najpierw musi pokazać jej ciało.

Nad jezioro prowadziła stroma i kręta ścieżka z kilkoma linowymi poręczami. Sarah miała na sobie garsonkę i czółenka. Lepsze byłyby dżinsy. Pionierki byłyby lepsze o całe niebo.

– Zaraz będziemy na miejscu – powiedział idący przed nią Insley.

Sarah miała swój dziwny zwyczaj – bardziej dziwactwo. Ilekroć zjawiała się na miejscu zbrodni, jej umysł natychmiast wyczarowywał nagłówek, jaki ukaże się w lokalnej gazecie. Nie mogła temu zaradzić; jej umysł po prostu to robił. Był to odruch. Zawsze uważała go za dziwny. Prawdopodobnie dlatego nigdy nikomu o tym nie powiedziała.

Po kolejnych stu metrach ścieżka urwała się na skraju wody, nad jedną z tych zaokrąglonych zatoczek – łez – które opisał Knoll. Ponieważ zatoczkę okalały gęste krzaki, reszta jeziora była ledwo widoczna. John O'Hara miał swoje prywatne łowisko. Był zupełnie sam.

Do czasu.

Jego wielkie ciało leżało na ziemi z rozpostartymi ramionami i nogami. Wyglądało tak, jakby robił anioła na śniegu. Ale śniegu nie było; ziemia wokół niego była przesiąknięta krwią. Mnóstwem krwi. Jeden strzał w klatkę piersiową i jeden z bliska w głowę. Zasadniczo zwłoki wyglądały jak te ze zdjęć, które Sarah widziała podczas zebrania w Quantico.

Zabójca Johnów O'Harów był konsekwentny, zgadza się. Przewrotnie niezawodny. Takie samo imię i nazwisko kolejnych ofiar, taki sam modus operandi w stylu egzekucji.

– Jezu, jak ja to powiem Marshy? – mruknął Insley, jakby właśnie zaczynał rozumieć, że przybył mu kolejny punkt na jego liście zadań. Przekazanie wieści żonie O'Hary.

Sarah zamrugała, jej umysł wyczarował potencjalny nagłówek w „Candle Lake Gazette" czy jak tam się zwała ich lokalna gazeta.

SMUTNA SCENA PRZY ŁZACH.

# Rozdział 52

Pomarańczowy blask przesączał się przez korony wysokich sosen po drugiej stronie jeziora. Słońce zachodziło i w resztkach światła trzeba było zrobić jeszcze pewne rzeczy. Na początek wyizolować odciski stóp sprawcy.

Ale gdy Sarah założyła lateksowe rękawiczki, natychmiast skupiła uwagę na zwłokach. Sprowadził ją tutaj egzemplarz *Ulissesa*, mały pożegnalny prezent od zabójcy. Czy znajdzie następny?

– Czy ktoś dotykał ofiary? – zapytała Insleya i jego młodą świtę. Było to nie tyle pytanie, ile błaganie. Proszę, niech nikt mi nie powie, że był na tyle głupi, żeby ruszać cokolwiek na miejscu zbrodni.

– Nie – odparł Insley. – Nawet nie sprawdziliśmy portfela.

Tłumaczenie: Candle Lake w stanie Nowy Meksyk jest małym miasteczkiem. Mieszkańcy są zżyci. Stróże prawa nie musieli identyfikować Johna O'Hary, ponieważ wszyscy go znali.

Sarah ostrożnie sięgała do kolejnych kieszeni ofiary. Nie miała zamiaru zdejmować ubrania – dokładniejsze przeszukanie można przeprowadzić w kostnicy – ale nie mogła przestać myśleć, że nietrudno będzie znaleźć to, czego szuka.

Przecież zabójca chciał, żeby to znalazła, prawda? Coś, co nie należało do ofiary. Prowadził grę, coś w rodzaju starej zabawy z *Ulicy Sezamkowej*. „Jeden z tych przedmiotów nie pasuje do pozostałych".

Szukała, cienie wokół niej się wydłużały.

Im dłużej szukała, tym bardziej była pewna, że ten John O'Hara albo podróżował, ekstremalnie nie obciążając się rzeczami, albo wszystko mu zabrano.

Sprawdzić portfel? Nie było portfela.

Ani niczego innego, skoro o tym mowa. Ani drobnych, ani komórki, ani gumy do żucia, ani pomadki ochronnej. Nie było również kluczyków, co wyjaśniało, dlaczego samochód O'Hary – albo coś innego, czym przyjechał nad jezioro – nie stoi na polanie.

Tymczasem szeryf Insley przyglądał się w milczeniu. Wiedział, że nie należy zasypywać Sarah pytaniami. Skoro sprawą zajmuje się FBI, to znaczy, że mają ku temu powody. Jeśli on nie musi ich znać, to jasne jak słońce, że ich nie pozna.

Dwaj młodzi policjanci to zupełnie inna historia. Szczególnie Knoll. Po prostu był zbyt zielony, miał za dużo mleka pod nosem.

– Czego pani szuka? – zapytał.

Znów nie musiała kłamać.

– Nie wiem za bardzo – odparła, podnosząc się. – Ale jestem całkiem pewna, że gdzieś tutaj musi to być.

Sarah odsunęła się od zwłok. Odsunęła się od wszystkiego. Nagle zrozumiała, na czym polega problem. Była tak skoncentrowana na szczegółach, że nie mogła zobaczyć całości. Nie chodzi o to, co jest, ale czego brakuje.

– Chwileczkę... gdzie jego wędka? – zapytała Insleya.

Szeryf spojrzał w prawo i lewo, jego mina mówiła sama za siebie. Dobre pytanie.

– Prawdopodobnie zabrał ją zabójca – odezwał się Knoll. – Tak jak portfel i samochód Johna.

– Może – mruknęła Sarah. – Ale portfel i samochód do czegoś służą. Dlaczego miałby zabierać wędkę?

– A co z jego skrzynką wędkarską i wiaderkiem na ryby? John na pewno miał je ze sobą. Też ich nie ma – zauważył drugi policjant. Jak się nazywa? Sarah już zapomniała.

– Trafna uwaga – przyznała, ukradkiem zerkając na identyfikator na jego mundurze. VICKS. Jak lekarstwo na kaszel.

– Może zabójca zabrał sprzęt, bo też lubi wędkować – zażartował Knoll. – Może teraz wędkuje w innym hrabstwie, próbując złowić sobie kolację.

Sarah pokiwała głową. Knoll zdobył się na dowcip, żeby podkreślić to, co często słyszała o zabójcach. Nie zawsze można się spodziewać, że będą działać logicznie. Jeśli ktoś jest na tyle szalony, żeby kogoś zabić, nie myśli jak wszyscy inni.

A jednak.

– Może sprzęt jest gdzieś, gdzie jeszcze nie szukaliśmy – powiedziała.

– Jasne – zgodził się z nią Vicks. Popatrzył na O'Harę. – Może John wybrał się na poszukiwanie innej zatoczki, przyszedł tutaj i tu go dopadł zabójca.

– W jakim kierunku szukaliście? – zapytała Sarah.

– Zgodnie z ruchem wskazówek zegara wokół jeziora, z północy na południe – odparł Insley. – Doszliśmy od dwunastej do... około dziesiątej.

– Tak, do dziesiątej – przytaknął Vicks.

Innymi słowy, sprawdzili większą część brzegu jeziora. Ale nie całość.

Jak zsynchronizowana drużyna pływacka, wszyscy odwrócili się w lewo. Sarah wsparła ręce na biodrach i wzruszyła ramionami.

– Chodźmy obejrzeć wiadomości o jedenastej – powiedziała.

# Rozdział 53

Przedzierali się przez krzaki porastające brzeg jeziora, Insley prowadził. W trzasku była pewna muzyka gałązek pod ich nogami. Przypadkowa, ale miała rytm. Jak pierwsze ziarnka popcornu pękające w mikrofalówce.

Z każdym krokiem dziwne uczucie się nasilało. W zasadzie to nie Insley prowadził. Kierował nimi zabójca. Jeśli nie wyreżyserował bezpośrednio tego korowodu wokół jeziora, to z pewnością wiedział, że nastąpi. Jak... cóż, jak w zegarku.

– Tam! – krzyknął Insley, który pierwszy wydostał się z zarośli.

Sarah nie musiała wytężać wzroku, żeby zobaczyć, co wskazuje. Miała wszystko przed sobą, wszystko, czego brakowało, rzucone przy tej kolejnej łzie: wędka leżała na ziemi obok skrzynki wędkarskiej i wiaderka. Wyglądało to trochę niesamowicie.

Nie, pomyślała. Zdecydowanie niesamowicie.

– Dobra, znaleźliśmy sprzęt. Co teraz? – zapytał Knoll.

Rany, ten facet zadaje mnóstwo pytań. I niekoniecznie właściwych.

Sarah po prostu go zignorowała. Wędka jak to wędka, w wiaderku też nie było czego szukać, ale ciemnozielona skrzynka z zamkniętym wiekiem dosłownie do niej krzyczała. Przywoływała ją. Co do tego nie miała wątpliwości. Podeszła prosto do niej, opadła na kolana. Wciąż w lateksowych rękawiczkach, nacisnęła zamek. Otworzył się z łatwością. Oczywiście.

– Chryste, mnóstwo wabików – powiedział Vicks, zaglądając jej przez ramię.

To za mało powiedziane. Skrzynka nie była jednym z tych schludnie zorganizowanych kontenerków z odrębnymi przegródkami i licznymi szufladkami. Było to po prostu jedno duże pudło, które najwyraźniej zawierało wszystkie wabiki, jakie kiedykolwiek posiadał John O'Hara.

– Co nie znaczy, że na coś mu się przydały – zauważył Knoll, zaglądając do pustego wiaderka. – I tyle, jeśli chodzi o szczęście na jeziorze.

Insley zachichotał, a Sarah zabrała się do przetrząsania skrzynki. Niezliczone haczyki bezustannie zaczepiały o jej lateksowe rękawiczki. Sfrustrowana w końcu po prostu przewróciła skrzynkę i wysypała wabiki na ziemię.

Patrzenie na nie wszystkie przypominało czytanie książki Dra Seussa. Były długie, krótkie, grube, cienkie. Niektóre lśniąco srebrne, inne miały jaskrawe kolory. Był nawet jeden z...

Stój: czerwone światło... Tutaj.

Oczy Sarah spoczęły na czymś pośrodku stosu, na kawałku złożonego białego papieru.

Wabiki w większości były stare i zardzewiałe, niektóre nawet oblepione zaschłymi resztkami dżdżownic. Ale papier był nowy. Czysty. Biały.

– Co to jest? – zapytał Insley. – Proszę nie trzymać nas w niepewności.

Sarah rozłożyła kartkę, jej umysł pragnął niemożliwego – nazwiska, adresu i numeru telefonu zabójcy. Może nawet jego nicka na Twitterze i godzin, w jakich można go znaleźć bez broni. Rany, czyż nie byłoby to cudowne zakończenie tej sprawy?

– Pokwitowanie – powiedziała, odwracając je, żeby przeczytać. – Z Movie Hut?

– To automat – wyjaśnił Vicks. – Wie pani, mają taki w supermarkecie Brewer's. Wypożycza się w nich DVD po dolarze za dobę.

– Aha, tak – mruknął Insley. – Widziałem. Nigdy nie korzystałem. Wydaje się zbyt skomplikowane.

– Do licha, ja nawet taki kopnąłem – wtrącił Knoll. – Pewnego wieczoru zżarł mi dolara.

– Co chciałeś wypożyczyć? – zapytał Vicks.

– Chyba *Speed Racera*.

– Wierz mi, maszyna wyświadczyła ci przysługę.

Zaśmiali się. Nawet Insley pozwolił sobie na lekki uśmiech. To znaczy uśmiechał się, dopóki nie zauważył, że Sarah wpatruje się w karteczkę.

– O co chodzi? – zapytał. – O czym pani myśli?

– Dzisiaj jest dwudziesty czwarty, prawda? – zapytała.

Insley skinął głową.

– Tak. Urodziny mojej córki. A dlaczego?

– Bo to paragon z dzisiaj.

Pochylił się i spojrzał.

– To trochę dziwne, prawda? O ile to właściwe słowo.

– Tak, chyba właściwe. Proszę spojrzeć. Jest coś jeszcze dziwniejszego.

# Rozdział 54

Zdecydowanie dziwniejszego.

Sarah spałaszowała swojego burgera w stylu Południowego Zachodu i cieniutkie frytki z batatów, a poziom piwa w drugiej butelce budweisera spadł poniżej etykiety. Rozmyślała o zabójcy, którego tropiła.

Bar był oblężony; Canteena's cieszyła się zasłużoną reputacją epicentrum życia nocnego w Candle Lake. Szeryf Insley polecił tę knajpę. Z niskim sufitem, piętnastowatowymi żarówkami i trocinami na podłodze zdecydowanie była to raczej spelunka.

Gdyby Sarah podsłuchiwała, usłyszałaby rozmowy zszokowanych miejscowych o morderstwie Johna O'Hary. Co powiedział szeryf Insley? Są jacyś podejrzani? Czy wśród nas jest morderca?

Ale Sarah nie podsłuchiwała. Jedynym, co słyszała, były jej własne myśli, głośne i odbijające się echem w jej głowie, i wszystkie skupiały się wokół jednego pytania: Co próbował jej powiedzieć zabójca, zostawiając tę najnowszą wskazówkę?

Na paragonie z Movie Hut figurował tytuł filmu. *Masz*

*wiadomość*, komedia romantyczna z Tomem Hanksem i Meg Ryan. Babski film. Innymi słowy, niezupełnie DVD, jakie wypożyczyłby lubiący zaglądać do kieliszka wędkarz w rodzaju Johna O'Hary.

A jednak zawsze istniała szansa, że wypożyczył film dla żony, Marshy. Sarah dopuszczała taką możliwość. Dopóki nie pojechała z Insleyem przez miasto do białego domu w stylu ranczerskim, żeby przekazać tragiczną wiadomość.

Okazało się, że O'Harowie nawet nie mają odtwarzacza.

Pokwitowanie było wskazówką, w porządku. Sarah była tego pewna, ale nie miała pojęcia, co to naprawdę oznacza.

Myśl, Brubaker. Skoncentruj się. Odpowiedź gdzieś jest... ten sukinsyn po prostu lubi swoje łamigłówki.

Rano wybrała się na randkę z supermarketem Brewer's, żeby zobaczyć, czy jest kamera monitoringu wycelowana w automat do wypożyczania filmów. Może zabójca dał się nagrać. Oczywiście, raczej nie spodziewała się zbyt wiele. Ten facet, kimkolwiek był, nadzwyczaj starannie planował swoje posunięcia.

Sarah pogrążyła się w myślach, przebiegając pamięcią wypadki popołudnia. Czy coś przeoczyła, pominęła?

Nic nie przychodziło jej na myśl. Bez przerwy wracała do tej chwili, kiedy Insley powiedział Marshy O'Harze, że jej mąż już nigdy nie wróci do domu. Biedna kobieta osunęła się na podłogę w salonie przygnieciona ciężarem niespodziewanej straty. Nikt nie zna dnia ani godziny, jak to się mówi.

Sarah nie mogła też zapomnieć o tym, co Insley jej powiedział podczas jazdy powrotnej. O'Harowie przeżyli razem czterdzieści dwa lata. Siedząc na przednim fotelu w radiowozie szeryfa, czuła się winna, że w takiej chwili myśli o sobie. Ale myśl była nieunikniona. Jako pierwsza przyszła jej do głowy.

Czterdzieści dwa lata? Ja mam kłopot z utrzymaniem związku przez czterdzieści dwa dni.

Nagle usłyszała głos z lewej strony, ktoś do niej mówił. Był to głos mężczyzny. Naprawdę przystojnego mężczyzny. Czasami można to poznać, jeszcze zanim się spojrzy.

– Rany, czy naprawdę właśnie to zrobiłem? – zapytał.

# Rozdział 55

Sarah odwróciła się w jego stronę. Trochę przypominał jej Matthew McConaugheya – nieco młodszy, bez teksańskiego akcentu i może bez typowego dla tego aktora zdejmowania koszuli. Przynajmniej na razie.

Trzymał piwo. Jej piwo. Wziął je przez pomyłkę? W pobliżu stała jego butelka budweisera.

– Nie ma sprawy – powiedziała Sarah. – Praktycznie nic nie zostało.

Natychmiast błysnął uśmiechem – pięknym, szerokim uśmiechem, jak zauważyła – i zaczął się śmiać.

– Żartowałem. Wiem, że to pani piwo.

Sarah też się roześmiała.

– Na sekundę dałam się nabrać.

– Przepraszam. Mam niekonwencjonalne poczucie humoru. Proszę, postawię pani następne.

– Naprawdę nic się nie stało – zapewniła. – Absolutnie nie trzeba.

– Niestety, muszę, choćby tylko po to, żeby nie sprawić zawodu mojej matce.

Sarah się rozejrzała.

– Jest tu pana matka? – zapytała, na wpół żartując.

– Nie. Ale wstydziłaby się za mnie, gdyby się dowiedziała, że jej syn nie odkupił winy. Miała bzika na punkcie dobrego wychowania.

Znów błysnął tym oszałamiającym uśmiechem.

– Cóż, przypuszczam, że nie chcemy rozczarować pańskiej matki – powiedziała.

– To mi się podoba – oznajmił. Odwrócił się i przywołał barmana, żeby zamówić następnego budweisera. Potem wyciągnął do niej rękę.

– Jestem Jared. Jared Sullivan.

– Miło cię poznać. Jestem Sarah.

Wtedy Sarah zrobiła coś, co dotąd się nie zdarzyło w ciągu wszystkich lat jej pracy w FBI.

Wymieniła uścisk dłoni z seryjnym zabójcą.

# Rozdział 56

– Niech zgadnę – powiedział Jared, kiwając palcem w powietrzu. – Nowy Jork, prawda?

– Pudło – odparła Sarah. – Nie jestem z Nowego Jorku. Nawet nie z pobliża.

– Ale na pewno nie pochodzisz stąd. Jestem tego prawie pewien.

– To samo zamierzałam powiedzieć o tobie. Ale trafiłeś ze Wschodnim Wybrzeżem. Pochodzę z Fairfax w Wirginii.

Jared pokiwał głową.

– Ja z Chicago, tam urodzony i wychowany.

– Kibicujesz Cubsom czy Soxom? – zapytała.

– Jestem chłopakiem z Północnej Strony. Z Wrigley.

– Więc kiedy nie ciskasz gromów na Cubbies, co robisz w Chicago?

– Głównie wypełniam raporty wydatków. Jestem przedstawicielem handlowym Wilson Sporting Goods. Tam mają siedzibę. Moim regionem jest Południowy Zachód, więc rzadko bywam w domu.

– Znam to uczucie. Mam jedną roślinkę, która mi wytoczyła proces o zaniedbywanie.

Jared parsknął śmiechem.

– Jesteś bardzo zabawna. Super.

Barman wrócił z jej piwem, wypraktykowanym ruchem wsunął pod nie papierową serwetkę.

Sarah miała pociągnąć łyk, kiedy Jared uniósł swoją butelkę.

– Za życie w drodze.

– Za życie w drodze – powtórzyła. – I może, pewnego dnia, za możliwość zwolnienia warunkowego.

Jared znów się roześmiał, gdy trącili się butelkami.

– Jest ładna i ma poczucie humoru. Mówimy o podwójnym zagrożeniu.

– Oho – mruknęła, obrzucając go kosym spojrzeniem.

– Co? O co chodzi?

– Podczas gdy twoja matka miała bzika na punkcie dobrego zachowania, moja zawsze mnie przestrzegała przed nieznajomymi, którzy szafują komplementami.

– Właśnie dlatego się przedstawiłem. Już nie jesteśmy nieznajomymi. Co do komplementu, nie robisz na mnie wrażenia dziewczyny, która rumieni się z byle powodu.

– A jakie wrażenie zrobiłam? – zapytała.

Namyślał się chwilę przed udzieleniem odpowiedzi.

– Niezależna. Samodzielna. A jednak nie bez słabej strony. Jesteś wrażliwa, łatwo cię zranić.

– Rany, jesteś pewien?

– Chyba tak. Zwykle ufam intuicji.

– Ja też.

– Co mówi ci twoja? – zapytał.

– Że jeśli właściwie rozegram moje karty, może w przyszłości dostanę za darmo rakietę tenisową.

– Istnieje taka możliwość.

– Szkoda, że nie gram w tenisa.

– Wielka szkoda – potwierdził. – Na twoje szczęście Wilson produkuje inny równie dobry sprzęt.

Sarah pacnęła się w głowę.

– Racja, jak mogłam zapomnieć? Jaki był tytuł tego filmu? Tego z piłką do siatkówki o imieniu Wilson?

– A, tak – mruknął. Nie dodał nic więcej.

– Mam to na końcu języka. Jezu, jaki to był tytuł?

– Nie cierpię, kiedy mam taką psychiczną blokadę – powiedział Jared. – Doprowadza mnie do szału.

Sarah pociągnęła długi łyk, przetrawiając nie tylko piwo. W końcu wzruszyła ramionami.

– Poddaję się. Na pewno niedługo mi się przypomni.

– Mam nadzieję, że będę tego świadkiem.

– Zadbamy o to później – powiedziała, zsuwając się ze stołka. – Tymczasem może zamówisz nam parę kolejek, gdy pójdę do toalety? Bourbon może być?

Jared obdarzył ją swoim jak dotąd najszerszym uśmiechem.

– Zdecydowanie jesteś ostra – skomentował.

Uśmiechnęła się, zakładając włosy za uszy. Zgadza się, przystojniaku. Myśl dalej, że nie wylewam za kołnierz.

# Rozdział 57

Sarah przemierzyła długi, wąski korytarz na zapleczu baru i skręciła do damskiej toalety. Zatrzymała się dwa kroki od drzwi i wyjęła komórkę.

Eric Ladum odebrał po drugim sygnale. Jak zwykle, nadal tkwił w swoim biurze w Quantico. Sprzątacze nazywali go *El Noctambulo*. Nocny marek.

– Siedzisz przy komputerze? – zapytała go.

– Czy nie zawsze to robię?

– Potrzebna mi aktualna lista pracowników Wilson Sporting Goods w Chicago i dane z wydziału komunikacji.

– Wydział chicagowski czy stanowy?

– Całe Illinois.

– Kto jest tym szczęściarzem?

– Jared Sullivan.

– Jared Sullivan z Wilson Sporting Goods – powtórzył Eric. Sarah słyszała w tle klekot klawiszy. – Może mi załatwić darmową rakietę tenisową?

Zaśmiała się cicho.

– To bardziej śmieszne, niż ci się wydaje. Ile czasu potrzebujesz?

– A ile mam? – zapytał.

– Najwyżej dwie minuty. Powiedziałam mu, że idę do toalety.

– Aha, więc dlatego kobietom zabiera to tyle czasu.

– Zgadza się. Teraz będziesz wiedział, co tak naprawdę robimy. Sprawdzamy was – powiedziała. – Zadzwoń, dobrze?

Rozłączyła się i wróciła do wejścia na korytarz prowadzący do baru. Wyjrzała zza rogu, dostrzegła Jareda tam, gdzie go zostawiła. Grzeczny chłopiec. Zamówiłeś już te drinki?

Sarah doskonale znała tytuł filmu z piłką do siatkówki o imieniu Wilson. *Cast Away*. Kolejny film z Tomem Hanksem, ni mniej, ni więcej.

Pytanie: jak mógł tego nie wiedzieć facet, który pracuje dla Wilson Sporting Goods? To tak, jakby burmistrz Filadelfii nie umiał podać tytułu tego bokserskiego filmu z Sylvestrem Stallone'em.

Gdy pracujesz dla takiej firmy, prawdopodobnie rzygasz na samą wzmiankę o *Cast Away* i tej cholernej piłce.

Sarah wyjrzała jeszcze raz, ale widok zasłonił jej otyły starszy facet człapiący do męskiej toalety. Kiedy ją mijał, poczuła mocny zapach tequili i wody kolońskiej Old Spice.

Jeszcze jedna rzecz nie dawała jej spokoju. Jared ją zapytał, skąd pochodzi, ale nie o to, czym się zajmuje – nawet po rozmowie o jego pracy. Może po prostu nie przyszło mu to na myśl.

A może nie zapytał, bo już znał odpowiedź.

Nastawiona na wibrowanie komórka zadrżała w jej ręce. Eric już dzwonił. Co za facet.

– I tyle, jeśli chodzi o nasze darmowe rakiety tenisowe – powiedział. – Nie ma żadnego Jareda Sullivana w Wilson Sporting Goods.

– A w mieście?

– Dwóch Jaredów Sullivanów w Chicago, pięciu w stanie. Ci z Chicago mają czterdzieści sześć i pięćdziesiąt osiem lat.

– Za starzy – powiedziała Sarah. – Ktoś pod trzydziestkę?

– Ten z Peorii ma dwadzieścia dziewięć lat. Wysoki, metr dziewięćdziesiąt. A twój facet?

– Niestety, siedzi. – Zerknęła zza rogu, żeby lepiej mu się przyjrzeć. – O cholera!

– Co?

– Oddzwonię!

Muszę pędzić. Dosłownie.

# Rozdział 58

Sarah wrzuciła telefon do kieszeni i niemal się zderzyła z grubasem pachnącym tequilą i old spice'em, gdy wychodził z męskiej toalety. Coś wymamrotał – może „Uważaj!" – a może tylko beknął.

Tak czy siak, burknięcie zostało daleko w tyle. Sarah biegła jak szalona, już była w połowie korytarza do baru, tego samego baru, tylko że teraz bez Jareda Sullivana, czy jak tam się zwał.

Przez kilka gorączkowych sekund stała przed ich pustymi stołkami. Jedyną pamiątką po nich były dwie butelki piwa. Jego była dopita, jej w połowie pełna. A może w połowie pusta.

Sarah się odwróciła, przeszukując wzrokiem wszystkie zakamarki Canteena's. Nigdzie go nie było. Przynajmniej nie wewnątrz.

Cholera! Cholera! Cholera jasna!

Pognała na złamanie karku do głównego wyjścia, wzbijając chmurę trocin. Pchnęła ciężkie drewniane drzwi i praktycznie wyskoczyła na zewnątrz. Gorące powietrze uderzyło ją w twarz.

Po lewej stronie stały dwie kobiety. Paliły papierosy. Wyglądały jak matka i córka.

– Widziały panie faceta, który stąd wyszedł minutę temu? – zapytała Sarah niemal bez tchu. – Przystojny? Podobny do Matthew McConaugheya?

– Wyszłyśmy przed chwilą, skarbie – odparła ta starsza, podnosząc papierosa na dowód, że właśnie go zapaliła.

– Ale jeśli naprawdę wygląda jak Matthew McConaughey, pomogę ci go szukać – powiedziała młodsza ze śmiechem.

Sarah zmusiła się do uśmiechu, choćby tylko dlatego, żeby nie wyjść na niegrzeczną, ale jej oczy już przeszukiwały parking otaczający knajpę. W trzech czwartych był zastawiony pick-upami i pękał w szwach, ani jednego wolnego miejsca.

Pobiegła zgodnie z ruchem wskazówek zegara. Tak jak z policjantami na brzegu jeziora.

Była szansa, że zaparkował z tyłu, że może jeszcze idzie do swojego samochodu.

Biegła przez parking, okrążając budynek. Zrobiła jeszcze jedną rundkę. Znalazła się na tyłach, przystanęła blisko dwóch przesypujących się kontenerów na śmieci. Jedynym źródłem światła był księżyc bliski pełni.

Najpierw usłyszała dźwięk.

Ryk silnika za plecami, tak głośny, jakby stała pośrodku pasa startowego na międzynarodowym lotnisku Dullesa. W chwili gdy się odwróciła, oślepiła ją para reflektorów. Światła się powiększały. Samochód jechał prosto na nią.

Nie miała czasu na myślenie. Dała nura. Ni to skoczyła, ni to zrobiła gwiazdę, prosto pomiędzy dwa kontenery. Asfalt niemal wycisnął jej powietrze z płuc, gdy wylądowała.

Marka i model! Tablice rejestracyjne! Musisz coś mieć!

Ale zanim zdążyła się pozbierać i skupić, samochód skręcił za rogiem i zniknął. Było tak ciemno, że nie mogłaby nawet określić koloru. Niczego nie miała.

Nie, chwileczkę – niezupełnie. Wciąż miała swój samochód.

Poderwała się, pobiegła w kierunku swojego wynajętego auta. Uznała, że zdoła go dopędzić. Do licha, przekonajmy się, co potrafi to camaro!

– Cholera! – wrzasnęła w chwili, gdy zobaczyła wóz.

Jared Sullivan wiedział, kim ona jest, zdecydowanie. Wiedział też, czym tu przyjechała.

Sarah zatrzymała się przy prawym tylnym kole. Stało na feldze. Podobnie jak lewe.

– Cholera! – wrzasnęła. – Cholera! Cholera! Cholera!

Sukinsyn pociął wszystkie opony i jakby tego było mało, zostawił na masce swój składany nóż.

Tyle że nie był to jego nóż.

Sarah podniosła go przez dół swojej koszuli, potem wyjęła telefon, żeby przyświecić. Na kościanej rączce widniały wyryte inicjały. J.O.

John O'Hara.

Był to jego nóż. Brakujący element ekwipunku wędkarza.

Sarah znalazła kolejny fragment układanki.

# Rozdział 59

Nazajutrz rano Sarah zadzwoniła do Dana Driesena, żeby go powiadomić, co się stało. Nie chciała tego robić, ale musiała. Przypominało to wizytę u dentysty. Rwanie zęba bez znieczulenia.

– Do diabła, Sarah, to ty miałaś go złapać, nie na odwrót – powiedział. Jego ton sugerował, że jest wkurzony, ale pomimo to brzmiała w nim nutka szczerego zatroskania. – Mógł cię zabić.

– No właśnie. Mógł mnie zabić, ale nie zabił – odparła, stojąc przy oknie pokoju na drugim piętrze w Embassy Suites. Nic poza kaktusami i autostradą jak okiem sięgnąć. – Prawdopodobnie ukrywał się nad jeziorem i zobaczył mnie z miejscową policją. Potem mógł mnie zabić w każdej chwili, ale postanowił tego nie robić.

– Więc teraz mówisz, że nie chciał cię rozjechać swoim samochodem?

– Proszę pomyśleć. Gdyby naprawdę chciał, dlaczego miałby włączać światła?

– Czy to ma poprawić mi samopoczucie? Wie, kim jesteś, a to niedobrze.

– Może uda mi się obrócić to na moją korzyść. Zastanawiam się teraz nad taką możliwością.

– Naprawdę? – zapytał Driesen z niedowierzaniem. – W jaki sposób?

– Jeszcze do końca tego nie rozpracowałam, ale rozpracuję. Zanim zmieni zdanie i wróci, żeby mnie załatwić.

– Na razie nie masz pojęcia, gdzie on jest ani dokąd zmierza. Chyba że, oczywiście, chcesz mi powiedzieć, że rozgryzłaś zostawiane przez niego wskazówki.

– Hej, dotarłam tu dzięki *Ulissesowi*, prawda?

– W zasadzie to był fart, nie sądzisz? Wpadłaś na jakiś pomysł, dokąd prowadzi *Masz wiadomość*? – zapytał sarkastycznie. – Może powinniśmy szukać jakiegoś Johna O'Hary, który pracuje w telekomunikacji?

Chociaż pomysł był naprawdę obłędny, Sarah już wzięła go pod uwagę.

Nie cierpiała tego przyznawać, ale Driesen miał słuszność. Zabójca Johnów O'Harów wciąż miał nad nią przewagę i teraz może nawet ją powiększył.

– Mogę jednak sporo tutaj zrobić – zaznaczyła. – Jeszcze nawet nie zaczęłam pracy w mieście. Może kontaktował się też z innymi osobami.

– Może. Ale nie chcę, żebyś przez cały czas musiała oglądać się za siebie. Bez względu na to, jaką grę według ciebie prowadzi ten facet, kto wie, czy nie skończy się twoją śmiercią?

– Więc to by było tyle?

– Przynajmniej na razie. Wracasz do domu – oznajmił. – Poza tym ktoś poprosił, żebyś zdała mu sprawozdanie.

– Kto?

Driesen zachichotał. Praktycznie widziała przez telefon jego szczwany uśmiech.

– Kto? – powtórzyła.

– Zobaczysz – odparł. – Wracaj do domu, Sarah. To rozkaz, nawiasem mówiąc.

# Rozdział 60

– Mógł pan mnie uprzedzić – szepnęła Sarah, ledwie poruszając ustami. – Poważnie.

Dan, który zajmował krzesło obok niej, wsunął długie nogi pod siedzenie. Był jasny, wczesny ranek w Waszyngtonie, ledwie siódma.

– Nie, byłabyś tylko zdenerwowana – odszepnął.

– A teraz nie jestem? Jestem bardzo zdenerwowana. A ja przecież nigdy się nie denerwuję.

Jakby na dany znak, drzwi obok nich się otworzyły. Weszła starsza kobieta roztaczająca aurę matki kwoki i lekko skinęła głową. Przyciskała do piersi podkładkę z klipsem.

– Prezydent zaraz panią przyjmie – oznajmiła.

Sarah wstała. Odetchnęła głęboko i wygładziła wyimaginowane zmarszczki na białej bluzce. Kilka spanikowanych myśli przemknęło jej przez głowę. Czy nie zapomniałam użyć dezodorantu? Jak mówić – inteligentnie – do prezydenta?

– Ty pierwsza – powiedział Dan, wyciągając rękę. – Chce się widzieć z tobą, nie ze mną.

Sarah wiele razy oglądała tę scenę w telewizyjnym serialu *Prezydencki poker*. Ale tamci byli aktorami. Wszystko działo się na niby.

To było naprawdę. Gdy tylko przestąpiła próg Gabinetu Owalnego, serce o mało nie wyskoczyło jej z piersi.

Czy jest za późno, żeby wziąć dziś chorobowe? Mało zabawne, Sarah. Tu nic nie jest zabawne.

Clayton Montgomery, najpotężniejszy człowiek w wolnym świecie – i nie byle kto również wszędzie indziej – był konserwatywnym demokratą z Connecticut. Studiował na Uniwersytecie Duke'a w Karolinie Północnej i zajmował pierwsze miejsce w krajowym rankingu graczy w lacrosse. To adoptowane południowe pochodzenie pomogło mu trochę w dzień prawyborów, ale nigdy nie wygrałby bez swojej żony.

Rose Montgomery – z domu Rose O'Hara – była byłą Miss Florydy i uwielbianą prezenterką wiadomości w telewizji WPLG w Miami przez pięć lat, zanim poznała Claytona. Innymi słowy, przed wyborami jej nazwisko było na Florydzie znane bardziej niż nazwisko jej męża – i również jego republikańskiego rywala.

Aha, poza tym płynnie mówiła po hiszpańsku i podobno umiała zagrać na klarnecie *Hava Nagila*.

Montgomery wygrał wybory dwudziestoma ośmioma głosami elektorskimi. Całkowita liczba głosów elektorskich na Florydzie? Dwadzieścia dziewięć.

– Poznajcie agentkę FBI Sarah Brubaker – powiedział prezydent Montgomery, siedząc za biurkiem Resolute, zajęty podpisywaniem stosu dokumentów. Zarys szczęki miał jeszcze bardziej wyrazisty niż w telewizji. Dotąd nawet nie spojrzał na swojego gościa. – Dwa dni temu piła pani drinki z seryjnym zabójcą, który później próbował rozjechać panią na parkingu. Czy mam rację, agentko Brubaker?

– No tak, tak sądzę, panie prezydencie – odparła Sarah.

Prezydent Montgomery wreszcie uniósł głowę i patrzył na nią przez najdłuższe piętnaście sekund w jej życiu. Potem się uśmiechnął. Właśnie tak jak wtedy, kiedy zdobywał przewagę nad swoim oponentem podczas debat. Właśnie tak jak wtedy, kiedy pozował do fotki na plakat wyborczy.

– Przyszło mi na myśl, że ja też miałem kilka kiepskich pierwszych randek – powiedział. – Siadaj, rozgość się, Sarah.

# Rozdział 61

Samo przekazanie informacji naprawdę było łatwe. Prezydent słuchał w skupieniu, od czasu do czasu kiwając głową. Ani razu jej nie przerwał. Sarah wyrażała się jasno, zwięźle i miała pełną kontrolę nad tym, co mówiła, gdy podawała fakty. Wcale nie była speszona. I bądź tu mądry, pomyślała. Może po prostu łatwo do niego mówić, bo jest dobrym słuchaczem.

Później przyszła kolej na pytania i odpowiedzi.

Prezydentowi siedzącemu w fotelu, który najwyraźniej był „jego fotelem", towarzyszył szef personelu, Conrad Gilmartin, i sekretarz prasowa, Amanda Kyle, naprawdę – i jak na ironię – trochę przypominająca C.J. z *Prezydenckiego pokera*. Biorąc pod uwagę swobodę, z jaką oboje zajęli miejsca na kanapie na lewo od prezydenta, najwyraźniej były to „ich miejsca".

W ten sposób zostawała kanapa po lewej stronie. Driesen usiadł w jednym końcu, Jason Hawthorne, zastępca dyrektora Secret Service, w drugim. Ściśnięta pomiędzy nimi Sarah czuła się równie komfortowo jak pasażer, który zajmuje środkowy fotel w samolocie.

Po prostu jedno wielkie przytulne zebranie.

Prezydent chrząknął i zadał jej pierwsze pytanie.

– Czy ma pani powody wierzyć, że mój szwagier stanie się celem tego zabójcy?

– Chodzi panu o to, panie prezydencie, że większym celem niż ktokolwiek inny o nazwisku John O'Hara?

– Tak, właśnie o to mi chodzi.

– Krótka odpowiedź brzmi, że jeszcze tego nie wiem.

Prezydent powoli pokręcił głową. W odczuciu Sarah pokój nagle przestał wydawać się taki przytulny.

– Taką odpowiedź mogę uzyskać od każdego, agentko Brubaker. Czy pani jest każdym?

Auć!

Driesen już miał zamiar rzucić jej koło ratunkowe i interweniować, kiedy Montgomery skinął ręką, żeby się wstrzymał. Gest był subtelny, ale jego znaczenie nie ulegało wątpliwości.

Prezydent patrzył na nią, czekając. Sarah wiedziała, że tym razem nie zanosi się na uśmiech ani puentę dowcipu.

Nie panikuj i myśl pozytywnie! A jeszcze lepiej, powiedz mu, co naprawdę myślisz.

– Ma pan rację, panie prezydencie. Pozwoli pan, spróbuję jeszcze raz – odezwała się w końcu. – Motywy zabójcy prawdopodobnie nie mają nic wspólnego z pańskim szwagrem. Jestem o tym przekonana.

Pozostali w pokoju, wyjąwszy Driesena, dokładali wszelkich starań, żeby nie zgłosić sprzeciwu. To niedorzeczne! Skąd pani może być tego taka pewna?

Ale nie chcieli wyrywać się przed szefa. Każde z nich ugryzło się w język.

Co do prezydenta, po prostu odchylił się w fotelu, zaintrygowany.

– Proszę mówić – polecił. – Niech pani mnie przekona.

# Rozdział 62

W pokoju panowała taka cisza, że Sarah pomyślała, że słyszy własne mrugnięcia.

– Panie prezydencie, chciałabym, żeby pan rozważył, co przyciągałoby zabójcę do konkretnego Johna O'Hary, czy jest on pańskim szwagrem, czy kimś zupełnie innym – zaczęła. – Może chodzili do jednej klasy, może prowadzili interesy. Teoretycznie wszystko może wchodzić w grę. Bez względu na rodzaj powiązania, emocje wzbudzane przez znajomość z tym konkretnym Johnem O'Harą są tak silne, tak gwałtowne, że zabójcę opada potrzeba zabijania zasadniczo każdego o tym samym imieniu i nazwisku.

– Czy pani mówi, że to niemożliwe? – zapytał prezydent.

– Nie. Wręcz przeciwnie, panie prezydencie. To bardzo możliwe – odparła. – Jestem przekonana, że zabójcy chodzi o konkretnego Johna O'Harę.

– Ale nie mojego szwagra.

– Otóż to.

– Dlaczego nie? Bóg świadkiem, że prawdopodobnie przysporzył sobie wielu wrogów.

– Nie wątpię – powiedziała trochę zbyt pochopnie. W chwili gdy słowa padły z jej ust, już chciała je cofnąć. – Przepraszam, nie chciałam okazać braku szacunku.

Prezydent Montgomery pozwolił sobie na cichy śmiech.

– Nic nie szkodzi. Skoro Letterman i Leno mogą wylewać na niego kubły pomyj, pani też może. Sam to robię. – Powiódł wzrokiem po pokoju. – Jak zresztą my wszyscy.

– Chodziło mi o to – podjęła Sarah – że na pierwszy rzut oka istnienie związku zabójstw z pańskim szwagrem ma sens, zważywszy na jego... cóż, krótko mówiąc, jego złą sławę. Ta koncepcja jednak przestała do mnie przemawiać.

– Kiedy poznała pani zabójcę.

– Tak. Zrozumiałam, że ten facet, gdyby tylko chciał, mógłby mnie zabić. Bez większego trudu. Ale tego nie zrobił. Dlaczego? I dlaczego postanowił zdemaskować się przede mną w taki sposób?

Kanapowi *consiglieri* prezydenta nie mogli się dłużej powstrzymać. Wtrącili się do rozmowy.

– Ponieważ jest to dla niego gra, prawda? Gra z panią – odezwał się Gilmartin, szef personelu.

– Tak, ale sprawa sięga głębiej – zaznaczyła Sarah. – Chce, żebym się bała, żebym żyła w strachu, a to nie będzie możliwe, jeśli zginę. To samo odnosi się do prawdziwego Johna O'Hary.

Amanda Kyle, sekretarz prasowa, miała taką minę, jakby właśnie wpadła na właściwe rozwiązanie w teleturnieju *Koło fortuny*.

– Więc zabija przypadkowych Johnów O'Harów, ponieważ chce, żeby ten prawdziwy żył w strachu.

– Tak sądzę – potwierdziła Sarah. – Również dlatego uważam, że ci, którzy już nie żyją, na przykład powszechnie znany autor John O'Hara, są dla niego nieważni. To nie są zabójstwa składane w hołdzie. Nie ma tu cieni Johna Hinckleya, który dokonał zamachu na Reagana.

– Ale przecież sprawa nie została podana do wiadomości publicznej – zauważył Hawthorne, zastępca dyrektora Secret Service. – Kimkolwiek jest ten „prawdziwy" John O'Hara, o niczym nie wie.

– Obawiam się, że się dowie – powiedział prezydent. – Podobnie jak cały kraj.

– Jeszcze możemy zaczekać, panie prezydencie – poradził Hawthorne. – Bóg wie, ilu mamy w kraju Johnów O'Harów, nie wspominając o członkach ich rodzin. Proszę pomyśleć o panice.

– Tak, myślałem o tym do dzisiejszego ranka. Ale jeśli zginie kolejny John O'Hara i wyjdzie na jaw, że wiedzieliśmy o zagrożeniu i nikogo nie ostrzegliśmy, zostaniemy pożarci żywcem z wielkiej miski parującego gówna.

Sarah rozejrzała się po pokoju. Nieparlamentarna wypowiedź prezydenta wyraźnie zasugerowała coś ostatecznego, ponieważ położyła kres dyskusji. Kropka.

– Mam przygotować oświadczenie, panie prezydencie? – zapytała Kyle, już sporządzając notatki w leżącym na kolanach żółtym notatniku.

– Tak – odparł. – Ale wciąż mi czegoś brakuje. – Zwrócił się do Sarah: – Nadal nie wiem, dlaczego mój szwagier nie może być, jak pani mówi, prawdziwym Johnem O'Harą.

– Jeśli wolno, ujmę to w ten sposób. Gdyby powiedział pan swojemu szwagrowi, że w jakiś sposób udało mu się zainspirować seryjnego zabójcę, i to takiego, który jest zdecydowany zabić nie tylko jego, ale też każdego o nazwisku O'Hara, jaka byłaby jego pierwsza reakcja?

Prezydent przewrócił oczami. Zrozumiał.

– Zabawne, słowo „strach" nie przyszłoby mu do głowy, prawda? Byłoby to największe dokonanie w całym jego życiu. Nie posiadałby się ze szczęścia. Wszyscy o tym wiedzą.

Sarah pokiwała głową.

– Łącznie z naszym seryjnym zabójcą.

Nikt inny się nie odezwał. Nikt nie miał takiej potrzeby. Z wyjątkiem prezydenta.

– Dobra robota, agentko Brubaker. Podoba mi się pani sposób myślenia.

– Dziękuję, panie prezydencie.

– Prawdę mówiąc, powinna pani podziękować Danowi, swojemu szefowi. To on nalegał, żeby sprowadzić tu panią tego ranka.

Sarah odwróciła się w stronę Driesena, który przez cały czas nie odezwał się słowem. Nie mogła w to uwierzyć. Powiedział jej, że prezydent lubi otrzymywać informacje z pierwszej ręki, że zależy mu na jej obecności.

Innymi słowy, bezczelnie ją okłamał.

I brakowało jej słów, żeby mu za to podziękować.

# Rozdział 63

Na wpół żartując, Dan przestrzegł ją przed tym, gdy wracali z Białego Domu.

– Uważaj na wytracanie wysokości – powiedział.

– Na co? – zapytała.

– Wytracanie wysokości – powtórzył. – Po prostu czekaj.

Nie musiała długo czekać. Poczuła to minutę po wylądowaniu za biurkiem w Quantico. Latała wysoko, mając do czynienia z głównodowodzącym w Gabinecie Owalnym. Z prezydentem Stanów Zjednoczonych. I co teraz? Wróciła do tego, kim była. Po prostu agentem FBI, jednym z wielu.

Zauważyła, że nad ramieniem Montgomery'ego wisiał oryginał *Working on the Statue of Liberty* Normana Rockwella. Na kredensie stała konwencjonalna rzeźba *The Bronco Buster* Frederica Remingtona. Jedno i drugie trafiło tam dzięki uprzejmości największego projektanta wnętrz ze wszystkich: Smithsonian.

Sarah westchnęła. Oto jest, zupełnie sama w swoim maleńkim biurze ozdobionym cotygodniowym okólnikiem. Na ścianie wisiała tylko porysowana, ścieralna na sucho tablica, a tym, co najbardziej przypominało rzeźbę, był mały magnetyczny jeżozwierz na biurku ze spinaczami do papieru.

Innymi słowy, powrót na ziemię.

Było też coś innego. Przed Sarah, praktycznie z niej szydząc, leżały akta sprawy Zabójcy Johnów O'Harów. Z zewnątrz wyglądały jak wszystkie inne w jej biurze – pękata szara teczka. Ale wewnątrz...

Nie ulegało wątpliwości, że ta sprawa jest inna, trochę bardziej osobista. Spotkała się z zabójcą twarzą w twarz, wymieniła z nim uścisk dłoni. Patrzyła mu prosto w oczy. Były szare jak łupek. I wciąż na nią spoglądały, rzucały jej wyzwanie.

Sarah otworzyła teczkę. Po raz enty zaczęła się mozolić nad różnymi raportami policyjnymi i wynikami sekcji. Przeczytała swoje notatki. Zalogowała się, wyszukując w sieci wszystko, co mogła znaleźć na temat *Ulissesa* i filmu *Masz wiadomość*.

Następnie sięgnęła po telefon. Przeprowadziła rozmowę z kierownikiem supermarketu Brewer's w Candle Lake. W pobliżu Movie Hut nie było kamery ochrony. Prawdę mówiąc, w ogóle nie mieli tam kamer.

– Kradzieże sklepowe nie są u nas problemem – wyjaśnił kierownik.

Zadzwoniła do Canteena's i porozmawiała z barmanem, który podał „Jaredowi" pierwsze piwo, to, które miał, zanim niby-przypadkiem sięgnął po jej butelkę.

– Zapłacił kartą kredytową? – zapytała.

Wiedziała, że szanse są znikome, ale wcale się tym nie przejmowała. Czasami jedynym sposobem na osiągnięcie sukcesu jest stawianie na to, co nie rokuje powodzenia.

Skoro o tym mowa... czy ktoś nie powinien do mnie oddzwonić?

Sarah podniosła rejestr rozmów telefonicznych z listą ludzi, którym wcześniej zostawiła wiadomości. Szeryf w Winnemucca, stan Nevada. Detektyw we Flagstaff w Arizonie. Kierownik Biblioteki Okręgowej Kern w Bakersfield, Kalifornia. Wszyscy oddzwonili.

Z wyjątkiem jednej osoby.

Z bazy danych FBI wynikało, że w ubiegłym roku doszło łącznie do szesnastu ucieczek ze wszystkich więzień i zakładów psychiatrycznych. Z tych szesnastu zbiegów tylko dwóch pozostawało na wolności. Jeden był pensjonariuszem więzienia stanowego w Montgomery w Alabamie, a drugi pacjentem szpitala psychiatrycznego Eagle Mountain w Los Angeles.

Zdjęcie dołączone do akt osadzonego z Alabamy wykluczało go jako zabójcę. Zdecydowanie, chyba że „Jared Sullivan", którego poznała, jakimś cudem się zmienił, między innymi stracił sto kilogramów na wadze, nie wspominając o dwóch sztyletach wytatuowanych na policzkach.

Pacjent psychiatryczny z LA to zupełnie inna historia. Albo ściślej mówiąc, żadna historia. Sarah poprosiła o kopie raportu policyjnego sporządzonego po jego ucieczce, lecz jeszcze nie trafiły na jej biurko. Oprócz tego Biuro nic na niego nie miało, co nie stanowiło zbyt wielkiej niespodzianki. W większości stanów, a szczególnie w Kalifornii, obowiązuje kilometrowa lista zasad i regulacji dotyczących prywatności pacjenta.

Najlepszy sposób, żeby się przez nie przebić? Dobra staroświecka rozmowa telefoniczna.

Pod warunkiem że zdołasz dotrzeć do kogoś, kto oddzwoni.

Sarah zostawiła dwie wiadomości dla Lee McConnella, naczelnego administratora Eagle Mountain. Oczywiście, facet prawdopodobnie prędzej się zgodzi na leczenie kanałowe niż na rozmowę o pacjencie, który uciekł na jego wachcie.

– Runda trzecia – wymamrotała Sarah, gdy zaczęła wybierać numer.

Nie miała stuprocentowej pewności, ale chyba odebrała inna kobieta niż ta, z którą wcześniej rozmawiała już dwa razy. Może pracownica tymczasowa? To z pewnością wyjaśniałoby ćwierknięcie, że „Pan McConnell właśnie przyszedł, zaraz przełączę". Przez dziesięć sekund panowała idealna cisza; McConnell prawdopodobnie był zajęty mieszaniem z błotem biednej kobiety za to, że go nie uprzedziła. Wreszcie odebrał.

– Agentka Brubaker? Lee McConnell – powiedział. – Co za wyczucie czasu. Właśnie miałem do pani zadzwonić.

Aha, akurat. A ja właśnie miałam zamiar potajemnie pobrać się z Johnnym Deppem.

Sarah wertowała notatki, szukając nazwiska, które nagryzmoliła. Pacjent McConnella. Poniekąd były pacjent.

Znalazła je.

– Co może mi pan powiedzieć o Nedzie Sinclairze? – zapytała.

# Rozdział 64

McConnell jakby się zacinał. Nie było to jąkanie, tylko, dziwne, coś bardziej podobnego do przełykania śliny, swego rodzaju odruch gastryczny, jakby odbijał mu się zjedzony na lunch sandwicz z pastrami. Skutek był taki, że bez powodu przypadkowo akcentował słowa.

À propos skeczu Monty Pythona, pomyślała. Paź Johna Cleese'a...

– Ned Sinclair, hę? Co... chciałaby... pani o nim wiedzieć? – zapytał.

Sarah zdusiła śmiech i zadała mu pierwsze pytanie, proste.

– Jakiej jest rasy? Biały, czarny, Latynos?

Jeśli Ned Sinclair nie jest biały, rozmowa będzie bardzo krótka.

– Jest biały – odparł McConnell. – Niestety, nie mam jego akt... przed sobą, wiec nie mogę pani podać wagi ani wzrostu, ani nawet tego, ile dokładnie ma lat.

– Może pan w przybliżeniu określić jego wiek?

– Powiedziałbym, że około trzydziestki, może nieco starszy. Nie miałem z nim większego kontaktu, prawdę mówiąc, nikt tutaj... tak naprawdę... nie miał. Ned Sinclair prawie się nie odzywał.

Wiek, około trzydziestki, się zgadzał, ale milkliwość zdecydowanie nie pasowała do faceta z Canteena's. Jared Sullivan był gadułą, urodzonym bajerantem.

– Co więcej może pan mi o nim powiedzieć? – zapytała.

– Będzie lepiej, jeśli porozmawia pani z lekarzem, który go przyjął do szpitala. Ned przez jakiś czas był jego pacjentem, ale od ręki nie podam jego nazwiska. Pozwoli pani... pójdę po... teczkę. Proszę chwilę zaczekać, dobrze?

Zanim Sarah zdążyła coś powiedzieć, usłyszała w słuchawce puzonową wersję utworu *Długa i kręta droga* Beatlesów. Niezbyt stosowny tytuł piosenki, kiedy jest się skazanym na czekanie.

Choćby tylko dla zabicia kilku sekund, szybko przejrzała e-maile. W liczbie pojedynczej. Dostała tylko jedną nową wiadomość, odkąd ostatnio sprawdzała pocztę po wyjściu z Gabinetu Owalnego. Czyżby zaproszenie na formalną kolację? Z miejscem przy stole prezydenta?

Sarah się uśmiechnęła. Dziewczyna zawsze może marzyć...

Spojrzała na nazwisko nadawcy. Kto? Z początku go nie rozpoznała. Potem skojarzyła.

Mark Campbell. Z jej rejestru telefonów.

Był szeryfem Winnemucca w Nevadzie, w miasteczku, w którym mieszkała pierwsza ofiara o nazwisku John O'Hara.

Przesunęła oczy na temat wiadomości i natychmiast pojaśniała.

COŚ ZNALAZŁEM, przeczytała.

# Rozdział 65

Sarah szybko kliknęła na e-mail, obietnica, że „coś znalazłem", przyciągnęła jej głowę bliżej do ekranu. Wiadomość ładowała się stanowczo za wolno.

Tymczasem wciąż czekała na powrót McConnella. Dokąd on poszedł po tę teczkę Neda Sinclaira? Do Cleveland? Rozmawiała z szeryfem Campbellem z Winnemucca przed wyjazdem do Park City. Tok rozumowania był prosty. Jeśli Zabójca Johnów O'Harów rzeczywiście podrzucił ten egzemplarz *Ulissesa*, być może również zostawił coś przy swojej pierwszej ofierze. Jakąś wskazówkę, która jeszcze nie została znaleziona.

Chciała, żeby Campbell ponownie obejrzał miejsce przestępstwa, centymetr po centymetrze, szczególną uwagę poświęcając samej ofierze.

– Proszę jeszcze raz sprawdzić ubranie – poprosiła. – Skarpety, bieliznę... wszystko.

Sarah wiedziała, że jest potwornie upierdliwa, ale trzeba było to zrobić, proste. Czasami jedynym sposobem na osiągnięcie sukcesu jest stawianie na to, co nie rokuje powodzenia.

E-mail Campbella otworzył się dokładnie w chwili, gdy McConnell wrócił na linię. Można się było tego spodziewać.

– Przepraszam, że kazałem pani czekać – powiedział McConnell. – Z początku nie mogłem ich znaleźć, ale już mam.

Co ciekawe, już nie akcentował przypadkowych słów w zdaniach, a może po prostu ona słuchała go tylko półuchem. Jej uszy się przymknęły na rzecz oczu, gdy zaczęła czytać wiadomość od Campbella.

„Miała pani rację", tak się zaczynała.

Campbell napisał, że jego ludzie przeoczyli mankiety spodni khaki, które miał na sobie John O'Hara, pierwsza ofiara. Odwinął je i w prawym znalazł mały zmięty świstek, jakby to była modlitwa wsunięta w Ścianę Płaczu. Dwie odręcznie napisane linijki.

*Śpijcie dzieciaczki, słysząc potwora wycie,*
*Ja sobie popatrzę, czego doświadczycie.*

Sarah najpierw pomyślała, że to rymowanka ze starej książeczki dla dzieci, chociaż jej nie znała. Przeczytała jeszcze raz. Może to fragment jakiegoś wiersza. A może powstała w umyśle mordercy.

Otworzyła wyszukiwarkę Google, słuchając McConnella, który recytował podkreślone zdania z akt Neda Sinclaira.

– Doktor matematyki... profesor Uniwersytetu Kalifornijskiego... zwolniony prawie cztery lata temu...

Sarah wpisała do wyszukiwarki wersy z e-maila.

McConnell brzęczał.

– Zdiagnozowane zaburzenia obsesyjno-kompulsywne...

nienaturalna obsesja na punkcie rodzeństwa... konkretnie Nory, jego siostry...

– Cholera! – mruknęła Sarah, gdy spojrzała na ekran. Wyniki wyszukiwania – było ich trzy tysiące. Zapomniała umieścić cytat w cudzysłowie. Dodała go szybko i – bingo! – tysiące wyników sprowadziły się do jednego.

Tekst znajdował się na stronie pewnej grupy muzyków. Jej nazwa mówiła sama za siebie.

Sarah nagle poderwała się z krzesła, praktycznie rzuciła się po swoją torebkę, która leżała na podłodze. W bocznej kieszeni znajdowało się DVD *Masz wiadomość*. Odwróciła pudełko, żeby zobaczyć tył okładki, przebiegła wzrokiem nazwiska. Znalazła to, które dobrze znała, ale chciała się upewnić.

Wróciła do biurka i przewertowała notatki o *Ulissesie*. Była pewna, że zanotowała imię kobiety, którą poślubił James Joyce.

– Mógłby pan powtórzyć imię siostry Neda? – poprosiła, przerywając McConnellowi.

Znów zaczął przełykać ślinę i akcentować przypadkowe słowa. Ale w tym jednym słowie nie było nic przypadkowego. Było konkretne i nie pozostawiało żadnych wątpliwości.

– Jego siostra miała na imię... Nora – powiedział.

# Rozdział 66

Na wyświetlaczu mojej komórki widniało: LEK. SĄD. QUEENS.

Zdjąłem okulary w stylu O.J. Simpsona, wyłączyłem dźwięk małego telewizora w kuchni i odebrałem przed drugim sygnałem.

– Słucham?

– Agencie O'Hara, mówi doktor Papenziekas.

Zastępca lekarza sądowego zadzwonił do mnie rano, jak obiecał. Wcześnie rano.

– Jaki jest pański werdykt w sprawie naszej pary z lotniska? – zapytałem. – Ma pan dla mnie coś dobrego?

– Miałeś pan rację – burknął.

– Cyklosarin?

– Całe mnóstwo.

– Jest pan pewien?

Spodziewałem się, że doktorek pozujący na typowego nowojorczyka odpali przemądrzałą ripostą w stylu „Słuchaj, ćwoku, jak chcesz, możesz zasięgnąć opinii innego speca!".

Ale sytuacja trochę się zmieniła. Już nie byłem byle jakim ktosiem z jakimś szalonym przeczuciem. Najwyraźniej wpadłem na trop.

Dlatego poza zniknęła. Wykluczona z gry.

– Tak, jestem pewien, że to cyklosarin – powiedział. – Zakładam, że masz pan pewne doświadczenie z truciznami?

– Tak – odparłem. Z pierwszej ręki, ni mniej, ni więcej. Powiedzmy, że ostatnio bardzo uważam na to, kto dla mnie gotuje.

– Oczywiście, to nie pierwsza lepsza trucizna – powiedział i zawiesił głos.

Zarzucał przynętę, ciekaw, co mogę mu powiedzieć – o ile w ogóle. Praktycznie czytałem w jego myślach jak w otwartej książce. Zatłoczone nowojorskie lotnisko. Śmiercionośna substancja rozpylona przez terrorystów.

Ale nie miałem zamiaru podawać mu szczegółów, choćby dlatego, że sam wciąż nie wiedziałem, jak to wszystko rozumieć. Dwie martwe pary nowożeńców, obie uśmiercone niekonwencjonalną trucizną. Oficjalnie nie był to żaden schemat, ale – zwijcie mnie Einsteinem – zdecydowanie coś więcej niż zbieg okoliczności.

– Kiedy ma pan przekazać wyniki sekcji? – zapytałem.

– Jutro – odparł. – Chyba że, oczywiście, z jakiegoś powodu nie powinienem tego robić.

Trzeba mu to oddać, facet łatwo się nie poddawał. Proponował zwłokę w zamian za informacje, skąd wiedziałem, że należy szukać cyklosarinu.

To, że gdy tam byłem, miał w biurze włączony kanał TMZ, nabrało sensu. Doktor Papenziekas lubił wiedzieć, co w trawie piszczy. I tak naprawdę wcale mu się nie dziwiłem. Spędzał dnie na krojeniu martwych ludzi, więc zależało mu na wszystkim, co ożywi atmosferę.

– W porządku – powiedziałem. – Może pan przekazać protokół z sekcji, kiedy...

– Jezu Chryste! – wybuchnął.

– Co się stało?

– Ma pan pod ręką telewizor?

Najwyraźniej on miał jeden przed sobą.

– Tak, a bo co? – zapytałem.

– Niech pan włączy na CNN, bo... hm... no tak... – Język mu się plątał, jakby miał kłopot z wyrażeniem myśli.

– Co „no tak"? – nacisnąłem. – Co? O co chodzi?

W końcu to wykrztusił.

– To pan!

# Rozdział 67

Złapałem pilota, natychmiast przełączyłem na CNN. Jeszcze zanim mój kciuk opadł na przycisk, żeby przywrócić dźwięk, byłem... cóż, odebrało mi mowę.

To byłem ja, zgadza się. To znaczy moje imię i nazwisko – wielkie, pogrubione litery blisko górnej części ekranu. Ale prawdziwą niespodziankę stanowiły dwa słowa, które je poprzedzały. Chciałem przetrzeć oczy i poprawić ostrość. Do licha, co jest grane?

SERYJNY ZABÓJCA JOHNÓW O'HARÓW.

Dźwięk wrócił, gdy prowadzący w studiu łączył się z korespondentem stojącym przed Białym Domem. W tej samej chwili usłyszałem moje nazwisko, ni mniej, ni więcej. Zdałem sobie sprawę, że wciąż mam na linii doktora Papenziekasa.

Niezbyt długo.

– Agencie O'Hara, jest pan tam? – dopytywał. – Agencie O'Hara?

– Jestem, jestem.

– Co się dzieje?

– Mam zamiar się dowiedzieć – odparłem. – Dzięki za informacje.

I się rozłączyłem. Nagle i niespodziewanie, tak, ale przecież właśnie przeczytałem moje nazwisko połączone ze słowami „seryjny zabójca". Do diabła, jeszcze nawet nie byłem pewien, co to oznacza. Wiedziałem tylko tyle, że na pewno nic dobrego.

Skoncentrowałem uwagę na korespondencie przed Białym Domem, jakimś gościu o przylizanych włosach i z końskimi zębami. Zdążyłem usłyszeć, jak wspomina o „wcześniejszym oświadczeniu sekretarz prasowej". Cięcie: jesteśmy w sali konferencyjnej Białego Domu.

W końcu pojawiły się szczegóły. Siedziałem, słuchając Amandy Kyle, sekretarz prasowej prezydenta, która wyjaśniła, że „z jeszcze nieznanych powodów" ktoś jeździ po kraju i morduje facetów o imieniu i nazwisku John O'Hara. Jak dotąd załatwił czterech w czterech różnych stanach.

Podkreśliła, że nic nie wskazuje, by motywy zabójcy miały coś wspólnego ze szwagrem prezydenta, choć tkwiący we mnie cynik był odmiennego zdania. Oczywiście, nie będę jedynym. Kyle po prostu uprzedzała atak, kończąc oświadczenie i zapraszając do zadawania pytań.

W pokoju wybuchła darwinowska potyczka na wrzaski. Wreszcie przeważył najdonośniejszy, najbardziej uparty głos.

– Czy zwiększono ochronę szwagra prezydenta?

Amanda Kyle nie na darmo została sekretarz prasową. Dobrze wiedziała, jak pokierować konferencją.

– John O'Hara, szwagier prezydenta, podlegał ochronie Secret Service jeszcze przed inauguracją – odparła, po czym zmieniła kierunek. – Ale jestem tu dzisiaj dlatego, że prezydent uznał, że ważne jest podanie tego zagrożenia do wiadomości publicznej, ponieważ oczywiście nie stać nas na zapewnienie podobnej ochrony każdemu Johnowi O'Harze w tym kraju. Ostatnią rzeczą, jakiej chcemy, jest wywołanie paniki, ale jednocześnie mamy obowiązek powiadomić społeczeństwo.

Znów wybuchła wrzawa, ale równie dobrze za jej plecami mógłby zostać wywieszony transparent z napisem „misja wykonana". Tym razem autentycznie prawdziwa misja. Kyle zręcznie odciągnęła uwagę od szwagra prezydenta.

Następne pytanie.

– Gdzie miały miejsce dotychczasowe zabójstwa?

Kyle spokojnie wymieniła miasta i miasteczka. Winnemucca... Park City... Flagstaff... Candle Lake.

Chwileczkę, pomyślałem. Park City?

Zeskoczyłem z kuchennego stołka, popędziłem prosto do mojej jaskini. To tam zostawiłem Biblię dostarczoną pocztą. Nadawca nieznany.

Podniosłem okładkę. Znów patrząc na czerwony stempel, wróciłem do kuchni. WŁASNOŚĆ HOTELU FRONTIER, PARK CITY, UTAH.

Położyłem Biblię na granitowym blacie, przewertowałem ją do strony, z której został wycięty ustęp – Księga Powtórzonego Prawa 32,35, Hymn Mojżesza. Zaznaczyłem miejsce żółtą karteczką samoprzylepną, na której wypisałem brakujące słowa.

*Moja jest odpłata i kara,*
*w dniu, gdy się noga ich potknie.*
*Nadchodzi bowiem dzień klęski,*
*los ich gotowy, już blisko.*

Ledwie skończyłem czytać ostatni wers, kiedy usłyszałem głos za plecami. Ktoś był w moim domu, w mojej kuchni. Ktoś, kogo, czego byłem pewien, tym razem nie znałem.

– Pan John O'Hara? – zapytał nieznajomy.

# Rozdział 68

Zamarłem. Moje ciało na kilka sekund zastygło w idealnym bezruchu. Te sekundy trwały całą wieczność. Może dlatego, że czułem się tak, jakby zostało mi kilka sekund życia?

Gdybym był gdziekolwiek poza domem, już robiłbym najszybszy w świecie przyklęk, żeby sięgnąć do kabury na łydce.

Ale to maleństwo i, co ważniejsze, wsunięta w nie dziewięciomilimetrowa beretta, leżały gdzieś w mojej sypialni na górze wraz z moim portfelem, drobnymi i nadgryzionym batonem Pep O Mint Life Savers.

Co teraz?

Była to druga w kolejności najlepsza rzecz. Rzuciłem się w prawo, chwyciłem najbliższy trzonek noża Wüsthof z bloku obok kuchenki i odwróciłem się z uniesioną ręką, gotów do rzutu.

I znów zamarłem.

I dobrze. W przeciwnym wypadku pewnie nie zrobiłaby tego samego – a to ona miała pistolet.

– FBI! – krzyknęła, opadając w przysiadzie, jakiego uczą na pierwszym roku. Mniejszy cel, więcej osłoniętych narządów wewnętrznych. Dopiero gdy zobaczyła, że ma przewagę, sięgnęła po legitymację. Nawet z odległości sześciu metrów poznałem, że jest autentyczna.

– Jezu Chryste, wystraszyła mnie pani na śmierć! – powiedziałem, opuszczając nóż. Zrobiłem tak potężny wydech, że mógłbym nadmuchać balon na paradzie domu towarowego Macy's z okazji Święta Dziękczynienia.

Jej wydech był jeszcze większy. Istny Rocky w porównaniu z moim Łosiem Superktosiem.

– Boże, mogłam pana zastrzelić! – zawołała, opuszczając broń.

– Tego się obawiałem.

Skinąłem w stronę telewizora. Spiker CNN wrócił na ekran, podobnie jak te same cztery słowa: „Seryjny zabójca Johnów O'Harów".

W chwili gdy to zobaczyła, przewróciła oczami. Były zielone, nie mogłem nie zauważyć, i równie pociągające jak jej cała reszta. Co ciekawe, widząc związane włosy i minimalny makijaż, mogłem powiedzieć, że stara się nie reklamować swojej urody. Wręcz przeciwnie.

– Jestem John O'Hara – przedstawiłem się, potwierdzając to, co oboje widzieliśmy na ekranie. – A pani?

– Agentka specjalna Brubaker – odparła. – Sarah. – Schowała do kabury glocka 23. – Myślałeś, że chcę... mam zamiar...

– Uczynić mnie piątą ofiarą, tak. Chwileczkę, jak się tu...

Z automatu wzajemnie kończyliśmy za siebie zdania.

– Zadzwoniłam do drzwi, ale nikt nie podszedł. Poszłam

na tyły domu, drzwi tarasowe były otarte... nie słyszałeś dzwonka?

– Nikt go nie słyszy, zepsuł się – wyjaśniłem. – Rany, może jednak powinienem kazać go naprawić, co?

Zaczęła się śmiać, choć nie z mojego sarkazmu.

– Co? – zapytałem. – Co cię tak śmieszy?

– Och, nic takiego – odparła, patrząc na blat przede mną. Spojrzałem i zobaczyłem gówniany nóż, którym zamierzałem w nią rzucić niczym jakiś wojownik ninja. Tak, prawdziwy szajs. Długa droga przed tobą, O'Hara. Był to siedmiocentymetrowy nożyk do obierania jarzyn i owoców.

Wzruszyłem ramionami.

– Niezbyt imponujący, co?

– Nie ma się czego wstydzić, widziałam mniejsze. Poza tym liczy się nie wielkość, lecz technika, prawda?

Ona też miała poczucie humoru.

– Kobiety naprawdę w to wierzą? – zapytałem.

– Nie, niezupełnie.

– Au. Więc naprawdę przyszłaś tutaj mnie zranić.

– O, jest – powiedziała, wskazując na mnie ręką.

– Co?

– Fałszywa skromność. Autoironiczne poczucie humoru. W twoich aktach można przeczytać, że jesteś w tym ekspertem.

– Poważnie? Co jeszcze tam jest?

– Mnóstwo naprawdę interesującego materiału, przynajmniej w tych częściach, do których mam dostęp – odparła. – Prawdę mówiąc, właśnie dlatego tu jestem.

– Porozmawiać o moich aktach?

– Nie. Służyć ci pomocą.

– Biuro już mi zaleciło wizyty u psychiatry.

– Wiem. Ale on nie może zrobić dla ciebie tego, co ja mogę – oznajmiła.

– Doprawdy? Mianowicie?

– Zachować cię przy życiu.

W milczeniu patrzyłem w te jej zielone oczy.

– W porządku. Chyba właśnie znaleźliśmy coś, co interesuje nas oboje.

# Rozdział 69

Jaki wniosek wynika z faktu, że przyszła do mojego domu? Nie musiałem pytać, w którym wydziale pracuje. Mimo wszystko zapytałem.

– Zakładam, że Jednostka Analiz Behawioralnych nie dzwoni do domów wszystkich Johnów O'Harów w kraju, prawda?

– Nie – odparła. – Obawiam się, że chodzi o ciebie.

Obawiasz się bardziej niż ja?

Siedzieliśmy przy kuchennym stole. Patrzyłem, jak sięga po swoją torbę na ramię i wyjmuje różne przedmioty, jakby to był pierwszy dzień w szkole. Notes. Pióro. Teczka. Była tam też jedna rzecz, co do której miałem pewność, że wolałaby jej nie mieć przy sobie.

– Moje akta... NU? – zapytałem.

– I NK – odparła. – Jesteś całkiem sławny.

– Prędzej niesławny.

– Autoironia, a widzisz?

Kiedy twoje akta opisane są jako „nie usuwać" i „nie kopiować", istnieje całkiem spore prawdopodobieństwo, że w ciągu lat pracy zdarzyło ci się parę razy SS.

Spieprzyć sprawę.

– Oczywiście widziałeś wiadomości – podjęła. – Jakiś facet zabija Johnów O'Harów i tylko Johnów O'Harów.

– Tyle że w wiadomościach nie pisnęli słowa o płci zabójcy, a ty właśnie to zrobiłaś. Facet. Wiesz, kim on jest?

– Mało tego, poznałam go. Prawdę mówiąc, piłam z nim piwo. To długa historia.

– Jakże romantyczne. Czy ja też go spotkałem?

– Nie wiem – odparła. – Ale jednego jestem pewna. On cię nie lubi, naprawdę bardzo cię nie lubi.

– Dlaczego?

– Ma to coś wspólnego ze śmiercią jego siostry.

Mój umysł natychmiast wskoczył na najwyższe obroty. Wszystkie sprawy, nad którymi kiedykolwiek pracowałem, przemykały mi przed oczami jak pokaz slajdów na sterydach. Było kilka możliwości, ale intuicja wierciła mi dziurę w brzuchu, uporczywie podsuwając jedno nazwisko. Do licha, przypomniałem sobie o niej zaledwie parę minut temu, podczas rozmowy z Papenziekasem.

À propos brzucha. Ona była czystą trucizną, od góry do dołu. Wzdłuż i wszerz.

– Nora? – zapytałem. – Ten facet jest bratem Nory Sinclair?

# Rozdział 70

Agentka Brubaker patrzyła na mnie nad stołem. Przed chwilą wspomniałem o Norze, a ona nic nie powiedziała. Ani be, ani me, ani kukuryku. Nie skinęła głową, nawet nie musnęła czubka nosa. Nic.

Po prostu splotła ręce na piersi, opalone i silne.

– Wiesz przypadkiem, jak miała na imię żona Jamesa Joyce'a? – zapytała.

Dziwna pora na niezapowiedziany sprawdzian z dziedziny literatury światowej.

– Nie – odparłem. – Nie wiem.

– Nora. Miała na imię Nora. Nora Joyce. Wiesz, kto wyreżyserował film *Masz wiadomość?*

To akurat wiedziałem. Co mogę powiedzieć? Subskrypcja Netflix sprawia, że człowiek ogląda mnóstwo filmów, których zwykle nie miałby czasu obejrzeć. Poza tym wyłaniał się wzór.

– Nora Ephron – odparłem.

Agentka Brubaker wydawała się lekko zaskoczona moją znajomością detali filmowych, ale brnęła dalej.

– A słyszałeś o Nora Whittaker Band?

Pokręciłem głową.

– Nie.

– Ja też nie. To mała kapela z Filadelfii. Żadnych przebojów, ale napisali parę ciekawych tekstów. Co ważniejsze, wiesz, kto o nich słyszał?

– Poddaję się.

– Ned Sinclair.

– Brat...

– Nory, zgadza się. Zostawiał mi wskazówki przy każdej ofierze, choć śmiem wątpić, czy myślał, że znajdę się tutaj przed nim. Po prostu dopisało mi szczęście.

– Wygląda na to, że dopisało nam obojgu.

Agentka Brubaker opowiedziała, jak Ned uciekł ze szpitala psychiatrycznego i jak administrator przypadkiem podał jej imię jego siostry. Ned skądś wiedział, że miałem z nią do czynienia.

Oczywiście, nie był jedyny.

Kiedy Sarah poznała imię, wystarczyło przeszukać bazę danych dotyczącą przestępczości. Po kilku wewnętrznych rozmowach telefonicznych siedziała przed biurkiem Franka Walsha. Mogłem sobie wyobrazić jego minę. Jakbyś nie miał dość problemów, co, O'Hara? Stałeś się celem seryjnego zabójcy?

– Jak powiedziałam, Ned Sinclair prawdopodobnie obwinia cię o śmierć Nory. Fakt, że po drodze morduje niewinnych facetów tylko z powodu takiego samego nazwiska, świadczy o jego gniewie.

– Więc kim to mnie czyni, winnym Johnem O'Harą?

Sarah popatrzyła na mnie z niedowierzaniem.

– Nora Sinclair zabijała swoich kochanków dla pieniędzy,

a twoje zadanie polegało na tym, żeby to udowodnić. Zamiast tego nadałeś nowe znaczenie określeniu „agent pod przykryciem" i wylądowałeś z nią w łóżku. Czy mam kontynuować?

Nie, dziękuję. Tak właśnie było. Wszystko jasne.

– Ale nie ja zabiłem Norę – zaznaczyłem.

– Tak, ale czy Ned o tym wie? Może wiedzieć tylko tyle, że zabójca nie został ujęty.

– Super... więc niech po mnie przyjdzie. Będę na niego czekać.                                    ·

– Z większym nożem?

– Bardzo śmieszne. Jeszcze lepiej, ty możesz go złapać. Mówiłaś, że mieliście pierwszą randkę, zgadza się?

– Właśnie dlatego odsunięto mnie od sprawy, a przynajmniej od jego tropu. Zamiast tego dostałam rozkaz usunięcia cię ze sceny.

– Tak ostatnio nazywają to w Quantico? My wciąż mówimy o odłączeniu z sieci. Jak zwał, tak zwał, nie mam zamiaru znikać.

– Na pewien czas umieścimy cię w jakimś bezpiecznym miejscu... w czym problem?

– W tym, że pracuję nad sprawą. Walsh ci nie powiedział?

– Z pewnością Warner Breslow zrozumie.

Teraz przyszła na mnie kolej, żeby popatrzeć na nią z niedowierzaniem.

– No dobra. Może nie zrozumie – ustąpiła. – Po prostu będzie musiał się z tym pogodzić.

Wstałem, podniosłem Biblię z lady. Bez słowa położyłem ją przed nią. Patrzyłem, jak wertuje książkę i znajduje stronę z brakującym fragmentem. Przeczytała moją notkę, po czym wiedziona intuicją podniosła okładkę, żeby zobaczyć, czy jest ostemplowana. Zrobiła tym na mnie wrażenie.

Wyglądała jak dzieciak w poranek Bożego Narodzenia. Dałem jej prezent w postaci nowego dowodu. Dla agenta nie ma niczego lepszego.

– Pozwolisz, że zadam pytanie? Czy cię nie martwi, że już nie możesz polować na Neda Sinclaira?

– Oczywiście, że tak. Głęboko. Prawdę mówiąc, doprowadza mnie to do szału.

– I że zamiast zajmowania się tamtą sprawą twoje zadanie polega na wyciągnięciu mnie z tego domu, zgadza się?

– Zgadza się. To też mnie wkurza.

– Co więc byś powiedziała, gdybym powiedział, że może jest jakieś wyjście dla nas obojga?

Sarah namyślała się przez kilka sekund, przymrużając te swoje zielone oczy. Była nieufna, ale też zaintrygowana.

– Powiedziałabym: mów dalej, Johnie O'Hara. Może faktycznie łączy nas parę rzeczy.

# Część czwarta

## Obietnice, które składamy, Obietnice, które nam składają...

# Rozdział 71

Naprawdę powinienem zadzwonić. Co ja sobie myślałem? Prawdę mówiąc, dokładnie wiedziałem, co myślę. Olivia Sinclair przebywała w Langdale, stan Nowy Jork, i nie chciałem ryzykować, że podczas rozmowy telefonicznej usłyszę: „Nie jest to dobra chwila".

W głębi duszy chciałem też odrobinę popisać się przed kobietą, która siedziała obok mnie w samochodzie.

– Jeśli chcesz wyjawić, dokąd zmierzamy, to się nie krępuj – powiedziała Sarah nie po raz pierwszy, gdy jechaliśmy międzystanową 684.

– Niebawem będziemy na miejscu – odparłem.

Po części z powodu wyrzutów sumienia, po części z ciekawości i lekkiego poczucia odpowiedzialności od czasu do czasu sprawdzałem, jak się miewa Olivia Sinclair po śmierci Nory, swojej córki. Raz w roku, czasami dwa razy dzwoniłem do siostry przełożonej, Emily Barrows, żeby zapytać, jak sobie radzi jej najbardziej intrygująca pacjentka. W tej sytuacji paradoksalne było to, że Ned Sinclair chce mnie zabić.

– Szpital psychiatryczny Pine Woods? – zapytała zaskoczona Sarah, gdy minęliśmy znak wskazujący drogę na parking.

Odwróciłem się w jej stronę, gdy wjechałem i zgasiłem silnik.

– Niezapowiadany sprawdzian: Co łączy seryjnych zabójców?

Patrzyła na mnie tępo.

– Każdy ma matkę – wyjaśniłem.

Twarz jej pojaśniała. Właśnie tego się spodziewałem.

Od początku znajomości z agentką specjalną Sarah Brubaker wiedziałem, że jest skupiona na Nedzie Sinclairze jak laser, a rozkaz porzucenia jego tropu przypuszczalnie sprawił, że zaczęło jej jeszcze bardziej zależeć na rozwiązaniu tej sprawy. Zwijcie to naturą ludzką. Z tego powodu zgodziła się jechać ze mną przez ponad godzinę, nie mając pojęcia, dokąd ją wiozę.

To nie tylko twój urok osobisty i umysł ostry jak rapier, O'Hara.

Poprowadziłem Sarah do dyżurki pielęgniarek na ósmym piętrze, gdzie oczywiście dyżurowała Emily Barrows. Ostatnim razem rozmawialiśmy latem ubiegłego roku, ale minęło jakieś pięć lat, odkąd się spotkaliśmy twarzą w twarz. Wydawała się bardziej zmęczona, niż pamiętałem, nieco bardziej wyczerpana.

Czas nie ma litości zwłaszcza dla tych, których dzień roboczy zdefiniowany jest jako „zmiana".

Po przedstawieniu Sarah przeprosiłem Emily za wizytę bez uprzedzenia.

– Miałem nadzieję, że będziemy mogli porozmawiać z Olivią. Wciąż na końcu korytarza, prawda?

Emily milczała, niepewna, jak zareagować.

– Wiem, wiem – dodałem. – Prawdopodobnie powinienem zwrócić się z tą prośbą do naczelnego administratora, ale czas nas nagli i...

– Nie, nie o to chodzi – mruknęła Emily i znowu umilkła. – Olivii już tu nie ma.

– Aha, rozumiem. Mówi pani, że została wypisana? Jak wspomniałem, naprawdę powinienem był zadzwonić.

– Nie – odparła Emily. – Mówię, że nie żyje.

# Rozdział 72

– Jak? – zapytałem. – Jak to się stało?

– Dwa miesiące temu – odparła Emily. – Rak trzustki. Zabrał ją bardzo szybko.

Chciała coś dodać, ale urwała.

– O co chodzi? – zapytałem. – Mówiła pani...

– Nic, naprawdę. Po prostu sobie przypomniałam, co Olivia mi powiedziała po zdiagnozowaniu. Powiedziała, że dostała raka z żalu... wie pan, po śmierci córki. Uważała, że jest temu winna.

– Bardzo kochała Norę – odparłem. Nie mogłem się oprzeć gładkiemu przejściu na inny temat. – Czy może kiedyś wspomniała, że ma również syna?

Emily zastanawiała się przez kilka sekund, po czym pokręciła głową.

– Chyba nie.

Spojrzałem na Sarah, która z pewnością myślała o tym, żeby powalić mnie na podłogę w korytarzu za to, że wyciągnąłem ją na szukanie wiatru w polu. Trzeba jednak oddać jej sprawiedliwość: wydawała się zdecydowana maksymalnie wykorzystać sytuację albo przynajmniej uwzględnić każdy z jej możliwych aspektów.

– Jej syn ma na imię Ned – odezwała się. – Może to pomoże.

Nie pomogło.

– Powinniście wiedzieć, że Olivia przez wszystkie te lata niewiele mówiła – wyjaśniła Emily. – Do czasu śmierci Nory powiedziała do mnie nie więcej niż kilka zdań. Ale to nie znaczy, że się nie przyjaźniłyśmy.

Sarah słuchała i kiwała głową. Domyśliłem się, że ma już przygotowane pytania.

– Czy Olivia zmarła tutaj? – zapytała.

– Nie. Pod koniec została przeniesiona do hospicjum. Tam zmarła.

– Co się stało z jej rzeczami osobistymi? Czy też trafiły do hospicjum?

Emily się zawahała. Wyglądało na to, że próbuje wykombinować, jak odpowiedzieć bez kłamania. Widziałem takie wahanie niezliczone razy podczas przesłuchań. Sarah z pewnością również. Wymieniliśmy spojrzenia.

– Czy jest coś, o czym powinna pani nam powiedzieć? – nacisnęła Sarah.

Pytanie było proste, ale ton i modulacja głosu mojej partnerki, która wcieliła się w rolę „złego gliny", wyraźnie sugerowały, że świat Emily runie jak domek z kart, jeśli nie będzie z nami szczera. Naprawdę zabrzmiało to groźnie.

Dick Cheney mógł mieć swój zestaw do podtapiania na desce. Ja miałem Sarah Brubaker.

Emily nerwowo spojrzała w lewo i prawo, żeby sprawdzić, czy w zasięgu słuchu nie ma nikogo innego.

– Zaczekajcie tutaj – poprosiła. – Zaraz wrócę. Proszę, dajcie mi minutę.

Zniknęła w pokoju za dyżurką. Niespełna dziesięć sekund później wróciła z czymś zapakowanym w foliową reklamówkę.

– Olivia chowała to na dnie skrzynki w swojej szafie – wyjaśniła. – Wiem, że źle postąpiłam, ale po wszystkim, czego się dowiedziałam o jej córce Norze... po prostu nie mogłam się powstrzymać.

I podała torbę Sarah.

# Rozdział 73

Ja prowadziłem, Sarah czytała.

– Hej! – zawołałem pewnie z pół tuzina razy, zanim ucichła. Była tak zaabsorbowana lekturą, że nawet nie zdawała sobie sprawy, że czyta na głos.

Pierwszy wpis pochodził z dziewiątego sierpnia 1990 roku, kiedy Olivia zaczęła odsiadywać wyrok za zamordowanie swojego męża. Tylko że nie ona go zabiła. To Ned. Wzięła na siebie winę za siedmioletniego syna. Przynajmniej tak twierdziła.

Czy kłamałaby we własnym dzienniku?

Nie można zaprzeczyć, że to, co robiliśmy z Sarah – i co przed nami zrobiła pielęgniarka Emily Barrows – miało niepokojący charakter i wprawiało nas w zakłopotanie. Dopuściliśmy się poważnego naruszenia prywatności i śmierć Olivii wcale nie zmieniała tego faktu.

A jednak.

Jeśli ta oprawiona w brązową skórę książeczka zawierała choćby strzępki informacji, które pomogą nam załapać Neda Sinclaira, zanim znów zabije, wtedy to usprawiedliwi nasze poczynania. Sytuacja nie stanie się bardziej makiaweliczna.

I, co dziwne, znając Olivię Sinclair, miałem uczucie, że okazałaby nam zrozumienie.

– Jezu Chryste... – mruknęła Sarah, przerywając w połowie zdania.

Spojrzałem na nią zza kierownicy. Miała zdegustowaną minę.

– O co chodzi? – zapytałem.

– Nora była molestowana przez swojego ojca – odparła. – Wielokrotnie.

Reszta przypominała ostatnie elementy układanki: wszystkie idealnie pasowały.

Ned musiał wiedzieć o kazirodztwie i wziął sprawy w swoje małe ręce. To, że Olivia nie miała pojęcia, co robi jej mąż – dopóki nie stało się za późno – z pewnością przyśpieszyło jej decyzję o przyjęciu winy za Neda. Był to jej ostatni akt macierzyństwa.

Sarah czytała dalej. W skręcających trzewia szczegółach Olivia opisywała swoje poczucie winy i ból wynikający ze świadomości, że jej dzieci trafią do sierocińca.

Sytuacja się pogorszyła. Rok później Olivia się dowiedziała, że Ned i Nora zostali rozdzieleni, wysłani do dwóch różnych placówek w stanie.

Sarah nagle zamknęła książkę, zatrzasnęła ją.

– Co robisz? – zapytałem.

– Robię przerwę. W tej chwili nie mogę czytać dalej. Straszna historia.

Wiele to mówiło o osobie, która z taką determinacją dążyła do schwytana Neda Sinclaira. Co nie znaczy, że się jej dziwiłem. Dziennik Olivii zawierał opis istnego koszmaru – dla wszystkich Sinclairów.

Bez względu na stanowisko w kwestii: geny czy wychowanie, niepodobna było myśleć, że zdarzenia te nie odcisnęły trwałego piętna na psychice Neda i Nory.

Spojrzałem na Sarah, która trzymała dziennik Olivii jak ja drzwi lodówki, kiedy próbuję zrzucić parę kilo. Rzeczywiście, znowu go otworzyła.

– To była krótka przerwa – zauważyłem.

– Nie mogę się powstrzymać. Muszę przez to przebrnąć, przeczytać wszystko. Prawdopodobnie kilka razy.

Rozumiałem. Naprawdę jej zależało na ujęciu Neda Sinclaira. Była całkowicie skoncentrowana na swoim celu. Tak bardzo, że wszystko inne wydawało się nieistotne. Na przykład, dokąd, u licha, jedziemy? Na południe, tak, ale na pewno nie do mojego domu. Przynajmniej nie na wachcie Sarah.

Jechałem, podczas gdy ona czytała, i oboje nie byliśmy pewni, co leży przed nami. Nagle, jakieś piętnaście kilometrów i około dwudziestu stron później, wszystko się zmieniło.

– O cholera – mruknęła Sarah wciąż z nosem w dzienniku.

– Co się stało? – zapytałem.

Gdy odwróciłem głowę, żeby spojrzeć, podniosła dziennik i pokazała mi stronę. Natychmiast to zobaczyłem.

Klucz do wszystkiego.

# Rozdział 74

Sarah kręciła głową praktycznie przez cały lot do Los Angeles. Po jakimś czasie musiałem się roześmiać.

– Co cię tak śmieszy? – zapytała.

– Ty – odparłem. – Jesteś jak moja matka, kiedy byłem dzieckiem. Przychodziłem ze szkoły, chwaląc się, że zrobiłem test z matmy na dziewięćdziesiąt osiem procent, a jej pierwsze słowa zawsze brzmiały: „Kto dostał pozostałe dwa procent?".

Sarah była dość łebska, żeby zdobyć informacje o nieruchomościach, które wciąż mógł posiadać Ned Sinclair. Ale teraz biła się w piersi, ponieważ – kłania się pozostałe dwa procent – nie przyszło jej na myśl, żeby sprawdzić nieruchomości należące do pozostałych dwóch członków rodziny Sinclairów. Szczególnie Nory. To, że była martwa od lat, wcale nie musiało oznaczać, że wciąż nie mogła mieć domu.

Rzeczywiście.

Był to dwupoziomowy dom z dwiema sypialniami w Westwood w pobliżu kampusu Uniwersytetu Kalifornijskiego, gdzie Ned pracował jako profesor nadzwyczajny. Nora kupiła go dla brata i, jak wynikało z dziennika, również dla Olivii.

Oto klucz, mamo, na dzień, kiedy zostaniesz zwolniona.

Tak Nora jej powiedziała podczas jednej z wizyt w Pine Woods. Klucz był symbolem optymizmu, czymś, co miało podtrzymywać Olivię na duchu. Nora chciała, żeby jej matka myślała, że pewnego dnia naprawdę wyjdzie ze szpitala.

W głębi duszy prawdopodobnie obie wiedziały, że to się nigdy nie stanie.

Tak więc w domu mieszkał tylko Ned. To znaczy mieszkał tam do czasu skierowania na przymusowe leczenie w szpitalu psychiatrycznym Eagle Mountain.

Ale dom na drugim końcu kraju, dokąd lecieliśmy z Sarah, nie został sprzedany. Wciąż należał do Nory.

Witajcie w odcinku specjalnym *Poszukiwaczy domów*.

– To tam – powiedziała Sarah jakieś trzydzieści minut po wylądowaniu w Los Angeles. Wskazywała z tylnego siedzenia taksówki, którą wzięliśmy na LAX. – Numer na skrzynce na listy. Dwa siedemdziesiąt dwa.

Podjechaliśmy, zapłaciliśmy kierowcy, wysiedliśmy i spojrzeliśmy na ostatnie znane miejsce zamieszkania Neda Sinclaira. Spodziewałem się, że będzie przyprawiać o ciarki, zapuszczone, z przerośniętą trawą i chwastami. Nic takiego. Dom był w doskonałym stanie, dobrze utrzymany, a trawnik nieskazitelnie przystrzyżony.

I właśnie to naprawdę przyprawiało o ciarki.

– Agent Nory prawdopodobnie zatrudnił dozorcę, zakładając, że pewnego dnia Ned zostanie zwolniony – powiedziała Sarah.

– Możliwe.

Spojrzała na mnie.

– Dlaczego? Chyba nie sądzisz...

– Że on tu jest? Nie. Zabija tylko w jednym kierunku: na wschód. Marne szanse, że jeździ tam i z powrotem jak człowiek dojeżdżający do pracy.

Większe szanse, że Ned wstąpił do domu po ucieczce ze szpitala Eagle Mountain odległego tylko o trzydzieści kilometrów. Spakować walizkę? Wziąć prysznic i się ogolić? Zabrać trochę gotówki na drogę?

Prawdziwe pytanie jednak brzmiało, czy coś po sobie zostawił – jakąś wskazówkę, cokolwiek, co pomogłoby nam go wytropić.

– Pozwolę ci pełnić honory – powiedziałem, gdy podeszliśmy do drzwi frontowych domu z cedrowym gontem i białym wykończeniem.

Sarah wyjęła klucz z kieszeni. Wciąż był trochę lepki od taśmy, którą Olivia przykleiła go do kartki w dzienniku.

– Powiedz mi jeszcze raz, że nie ma szans, żeby on tu był – poprosiła.

– Dobra. Nie ma szans, że tu jest.

Oboje się roześmialiśmy. Potem szybko wyciągnęliśmy broń.

Po prostu na wypadek gdybyśmy oboje się mylili.

# Rozdział 75

Puk, puk. Jest tam kto?

Nikogo nie ma.

Szybkie przeszukanie całego domu nie ujawniło obecności żadnego Neda. Wróciliśmy do małego holu z ceramicznymi płytkami, skąd wyruszyliśmy.

– Ty bierzesz górę, ja dół – zarządziła Sarah.

Teraz nasze działania miały na celu znalezienie jakichś wskazówek, czegoś, co skieruje nas we właściwą stronę. Dekodera, który pozwoli nam rozszyfrować Neda. Dokąd zmierza?

Gdyby to był film, sprawa byłaby prosta. Weszlibyśmy do pokoju i z rozdziawionymi ustami stwierdzili, że cała ściana co do centymetra pokryta jest moimi zdjęciami, każdym z wielkim X na mojej twarzy. Potem natknęlibyśmy się na jakąś porysowaną markerem mapę drogową, która podałaby nam dokładną lokalizację kolejnego zabójstwa Neda.

Ale choć znajdowaliśmy się bardzo blisko Hollywood, to nie był film.

Nie znaleźliśmy poświęconego mi ołtarzyka ani żadnej czekającej na nas oczywistej wskazówki. Prawdę mówiąc, niewiele tam było. À propos minimalizmu. Nora Sinclair, projektantka wnętrz o zabójczym oku, może kupiła ten dom dla Neda, ale na pewno go nie wyposażyła.

W dwóch sypialniach na górze jedynymi meblami były łóżka. Nie było komód, szafek nocnych, nawet lampy.

Pozostawały tylko szafy. Dwie, ściśle mówiąc. Ta w sypialni gościnnej była pusta.

W szafie w głównej sypialni znalazłem jedyny znak, że ktoś w ogóle mieszkał w tym domu. Ubrania Neda. Przynajmniej założyłem, że należały do niego.

Na drewnianych wieszakach, które wyglądały na celowo rozmieszczone dokładnie w odległości pięciu centymetrów, schludnie wisiały spodnie, koszule i parę sportowych marynarek. Sprawdzenie kieszeni okazało się chybionym strzałem. Wszystkie były puste.

Zwykle czułbym się trochę dziwnie, przeszukując czyjeś rzeczy osobiste – pomimo dziennika Olivii – ale naprawę wyglądało mi na to, że tutaj nie ma niczego „osobistego".

Dopóki się nie odwróciłem.

Coś leżało pod łóżkiem. Z początku myślałem, że to walizka, ale gdy opadłem na kolana, żeby mieć lepszy widok, zobaczyłem drewniany kufer. Do tego stary.

Wyciągnąłem go, wysunąłem porysowany mosiężny rygiel. Zapiszczały zardzewiałe zawiasy. Co dla mnie masz, Ned?

Jedno wielkie rozczarowanie, ot co.

Zabawki. Skrzynia była pełna po brzegi dziecięcych zabawek.

Patrzyłem na nie, sfrustrowany. Nagle coś zrozumiałem. Wszystkie były takie same.

Niezupełnie takie same, ale stanowiły wariacje na jeden temat. Duże, małe, zepsute albo w idealnym stanie, wszystko w skrzyni było zabawkową wersją bardzo specyficznego samochodu. Prawdę mówiąc, samochodu jedynego w swoim rodzaju – hitu z przeszłości.

DeLorean.

Ha.

# Rozdział 76

Nie chciałem zbytnio tego roztrząsać, zwłaszcza że nie miałem pojęcia, w jaki sposób zainteresowanie czy nawet obsesja Neda na punkcie jednego samochodu miałyby nas do niego doprowadzić. Czasami pudełko zabawek jest po prostu pudełkiem zabawek.

A jednak musiałem przejrzeć je wszystkie. Nigdy nie wiadomo.

Wyciągałem samochodziki jeden po drugim. Nie byłem pewien, czego szukam. Jeśli szczęście mi dopisze, będę wiedział, kiedy to znajdę.

Ale wszystkim, co znajdowałem, były kolejne DeLoreany, drewniane, plastikowe, metalowe.

Dopóki nie dokopałem się do dna.

Leżała tam ramka na zdjęcie. Jeszcze zanim ją podniosłem i odwróciłem, wiedziałem, kogo zobaczę.

Nora Sinclair.

Wytarłem trochę kurzu ze szkła i patrzyłem. W każdym calu wyglądała tak oszałamiająco, jak ją pamiętałem. Wysoko zarysowane kości policzkowe i pełne usta. Promienne oczy i skóra pocałowana przez słońce.

Tak: jak dotąd najpiękniejszy seryjny zabójca, z którym spałem.

– Jak idzie? – krzyknęła Sarah. – Masz coś?

Freud pewnie miałby używanie. Ramka zatrzęsła mi się w rękach, jakbym został przyłapany na robieniu czegoś, czego nie powinienem robić.

– Jeszcze nie – odkrzyknąłem, odkładając zdjęcie na dno kuferka.

I niemal natychmiast je podniosłem.

Tym razem nie patrzyłem na zdjęcie Nory. Patrzyłem na tył, gdzie można otworzyć ramkę.

Nie jestem pewien, dlaczego zrobiłem to, co zrobiłem. Może dlatego, że kiedyś czytałem o facecie, który znalazł kopię Deklaracji Niepodległości za obrazem kupionym na wyprzedaży garażowej? Może dlatego, że moja babcia dodawała moje nowe zdjęcia do ramek, zostawiając pod nimi te starsze?

Wiedziałem tylko, że coś kazało mi otworzyć tył tej ramki.

# Rozdział 77

Nagle Sarah znów zawołała, tylko że tym razem nie do mnie.

– Nie ruszaj się! – wrzasnęła.

Natychmiast sięgnąłem do kabury na łydce, wypadłem z pokoju i zbiegłem po schodach. Z hukiem wylądowałem w holu i zobaczyłem go od tyłu, z uniesionymi rękami. Sinclair? Naprawdę? Nie. To niemożliwe!

Odruchowo się odwrócił i wytrzeszczył oczy z przerażenia, gdy zrozumiał swoje położenie. Sarah stała przed nim, ja za nim.

– Kim pan jest? – zapytała Sarah.

Odwrócił się w jej stronę. Język mu się plątał ze zdenerwowania.

– Jestem... uch... jestem... doktor Bruce Drummond. Jestem... jestem psychiatrą.

– Co pan tu robi? – zapytała, a raczej zażądała odpowiedzi Sarah.

– Wiadomości – wydukał. – Kiedy... uch... wróciłem z pracy do domu, zobaczyłem to w wiadomościach.

Sarah i ja jednocześnie opuściliśmy broń. Tak jakbyśmy tylko po prostu oboje uzupełnili puste miejsca.

– Leczył pan Neda Sinclaira? – zapytała.

– Tak, przez rok – odparł, po raz pierwszy biorąc oddech. – Jesteście z policji? Mam nadzieję.

– FBI – powiedziała, pokazując odznakę. – Agentka Sarah Brubaker, a to mój partner, John.

Sprytnie, nie podała mojego nazwiska. To z pewnością dodatkowo zmieszałoby już wstrząśniętego psychiatrę. Poniekąd miał bardziej palące problemy.

– Mogę opuścić ręce? – zapytał.

– Jasne – odparła Sarah. – Prawdę mówiąc, może pan zrobić znacznie więcej. Może nam pan pomóc.

Weszliśmy do salonu Neda, gdzie temat „skromnie umeblowany" był rozwinięty jeszcze bardziej. Stały tam kanapa i fotel. To wszystko. Pomysł wstawienia stolika najwyraźniej został uznany za zbyt ekstrawagancki.

Co nie znaczy, że chcieliśmy zaproponować doktorowi Bruce'owi Drummondowi kawę, drinka czy przekąski, nie mówiąc o krewetkach koktajlowych. Wszystkim, na czym nam zależało, było wyciągnięcie z niego informacji.

– Zacznijmy od tego, co pan tutaj robi. – Sarah rozpoczęła przesłuchanie. – Był pan w kontakcie z Nedem?

– Parę lat temu – odparł. – Miałem nadzieję, że go nakłonię do złożenia broni, gdyby przypadkiem tu był. Drzwi były otwarte, kiedy się zjawiłem.

– Nie przyszło panu na myśl, żeby najpierw powiadomić policję? – zapytałem.

Siedzący na brzegu fotela Drummond cofnął stopy.

– Ned nigdy nie podda się policji – wyjaśnił zwięźle. Był teraz spokojniejszy, bardziej opanowany; odzyskiwał pewność siebie typową dla nauczyciela akademickiego.

Sarah wyraźnie to wyłapała i złagodziła ton. Spryciara: chciała, żeby Drummond czuł się doceniony za to, co próbował zrobić. Obrała najlepszą taktykę, żeby go zachęcić do mówienia o Nedzie.

– To zrozumiałe, że jego dobro leży panu na sercu – podjęła. – Jak dawno temu był pan jego psychiatrą?

– Został moim pacjentem jakieś pięć lat temu, po śmierci siostry. Kierownik katedry matematyki, mój przyjaciel, zasugerował, żeby Ned się ze mną spotkał.

– W sprawie pomocy terapeutycznej? – zapytałem. Miałem pewne doświadczenie w tej dziedzinie.

– Tak, on i jego siostra byli sobie bardzo bliscy – odparł Drummond. Potem dodał coś szeptem, jakby tylko przez przypadek. – Zbyt bliscy.

Jeśli kiedykolwiek padły słowa, które błagały o zadanie pytania, to właśnie teraz.

– Co to znaczy? – zapytałem.

Drummond się zawahał.

– Widzieli państwo akta osobowe Neda z uniwersytetu? Wiecie, dlaczego odszedł?

– Tak – powiedziała Sarah. – Napisano, że został zwolniony z powodu złych opinii studentów.

– Tego się można było spodziewać. W przeciwnym wypadku to koszmarnie zaszkodziłoby wizerunkowi katedry.

– Co by zaszkodziło? – zapytałem.

– Prawda.

# Rozdział 78

Jedno trzeba oddać doktorowi: zdecydowanie przyciągnął całą naszą uwagę.

Drummond pochylił się w fotelu, zaciskając ręce.

– Przyłapano go w jego gabinecie, gdy się masturbował, patrząc na zdjęcie młodej kobiety.

Sarah przyjęła to bez mrugnięcia okiem, prawie.

– Jednej ze studentek? – zapytała.

– Gorzej, jeśli potrafią państwo sobie wyobrazić. Było to zdjęcie Nory.

No tak, to zupełnie inna historia. Właśnie skręciliśmy w Uliczkę Zboczeńców. W zależności od tego, co to było za zdjęcie, być może będę musiał pójść umyć ręce.

– To zaburzenie preferencji seksualnych – kontynuował Drummond. – Tego rodzaju fiksacja nieczęsto dotyczy rodzeństwa, ale i to się zdarza.

– I poddał go pan terapii po tym incydencie? – zapytała Sarah.

– Tak. Przynajmniej próbowałem. Fakt, że Nora nie żyła, jeszcze bardziej to utrudniał. Ned miał obsesję na jej punkcie, ale jak można sobie wyobrazić, również na punkcie sprawcy jej śmierci. Twierdził, że wie, kto ją zabił.

– Podał panu nazwisko? – zapytałem.

– Nie. I to było najgorsze. Powtarzał z uporem, że sam się tym zajmie.

– Tym? – powtórzyła Sarah. – Jakby planował zabicie faceta?

– Takie odniosłem wrażenie. Oczywiście, bez nazwiska to nie była sprawa Tarasoff kontra zarząd Uniwersytetu Kalifornijskiego.

– A jednak pan uznał, że Ned stanowi dla kogoś zagrożenie. Dlatego skierował go pan na przymusowe leczenie do Eagle Mountain, prawda?

– Tak, prawie po roku od dnia, kiedy został moim pacjentem.

Uniosłem rękę.

– Tarasoff kontra...?

– Sprawa sądowa – wyjaśniła Sarah. – Tarasoff kontra zarząd Uniwersytetu Kalifornijskiego. Orzeczenie zobowiązuje terapeutę do naruszenia tajemnicy pacjenta, jeśli wie, że osoba trzecia jest w niebezpieczeństwie.

Spojrzałem na nią z ukosa.

– Popisuje się.

Uśmiechnęła się, po czym wróciła do maglowania Drummonda.

– Jednego nie rozumiem. Ned udaje się do Eagle Mountain i przebywa tam przez ponad trzy lata, nie sprawiając żadnych problemów. Nagle pewnego dnia ni z tego, ni z owego decyduje się na ucieczkę. Bestialsko morduje osobę z personelu i wyrusza w trasę, żeby popełnić serię zabójstw, przy czym wszystkie ofiary mają to samo imię i nazwisko.

– Najwyraźniej wini za śmieć siostry kogoś, kto nazywa się John O'Hara – powiedział Drummond. – To znaczy naprawdę go obwinia.

– Tak. Ale dlaczego teraz? Dlaczego czekał?

– Proszę myśleć o zaburzeniach psychicznych jak o raku. Nastąpiła remisja. Brał leki i bez względu na to, jakie miał pragnienia, pozostawały one pod kontrolą. Wytłumione.

– Co spowodowało zmianę? – zapytała Sarah.

– Nękało mnie to samo pytanie. Dlatego wybrałem się z wizytą do Eagle Mountain. Okazuje się, że na piętro Neda przydzielono nową osobę.

– A co ona miała do rzeczy? – chciałem wiedzieć.

– Nie ona, on. To był pielęgniarz.

– Ned zabił pielęgniarza? – zapytała Sarah.

– Tak. Miał ksywkę As.

Wzruszyłem ramionami.

– I co z tego?

Drummond rozparł się w fotelu.

– Więc proszę spytać, jak brzmiało jego prawdziwe nazwisko.

# Rozdział 79

Dziesiątki kilometrów jazdy, tysiące kilometrów w powietrzu, liczne strefy czasowe i wszystko to zaliczone w ciągu dwudziestu czterech godzin dzięki nocnemu lotowi z portu lotniczego Los Angeles, na który zdążyliśmy w ostatniej chwili. Sarah i ja wróciliśmy do Nowego Jorku i mojego samochodu. W końcu wyjechaliśmy z krótkoterminowego parkingu na lotnisku Kennedy'ego.

– Czujesz to? – zapytałem, manipulując przy wentylacji. – Co tak śmierdzi?

Roześmiała się.

– Chyba my.

Powąchałem moją koszulę, wzdrygnąłem się.

– Rany... może tylko ja. Przepraszam.

– To my, John. Teraz mamy jeszcze więcej wspólnego. Oboje cuchniemy jak skunksy.

Prysznice czekają w niedalekiej przyszłości, tyle nam było wiadomo. Przed wylądowaniem uzgodniliśmy, że pojedziemy do mojego domu w Riverside i doprowadzimy się do porządku. Decyzję ułatwił fakt, że właśnie tam stał jej wynajęty samochód.

Nie zgadzaliśmy się jednak co do tego, co zrobimy później.

Po raz enty dowodziłem, że powinniśmy rozbić obóz w moim domu i po prostu czekać na Neda Sinclaira.

– Nie jest za późno na zmianę zdania – powiedziałem, gdy wjechaliśmy na Van Wyck Expressway, zmierzając w kierunku Connecticut.

I po raz enty mnie uciszyła.

– To nie zależy ode mnie – oświadczyła stanowczo. – I skoro o tym mowa, to jeśli nie zadzwonię do mojego szefa, znajdę się w wielkich kłopotach. Poważnie.

Całkiem dobrze znałem Dana Driesena, jej szefa, choć tylko ze słyszenia. A powinienem dodać, że słyszałem o nim niemało, i to w samych superlatywach.

Szybko, wymieńcie z nazwiska seryjnego zabójcę, który jest aktywny od dziesięciu lat i wciąż przebywa na wolności.

Chyba nie są potrzebne dalsze wyjaśnienia.

– Co mu powiesz? – zapytałem.

– Że wytropienie cię zajęło mi trochę czasu, ale w końcu cię znalazłam.

– Co będzie potem?

– Jak mówiłam, udasz się w jakieś bezpieczne miejsce. I to nie będzie twój dom w Connecticut.

– Hotel FBI, co?

– Teraz z darmowym HBO – zażartowała.

– Bardzo zabawne. Trochę zabawne. Nie, tak naprawdę to wcale nie jest zabawne.

Hotelami FBI agenci nazywali różne kryjówki rozsiane po całym kraju. Służyły głównie świadkom, którzy potrzebowali ochrony, ale czasami, jak w moim wypadku, zmuszano też agenta, żeby się tam zameldował.

– Poważnie, powinieneś zdecydować, co chcesz zrobić ze swoimi chłopcami – powiedziała.

– Już zdecydowałem. Jeśli ktoś zamierza mnie zabić, oczywiście nie chcę ich mieć przy sobie bez względu na to, gdzie będę się ukrywać.

– Zostaną na obozie?

– Tak... ale dostaną dwóch nowych opiekunów, jeśli wiesz, co mam na myśli.

Wiedziała.

– Zajmę się tym z twojego domu – odparła.

Przez chwilę myślałem o Barlissie, kierowniku obozu Wilderlocke, i jego idealnie uszeregowanych pinezkach. Próbowałem sobie wyobrazić, jak zareaguje na wieść, że na jakiś czas do jego kadry dołączy dwóch młodych agentów FBI. Poza tym niespecjalnie było mi do śmiechu.

Zbliżaliśmy się do mostu Whitestone.

Choćby tylko dla oderwania myśli od wszystkiego innego, włączyłem radio, żeby posłuchać komunikatu o sytuacji na drogach. Radio było nastawione na stację 1010 WINS – „Informacje bez chwili przerwy".

Zdumiewające, nie mógłbym mieć lepszego wyczucia czasu.

To znaczy, o ile najpierw nas nie zabiję.

– Uważaj! – wrzasnęła Sarah.

Poderwałem głowę znad radia i zobaczyłem dostawczą ciężarówkę Poland Spring zapełniającą całą moją przednią szybę. Gdybym wcisnął hamulce nanosekundę później, na bank woralibyśmy się w jej tył. Bum, trzask, poduszki powietrzne.

A jednak wszystkim, co mogłem powiedzieć Sarah, wskazując radio, było:

– Słyszałaś?

# Rozdział 80

Zwiększyłem głośność do jedenastki, do maksimum. Podawano informacje o śmierci nowożeńców.

Zamordowani podczas miesiąca miodowego.

Najpierw Ethan i Abigail Breslowowie, potem Scott i Annabelle Pierce'owie. I tyle, jeśli chodzi o zbiegi okoliczności.

Dwoje to para, troje to seryjny zabójca.

Kręciło mi się w głowie. Oficjalnie Sarah i ja mieliśmy po jednym seryjnym zabójcy na głowę. Zestaw dla dwojga, jak obrączki ślubne czy myjki – to znaczy, gdyby myjki jeździły po kraju, mordując ludzi.

– Bianca Turner z Long Island przekaże więcej informacji...

Parker i Samantha Kellerowie, zapaleni żeglarze, wypłynęli z Southampton dwa tygodnie temu na pokładzie swojego sześciometrowego szkunera, kierując się do Saint Barts. W drodze powrotnej zatrzymali się na noc na Bermudach, gdzie spotkali się z przyjaciółmi i uzupełnili zapasy. Nazajutrz rano godzinę po wyjściu z portu na jachcie doszło do wybuchu, w którym oboje zginęli.

– Straż Wybrzeża jeszcze się nie wypowiada na temat charakteru eksplozji ani tego, co mogło ją spowodować.

– Zgadnij, kto mógł ją spowodować – mruknąłem, a Sarah natychmiast mnie uciszyła, bo chciała wysłuchać reszty.

– Przyjaciele powiedzieli, że Parker i Samantha Kellerowie odłożyli podróż poślubną do czasu ukończenia studiów prawniczych. Pobrali się w kwietniu w Sag Harbor w stanie Nowy Jork.

Sarah nagle wrzasnęła tak głośno, że o mało nie wjechałem w następną ciężarówkę.

– Mój Boże, to ta para!

– Jaka para?

– Czytałam o nich w „Timesie" – odparła. – Nie do wiary! To Młoda Para.

Przestałem nadążać po „Nie do wiary". Patrzyłem na nią tępym wzrokiem.

– Para ze ślubów – powtórzyła. – Co tydzień w rubryce ślubów podają szczegółową historię jednej pary, jak się poznali i tak dalej. Nigdy tego nie widziałeś?

Chciałem wyjaśnić, że dopóki nie zaczną drukować działu sportowego w środku działu ślubnego, są nikłe szanse, żebym kiedykolwiek natknął się na MŁODĄ PARĘ.

Zamiast tego tylko pokręciłem głową.

– Nie. Nigdy nie widziałem.

Ale w tym czasie Sarah już nawet na mnie nie patrzyła. Siedziała z nosem w swoim blackberry.

– Co robisz? – zapytałem.

– Coś sprawdzam – odparła. – Przeczucie.

Jednym okiem obserwowałem drogę, drugim jej kciuki skaczące po klawiaturze telefonu. Coś pisała. Jak szalona.

Nagle przestała. Patrzyła na ekran, czekając.

Czekała i czekała.

– Szybciej... szybciej... – mruczała zniecierpliwiona. W końcu plasnęła ręką w deskę rozdzielczą. – Wiedziałam! Coś w jej głosie sugerowało, że cokolwiek mieliśmy zamiar zrobić, nasze plany się zmienią.

– Nawet nie wezmę prysznica, co? – jęknąłem.

– Jeszcze nie wiadomo – odparła, zerkając przez ramię. Patrzyła na samochody jadące w przeciwnym kierunku.

– Dobra, kawa na ławę. Dokąd nas zabierasz?

– Na Manhattan – odparła. – Musimy zjechać na następnym zjeździe i zawrócić.

Spojrzałem na nią i się uśmiechnąłem. Przeczucie – bez względu na to, czego dotyczyło – było dla niej jak zastrzyk czystej adrenaliny. Nie tylko dla niej, dla nas obojga.

Przełożyłem ręce na kierownicy i kręciłem nią jak bączkiem, gdy przeskakiwaliśmy przez pas oddzielający jezdnie i wpadaliśmy w trasę prowadzącą na południe. Wyprostowałem kółko i wcisnąłem gaz do dechy, jakbym zadeptywał ogień.

– Dokładniej to dokąd na tym Manhattanie chcesz jechać? – zapytałem spokojnie.

# Rozdział 81

Gdy postawi się jedną stopę w drzwiach, nie można usłyszeć pomruku gmachu New York Times. Można go poczuć.

Sarah i ja szybko przemierzyliśmy ogromny hol, patrząc na setki wiszących tam małych ekranów. Widoczne na nich napisy zmieniały się i przewijały w pozornie zsynchronizowanym tańcu.

Po wyjściu z windy na dwudziestym drugim piętrze Sarah podała swoje nazwisko młodej kobiecie o świeżej, promiennej cerze, w okularach z szylkretową oprawką i białym swetrze. To pewne, że była jedyną recepcjonistką na Manhattanie, która za biurkiem czyta Prousta.

– Pani LaSalle spodziewa się państwa – powiedziała. – Chwileczkę.

Zadzwoniła do biura redaktor naczelnej i po paru sekundach druga młoda kobieta o świeżej, promiennej cerze poprowadziła nas przez ruchliwy korytarz ze ścianami obwieszonymi zdjęciami ponad stu laureatów Nagrody Pulitzera.

– Nawiasem mówiąc, jestem osobistą asystentką pani LaSalle – rzuciła przez ramię.

Ton miała pewny siebie, ale była to tylko fasada. Gdy zbliżaliśmy się do narożnego biura, jej oszczędne, napięte gesty wyraźnie sugerowały, że panicznie się boi swojej szefowej. Łatwo było zrozumieć dlaczego.

Emily LaSalle, redaktorka działu ślubnego „New York Timesa" i nestorka sfer towarzyskich Manhattanu, budziła respekt, choć sprawiała też wrażenie pretensjonalnej. Jej fryzura, makijaż, strój – z podwójnym sznurem białych pereł – wszystko wydawało się idealnie dopracowane. Pod kontrolą.

To znaczy wydawała się opanowana, dopóki jej osobista asystentka nie zamknęła drzwi i nie zostawiła nas samych. Wtedy Pani Sztywna Elegancja natychmiast się rozkleiła.

– Czuję się taka winna – powiedziała i nagle strumienie łez spłynęły po jej policzkach. – Sama wybrałam te pary.

Oczywiście to było niemądre. To nie jej wina. A jednak potrafiłem zrozumieć jej rozpacz. Seryjny zabójca zabijał ludzi podczas ich miesiąca miodowego. Ludzi, których łączyło tylko jedno – wszyscy zostali opisani w kolumnie *Młoda Para*.

– Nie powinna się pani obwiniać – zapewniła ją Sarah jak najserdeczniejsza przyjaciółka. – I może pani nam pomóc.

– Jak?

– W ciągu dwóch ubiegłych tygodni zaprezentowaliście Pierce'ów i Breslowów. Ale artykuł poświęcony Kellerom, ostatniej zamordowanej parze, ukazał się prawie dwa miesiące temu – zauważyłem.

– Tak, pamiętam – powiedziała LaSalle. – Odkładali miesiąc miodowy. Chcieli ukończyć studia prawnicze, zgadza się?

– Zgadza – potwierdziła Sarah. – To oznacza, że ofiary rozdziela pięciotygodniowa luka. Policzyliśmy.

– Albo, ujmując to inaczej, mamy pięć Młodych Par, które jeszcze żyją – dodałem.

– Jak pan sądzi, dlaczego zostały oszczędzone? – zapytała LaSalle.

– Nie wiem. Najpierw musimy sprawdzić, czy rzeczywiście żyją – odparłem. – Przynajmniej jedna z tych par wciąż może być w podróży poślubnej.

– Boże... – szepnęła LaSallle, gdy to do niej dotarło.

Tylko jedna rzecz mogła być gorsza niż trzy martwe pary nowożeńców.

Cztery martwe pary nowożeńców.

# Rozdział 82

– Nigdy nie widziałam niczego równie pięknego! – zawołała Melissa Cosmer, zbliżając się do szczytu wodospadu Makahiku w Parku Narodowym Haleakalā na Maui.

– Ja też nie – powiedział jej mąż, Charlie Cosmer.

Tylko że nie patrzył na majestatyczny wodospad o wysokości sześćdziesięciu metrów. Podziwiał swoją młodą żonę, którą poślubił zaledwie tydzień temu. Nigdy nie czuł się taki szczęśliwy ani zakochany, ani razu w całym swoim życiu. Melissa była jego słońcem, księżycem i gwiazdami, wszystko to w jednym.

Nazwał ją darem niebios, kiedy przeprowadzano z nimi wywiad dla kolumny ślubów w „Timesie”.

Żałował tylko tego, że jego rodzice, którzy zginęli w katastrofie lotniczej pięć lat temu, nie mogli jej poznać. Tata nazwałby ją prawdziwym skarbem. Charlie był tego pewien.

– Chodź – ponagliła go Melissa z szatańskim uśmiechem. – Zobaczmy, jak blisko krawędzi można podejść.

Złapała Charliego za rękę i oboje ruszyli przez gęsty las bananowców i wysoką trawę zroszoną przez mgłę. Pogoda na Maui zawsze jest wyjątkowa, ale tego dnia natura naprawdę przeszła samą siebie. Niebo było niemal oślepiająco błękitne. Ich grupa – i oficjalna ścieżka do wodospadu, od której lekko odbili – znajdowała się może sto metrów dalej. Nowożeńcy uważali, że wycieczka nie jest zła, tylko trochę przeszkadzał im tłum. Zbyt wielu obwieszonych aparatami i kamerami turystów. Wszystkim, czego chcieli, było nieco czasu sam na sam w otoczeniu takiego piękna.

– Uważaj – przestrzegł Charlie, gdy grunt zaczął opadać w kierunku krawędzi.

Ale stali tak blisko ryczącej wody, że wzajemnie się nie słyszeli.

– Co? – zapytała Melissa, wyciągając szyję.

Mniejsza z tym, pomyślał. Po prostu mocno ją trzymał za rękę. Byłoby jeszcze lepiej, gdyby trzymał ją całą.

Szarpnął ją żartobliwie i wziął w ramiona, przez sekundę głęboko patrzył jej w oczy, a potem pocałował jej miękkie usta. Melissa odwzajemniła pocałunek, ta sama myśl jednocześnie wpadła im do głowy.

Jakże spektakularne miejsce, żeby się pokochać.

Powoli zawrócili na trawę, ani na chwilę nie wypuszczając się z objęć. Tacy zakochani, tacy namiętni.

Tak pochłonięci chwilą, że nie spostrzegli stojącego za nimi mężczyzny.

# Rozdział 83

Wychodźcie, wychodźcie, gdziekolwiek jesteście...

Faruth Passan miał wszystkie potrzebne informacje o młodym Charliem i Melissie Cosmerach, łącznie z ich fotografią. Zdjęcie pochodziło prosto z działu ślubnego „New York Timesa", nieupozowana fotka uśmiechniętej pary na parkiecie podczas przyjęcia weselnego w hotelu St. Regis.

*Młoda Para*, głosił nagłówek nad nimi.

Wiem, że tu jesteście, Charlie i Melisso. Gdzie się ukrywacie?

Faruth trzymał się szlaku, z którego korzystała grupa turystów porzucona przez szczęśliwych nowożeńców. Przy każdym kroku jego oczy poruszały się jak radary, lustrując każdy centymetr otaczającego go terenu.

Nazwali to Parkiem Narodowym Haleakalā, ale miejscami była to prawdziwa dżungla. Drzewa, wygięte w łuk gałęzie, niewiarygodnie obfite zielone listowie – wszystko tak gęste, że niemal przyprawiało o zawrót głowy.

I także głośne.

Ćwierknięcia, piski i gwizdy ponad czterdziestu gatunków

ptaków brzmiały nieustannie, choć były niczym w porównaniu ze ścianą dźwięku tworzoną przez różne wodospady wzdłuż trasy.

Gdy Faruth zbliżył się do największego z nich, Makahiku, dobrze wiedział, że dalej nie ma żadnego odgałęzienia od szlaku, który prowadził na samą górę.

Oczywiście, to nie znaczyło, że żądna przygód młoda para nie spróbowała wytyczyć nowej ścieżki.

Przedzierając się przez gąszcz, Faruth niemal się poddał i zawrócił. Zbliżał się do wodospadu, ale widział tylko drzewa.

Odczekaj jeszcze trochę. Nie poddawaj się.

W wysokiej trawie na samej krawędzi coś się poruszało. Zrobił jeszcze kilka kroków i zobaczył, co to jest. Ściślej mówiąc, kto tam jest.

À propos elementu zaskoczenia.

Faruth się uśmiechnął. Dlaczego nie? Ci dwoje nie mają najmniejszego pojęcia, że ktoś chce ich zabić.

No tak...

Uśmiech zgasł na twarzy Farutha, gdy odetchnął głęboko, trzymając opuszczone ręce. Czubki palców znajdowały się zaledwie kilkanaście centymetrów od noża przypiętego do pasa.

Nadszedł czas, żeby przekazać wiadomość Charliemu i Melissie.

Ich miesiąc miodowy się skończył.

# Rozdział 84

– Nie uwierzycie – powiedziała Sarah, odkładając telefon w naszym prowizorycznym stanowisku dowodzenia FBI, które w rzeczywistości było małym pokojem konferencyjnym w budynku New York Times.

Nic nie mogłem wyczytać z jej twarzy.

– Znaleziono ich? – zapytałem.

Roześmiała się.

– Owszem, znaleziono. Prawdę mówiąc, sam strażnik leśny czynił honory. Okazało się, że ci dwoje odłączyli się od wycieczki, którą zorganizował hotel.

– Więc gdzie byli?

Powiedziała mu. Łącznie z tym, co robili, kiedy strażnik ich znalazł.

– Wyobrażasz sobie?

Uśmiechnąłem się.

– Robię, co w mojej mocy.

Zarobiłem w ten sposób jedno z tych na wpół rozbawionych, na wpół pełnych dezaprobaty spojrzeń, które kobiety udoskonalają od czasów epoki kamienia.

– Pomoże, jeśli przygaszę światła? – zapytała ze śmiechem.

– Możliwe.

– A może puścić jakiś kawałek Barry'ego White'a?

– Teraz mówisz do rzeczy. Chyba już mam pewne wyobrażenie.

Nikt nie mógłby mieć do nas pretensji o te żarty. Jak mawiał mój ojciec z butelką piwa Ballantine Ale w ręce, „Pieprzyć ich, jeśli spróbują".

Po absurdalnie licznych rozmowach telefonicznych i sporej dawce manipulowania w końcu z pomocą lokalnej policji udało nam się odliczyć pozostałe Młode Pary. Wszyscy byli bezpieczni, cali i zdrowi. Z jakiegoś powodu zabójca ich oszczędził. Dlaczego?

Co do Charliego i Melissy Cosmerów, obecnie pakowali walizki w Ritz-Carltonie, w Kapalua na Maui, żeby wrócić do domu z eskortą EBI zapewnioną przez biuro w Honolulu. Nie trzeba mówić, że nie byli zbytnio zadowoleni. Ale lepiej skrócić miesiąc miodowy niż życie.

Sarah sięgnęła po komórkę.

– Muszę zadzwonić do Dana – wyjaśniła. – Chciałby wiedzieć, na czym stoimy.

Oczywiście, Sarah zadzwoniła do Dana Driesena kilka godzin temu z wiadomością, że Zabójca Johnów O'Harów nie jest, jak to ujęła, „jedyny w swoim rodzaju". Miał towarzystwo. Nazwaliśmy tego drugiego Mordercą Nowożeńców.

Niestety, wymyślenie przezwiska było jedyną łatwą rzeczą. Wymyślenie czegoś innego – jego motywu, dlaczego wybrał te, a nie inne Młode Pary i skąd wiedział, gdzie spędzają swoje miesiące miodowe – okazało się trochę trudniejsze.

Próby powiązania ofiar przypominały układanie kostki Rubika. Szukaliśmy podobnych nazwisk, szkół, miejsc pracy, warunków społeczno-ekonomicznych – wszystkiego, od koloru włosów do tego, jak poszczególne pary się poznały. Nic nam nie wychodziło. Guzik z pętelką.

– Słuchaj, zanim znów zadzwonisz do Driesena, najpierw musimy zadzwonić gdzie indziej – powiedziałem.

– Do kogo?

Choć okropnie potrzebowałem prysznica, jeszcze bardziej brakowało mi czegoś innego. Jedzenia.

– Co sądzisz o najbliższej chińskiej knajpce? – zapytałem. – Konam z głodu. Naprawdę zaczyna mi się kręcić w głowie.

Sarah pokiwała głową.

– Tak, masz rację. Mnie też.

Pracowaliśmy bez chwili przerwy od przyjazdu do biur „New York Timesa", posilaliśmy się tylko tic-tacami.

Wybrałem numer wewnętrzny Emily LaSalle i zapytałem, gdzie możemy zamówić coś do zjedzenia. Przez cały czas siedziała w swoim biurze, przeszukując internet, żeby zobaczyć, czy Wscibscy.com tego świata już powiązali jej kolumnę z morderstwami nowożeńców. Było to tylko kwestią czasu.

– Niedaleko jest Ming Chow's i realizują zamówienia z dostawą – odparła. – Polecam kurczaka kung pao.

– Super. Zna pani numer? – zapytałem.

– Prawdę mówiąc, może pan zamówić przez internet z ich... – Jej głos przycichł. Myślałem, że może zostaliśmy rozłączeni.

– Jest tam pani?

– Sekundkę.

W rzeczywistości minęło ponad dziesięć sekund, mniej więcej tyle czasu, ile potrzebowała, żeby zbiec do pokoju konferencyjnego w swoich butach na niebotycznych obcasach. Brakowało jej tchu, kiedy wpadła przez drzwi.

– Pamiętacie, jak mówiłem, że publikujemy wszystkie posiadane informacje o wybranej parze? – zapytała.

Sarah i ja odpowiedzieliśmy jednocześnie:

– Tak.

– Właśnie o czymś sobie pomyślałam.

# Rozdział 85

To było to. Ogniwo. Link. Dosłownie.

– Strony internetowe – podjęła LaSalle, pociągając podwójny sznur pereł. – W dzisiejszych czasach pary mają własne strony ślubne... przynajmniej niektóre.

Zanim zdążyła dokończyć pierwsze zdanie, kciuki Sarah zaczęły skakać po klawiaturze blackberry.

– Ja wezmę ofiary – zawołała.

Szybko chwyciłem macbooka, którego pożyczyła nam LaSalle. Dziel i rządź.

– Ja zajmę się resztą – powiedziałem. Innymi słowy, nowożeńcami, którzy zostali oszczędzeni.

Wpisałem w Google nazwiska pierwszej pary z naszej listy, Pameli i Michaela Eatonów. Byli parą, która pojawiła się w rubryce ślubów tydzień po Kellerach. Poza imionami i nazwiskiem dodałem kilka słów, które człowiek spodziewa się zobaczyć na stronie ślubnej – lista prezentów i przyjęcie. To powinno wystarczyć, pomyślałem.

Ale nic nie wyskoczyło. Tymczasem Sarah krzyknęła, jakbyśmy spędzali piątkowy wieczór w klubie towarzyskim Elks.

– Bingo!

– Która para? – zapytałem.

– Pierce'owie... z lotniska – odparła. – U góry strony jest informacja, że została założona przez drużbę Scotta Pierce'a. – Przewinęła ekran, jej oczy poruszały się szybko. – Aha, mam... jest nawet dział o tytule *Miesiąc miodowy*.

– Chryste... naprawdę podali, dokąd się wybierają?

– Gorzej. – Zaczęła czytać: – Gruchające gołąbki następnego dnia polecą z JFK do Rzymu. Przypuszczam, że naprawdę przydały im się wszystkie te kilometry, które uzbierali, często korzystając z linii Delta.

– Równie dobrze mogli przyczepić sobie tarcze strzelnicze na plecach – skomentowałem.

Nagle pomyślałem o mojej rozmowie z Johnem Juniorem w jego pokoju wieczorem, przez wyjazdem na obóz. Nigdy nie wiadomo, kto czyta o tobie w sieci, powiedziałem mu. Dobry przykład, no nie?

Sarah i ja szukaliśmy dalej. Błyskawicznie potwierdziliśmy wzór: wszystkie ofiary miały swoją stronę. Pary, które żyły, nie miały.

Był jeden wyjątek, ale w zasadzie potwierdzał regułę. Jedna para z tych oszczędzonych miała stronę, ale w przeciwieństwie do ofiar nie zamieściła żadnych szczegółów dotyczących podróży poślubnej.

– Teraz wiemy – powiedziałem. – Właśnie w ten sposób zabójca namierzał swoje ofiary.

Sarah odetchnęła głęboko.

– Tak, ale co teraz zrobimy?

– Wiem, co ja muszę zrobić – odezwała się LaSalle.

Niemal zapomniałem, że ona i jej perły wciąż są w pokoju.

– Co takiego? – zapytałem.

– Muszę natychmiast zawiesić kolumnę ślubów.

Oczywiście. Głos zdrowego rozsądku. Właściwa rzecz. Kto mógłby się z tym nie zgodzić?

No tak, prawdę mówiąc, ja mogłem.

Wstałem z krzesła, podszedłem do Sarah i szybko opadłem na kolano. Popatrzyła na mnie jak na wariata. LaSalle również.

– Do licha, co ty robisz? – zapytała Sarah.

– Oświadczam się – oparłem. – Sarah Brubaker, czy zechcesz mnie poślubić?

# Rozdział 86

— Wstawaj, głupku — poleciła.

Uznałem to za „tak".

Po sposobie, w jaki to powiedziała — w jej głosie brzmiał ton typu „Cholera jasna, O'Hara, możliwe, że to dobry pomysł" — natychmiast poznałem, że nadajemy na tych samych falach.

Pomysł był ryzykowny i niebezpieczny — kandydat do galerii sławy za pracę w warunkach zagrożenia — ale też stanowił najlepszą szansę, żeby położyć kres zabijaniu. Byłem tego pewien. Podobnie jak Sarah.

Biedna Emily LaSalle wcale nie miała pewności, co, u licha, o tym myśleć.

— Przepraszam, czego przed chwilą byłam świadkiem? — zapytała z ręką wspartą na biodrze.

— Ma pani przed sobą następną parę do działu ślubów — wyjaśniłem.

Zajęło to kilka sekund, ale w końcu załapała. Po kolejnych kilku sekundach wyraz jej twarzy z „Aha" zmienił się na „O, chwileczkę". Marszczyła brwi i wyglądała na głęboko zaniepokojoną.

– Nie wiem, czy „Times" może to zrobić – powiedziała. – To znaczy decyzja należy do...

– Wydawcy, oczywiście – wszedłem jej w słowo. – I proszę mi wierzyć, rozumiem konsekwencje.

Czy za Kennedy'ego podczas kryzysu kubańskiego, czy Busha, kiedy Agencja Bezpieczeństwa Wewnętrznego zaangażowała się w zakładanie podsłuchów, czy za administracji Obamy po schwytaniu Mullaha Abdula Ghani Baradara, naczelnego przywódcy talibów, zdarzało się, że „Times" był proszony o odłożenie jakiegoś artykułu na półkę, czyli opóźnienie publikacji w interesie bezpieczeństwa narodowego.

Jednak ta sprawa miała inny charakter. Tak, w grę wchodziło ludzkie życie, ale ta prośba wiązała się ze świadomym wydrukowaniem nieprawdziwych informacji. Pomimo tego, że najbardziej zagorzali konserwatyści już ukuli nazwę dla tego zjawiska – zwali je stroną redakcyjną „Timesa" – łatwo było zrozumieć, że tej granicy gazeta zwana Szarą Damą nie będzie chciała przekroczyć.

– Słuchaj, wyprzedzamy samych siebie – odezwała się Sarah. – Zanim uzyskamy błogosławieństwo gazety, musimy dostać błogosławieństwo kogoś innego. Ojca panny młodej, że tak powiem.

Wiedziałem, że nie mówi o swoim prawdziwym ojcu, Conradzie Brubakerze. Opisała mi go jako emerytowanego profesora historii, którego zwykle można znaleźć gdzieś w La Quinta w Kalifornii, gdzie macha żelazną siódemką, celując do dziewiątego dołka. Mówiła o Danie Driesenie, który z pewnością miał awersję do robienia ze swojej agentki żywej przynęty.

– Może nakłonię Walsha, żeby do niego zadzwonił – zaproponowałem i natychmiast przecząco pokręciłem głową. – Po namyśle... może to nie najlepszy pomysł.

Sarah przewróciła oczami.

– À propos kolejnego błogosławieństwa, którego będziemy potrzebować.

Miała rację. Musiałem omówić z moim szefem pewną drobną kwestię. Moje zawieszenie. Dorzucając wiadomość z ostatniej chwili o Zabójcy Johnów O'Harów, mogłem niemal słyszeć, jak Frank Walsh na mnie wrzeszczy.

Jezu Chryste, mało ci, że poluje na ciebie jeden seryjny zabójca i teraz chcesz załatwić sobie drugiego? Ty nie potrzebujesz terapii, O'Hara, tobie potrzebny jest, cholera, kaftan bezpieczeństwa!

– Tak, możesz wykreślić ingerencję Walsha – powiedziałem. – Driesen jest cały twój.

Sarah zwróciła się do LaSalle:

– Kiedy niedzielny dział ślubny ukazuje się w sieci?

– W sobotę o siedemnastej.

To dawało nam mniej niż trzy dni. Spojrzałem na zegarek. Ściśle mówiąc, sześćdziesiąt osiem godzin.

– Zdumiewające – zaczęła Sarah. – Kto by pomyślał, że planowanie ślubu na niby może być trudniejsze niż prawdziwego?

– Możemy się cieszyć przynajmniej na jedno – powiedziałem z kamiennym wyrazem twarzy.

– Co takiego?

– Miesiąc miodowy, oczywiście.

# Rozdział 87

– Jakoś zawsze wyobrażałam sobie Paryż – powiedziała
Sarah. – Wiesz, pokój w hotelu na lewym brzegu z widokiem
na wieżę Eiffla. – Rozejrzała się po naszej maleńkiej rustykal-
nej chacie z boazerią z sękatej sosny i pozwoliła sobie na
cichy chichot. – To nie jest Paryż.

Nie, to nie był Paryż. Nawet w przybliżeniu.

Ale dla Cindy i Zacha Welkerów, pary zapalonych ekologów, którzy się poznali – jak wyjaśnił dział ślubów – na
skrzyżowaniu szlaków podczas wędrówki po Telluride, to było
idealne miejsce. Dwa tygodnie w chacie na Lewis Mountain
w głębi wirginijskiego Parku Narodowego Shenandoah. Odrobina niebiańskiego szczęścia na łonie natury.

„Hej, kto wie? – napisał Zach, skądinąd znany jako ja, na
naszej stronie ślubnej. – Może nawet podczas miesiąca miodowego parę razy opuścimy chatę i naprawdę trochę powędru-
jemy".

Oczywiście, chaty na Lewis Mountain były niezupełnie
odcięte od świata, gdy się wiedziało, czego albo kogo szukać.
Piętnaście dolarów za wjazd samochodem na teren parku
i człowiek był tam, gdzie trzeba.

Do licha, każdy seryjny zabójca umiałby to zrobić.

Przynajmniej taką mieliśmy nadzieję: Sarah, ja i czterech agentów z biura terenowego w Waszyngtonie, rozlokowanych w krzakach po obu stronach chaty. Agenci czuwali po osiem godzin na zmianę z innymi.

Tylko pod tym warunkiem Dan Driesen w końcu zgodził się na nasz plan. Nadal nie popierał go z całego serca, ale nie mógł zaprzeczyć płynącej z niego dodatkowej korzyści: będę otoczony przez innych agentów. Morderca Nowożeńców wpadnie w pułapkę, a Zabójca Johnów O'Harów nawet nie będzie wiedział, gdzie mnie szukać.

Innymi słowy, Driesen uznał, że mój pomysł nie jest taki szalony, jak mu się z początku zdawało.

Podobnie rzecz się miała z Frankiem Walshem, który był dość chętny pójść na skróty i przymknąć oko na biurokrację przede wszystkim po to, żeby odwiesić moje zawieszenie. Odzyskałem legitymację i broń palną. „Do odwołania", zaznaczył.

Driesen i Walsh utworzyli tandem, połączyli siły i nacisnęli na „New York Timesa", żeby gazeta puściła fikcyjny artykuł w rubryce ślubów, i oto jesteśmy: Sarah i ja grający rolę świeżo poślubionych zwariowanych ekologów, którzy tylko przypadkiem są uzbrojeni po zęby. Musli batoniki i pistoleciki, tak o nas mówiłem.

Pozostało pytanie, czy plan wypali.

Sarah, w pełni świadoma ironii, podsumowała to najlepiej:

— Po całym tym czasie i wysiłku, jaki podjęliśmy, żeby się tu znaleźć, będę poważnie rozczarowana, jeśli nikt nie spróbuje nas zabić.

# Rozdział 88

– Miesiąc miodowy w Paryżu, co? Brzmi miło – powiedziałem, dolewając sobie kawy. Niedawno skończyliśmy kolację i siedzieliśmy w małym aneksie wypoczynkowym przed sypialnią. Nasza chata, choć skromna, na szczęście miała instalację wodociągową, małą kuchnię i elektryczność.

Komary dorzucono gratis.

– A ty? – zapytała Sarah, obciągając dół bluzy Uniwersytetu Kolorado, Alma Mater Cindy Welker. – Gdzie chciałbyś spędzić swój...

Jej głos przycichł, jej twarz poczerwieniała z zakłopotania. Zapomniała. Byłem kiedyś żonaty. Już miałem miesiąc miodowy.

– Nic nie szkodzi – mruknąłem.

– Przepraszam.

– Naprawdę, w porządku. Tak między nami, pojechaliśmy do Rzymu.

– Fajnie było?

– Fantastycznie. Dopóki nie złamałem ręki.

– Złamałeś rękę podczas podróży poślubnej?

– Tak. Potknąłem się i spadłem ze Schodów Hiszpańskich, gdy jadłem podwójne czekoladowe gelato.

Zaczęła się śmiać. Jak na tak atrakcyjną osobę naprawdę miała głupkowaty śmiech, niemal jak Arnold Horshack z *Welcome Back, Kotter*. Podobał mi się.

– Wiem... niezdara, co? – Też się roześmiałem. – Ale gelato były cholernie dobre.

Przyszło mi na myśl, że do tej pory prawie nie mówiliśmy o naszym życiu poza pracą. Ta rozmowa wydawała się całkiem niezła. Naturalna. Czułem, że ona też tak pomyślała.

– Opowiedz mi o swoich chłopakach – poprosiła.

– Aha, mój ulubiony temat...

Opowiedziałem jej o Maxie i Johnie Juniorze, próbując ograniczyć do minimum ojcowską dumę. A jednak trudno mi było nie piać z zachwytu, zwłaszcza że bardzo za nimi tęskniłem. Kiedy w końcu przestałem gadać, jacy to oni są wspaniali, Sarah po prostu popatrzyła na mnie z uśmiechem.

– Co? Co znaczy to spojrzenie? – zapytałem.

– Pomyślałam, że są szczęściarzami, mając takiego ojca. Są dla ciebie całym światem, prawda?

– Tak, ale to działa w obie strony. Ja też jestem szczęściarzem. A ty? Czy ty i twój chłopak chcecie mieć dzieci?

Spiorunowała mnie wzrokiem.

– Niezła próba, O'Hara. Chcesz wiedzieć, czy z kimś się spotykam.

– W końcu spędzamy razem nasz miesiąc miodowy. Po prostu jestem ciekaw, nic w tym złego.

– Odpowiedź jest przecząca. Obecnie z nikim cię nie zdradzam.

Otworzyłem usta, żeby coś powiedzieć, ale powstrzymała mnie uniesioną dłonią.

– I proszę, tylko mi nie mów, jaka to niespodzianka. Wiesz, fakt, że nie mam chłopaka.

– Prawdę mówiąc, zamierzałem powiedzieć tylko tyle, że rozumiem. To musi być dla ciebie trudne.

Patrzyła na mnie, niepewna.

– Jak to rozumiesz?

– Jesteś agentką FBI. Zostałaś wyszkolona do walki wręcz i nosisz pistolet – odparłem. – Coś takiego działa odstraszająco na większość facetów.

Wyraz jej oczu nagle się zmienił. Spojrzała na mnie tak, jakbym właśnie odczytał jej najskrytsze myśli.

– Skąd to wiesz?

– Szczęśliwy traf – odparłem. – Ale niech ci nic nie chodzi po głowie. Dzisiaj też śpię na kanapie.

Znów parsknęła śmiechem. Zawtórowałem jej. Nagle oboje umilkliśmy.

W chacie zrobiło się ciemno, choć oko wykol. Zgasły wszystkie światła wokół nas, nawet to na werandzie.

Padło zasilanie.

# Rozdział 89

Nie miałem pewności, co najpierw usłyszałem, trzask szyby czy huk strzałów. Ale byłem cholernie pewien, że jedna kula drasnęła mnie w ramię.

– Padnij! – wrzasnąłem. – Padnij, Sarah!

Moje oczy przywykły do ciemności ledwie na tyle, że dostrzegłem sylwetkę Sarah padającej ze mną na podłogę, gdy kolejne kule – jedna, druga, trzecia – wpadały przez okno. Sypały się na nas kawałki szkła. Do licha, jak to się stało?

Sięgnąłem po glocka i usłyszałem, że Sarah robi to samo. Tymczasem strzały na zewnątrz ucichły. Już po wszystkim? A może to tylko przerwa?

– Nic ci nie jest? – szepnąłem.

– W porządku – odparła Sarah. – A ty?

– Też. Draśnięcie, to wszystko.

– Na pewno?

Przycisnąłem dłoń do ramienia. Jest krwawienie i wykrwawianie. Na szczęście chodziło o to pierwsze.

– Nic mi nie jest – zapewniłem ją. – Okno czy drzwi, co wybierasz? – To znaczy, co wolisz kryć?

– Drzwi.

Wyciągnąłem ręce w stronę okna, usztywniłem łokcie. Drugie i ostatnie okno, maleńkie, znajdowało się w sypialni, ale stamtąd nie było nas widać.

– Co on ma? M-szesnaście? – zapytałem. Tak przypuszczałem, biorąc pod uwagę trójstrzałowe serie i wysoki jazgot broni.

– Albo karabinek M-cztery. Trudno powiedzieć, zważywszy na odległość.

– Co najmniej czterdzieści metrów.

– Może więcej.

– I najpierw odciął zasilanie?

– Gogle – powiedzieliśmy jednocześnie. Strzelec z pewnością miał gogle noktowizyjne.

– Cholera, gdzie ta latarka? – zapytałem. Mieliśmy dwie w chacie. Ale gdzie one są?

– Co ważniejsze, gdzie są wszyscy? – zapytała Sarah.

Miała rację. Gdzie nasze wsparcie, czterech agentów ukrytych w lesie? Nawet gdyby strzelec znajdował się za ich plecami, już powinni go zlokalizować.

Chyba że on załatwił ich pierwszy.

Nie. Wykluczone. Nie wszystkich czterech.

Rzeczywiście, jakby na potwierdzenie zatrzeszczał radionadajnik u mojego pasa. Usłyszałem cichy głos.

– Ktoś dostał?

Złapałem radio.

– Na razie mamy się dobrze – odszepnąłem. – Facet ma...

– Tak, gogle – powiedział agent. – Też je mamy. Podchodzimy po dwóch z obu stron.

Pogubiłem się, kto jest na której zmianie wokół chaty. Ale przynajmniej ten facet sprawiał wrażenie doświadczonego.

– Kto to? – zapytałem Sarah.

– Carver – przypomniała mi. – Agent Carver.

Podobało mi się. Jak odsiecz kawalerii.

# Rozdział 90

Jedyną rzeczą gorszą niż dźwięk rozpętującego się wokół nas piekła było towarzyszące mu uczucie bezradności.

Wszystko stało się tak szybko. Za naszym oknem rozbłysnął jasny snop światła, a zaraz potem nastąpiła kanonada niosąca się echem przez las.

Czterech agentów przeciwko jednemu człowiekowi. Nie musiałem być pokerzystą Jimmym Greekiem, żeby podobały mi się te szanse. Ale to, co nastąpiło później – zimna jak kamień cisza i ogarniające mnie przerażenie – wcale mi się nie spodobało. Ani trochę.

Sarah i ja nie mogliśmy nic zrobić. Radio agenta Carvera milczało. Wszystkie radia milczały.

Przeczołgałem się po podłodze wśród kawałków szkła, oparłem się o ścianę przy oknie.

– Co robisz? – szepnęła Sarah, a podtekst był taki, że bez względu na to, co robię, nie powinienem tego robić.

Ale musiałem spojrzeć. Musiałem spróbować zobaczyć, co się dzieje. Szybkie zerknięcie, to wszystko.

Nie dość szybkie.

Ledwie wysunąłem głowę nad drewniany parapet, padły strzały – pop-pop-pop! – i mało brakowało, a dostałbym między oczy. Moja szyja zareagowała odruchowo, gdy odłamki szkła posypały się do wnętrza chaty.

– Cholera! – zaklęła Sarah.

Od razu wiedziałem, co myśli. Ja myślałem o tym samym i wcale nie chodziło o to, jakie mam szczęście, że żyję.

Podniosłem radio, wcisnąłem kciukiem klawisz nadawania.

– Carver! – zawołałem. – Carver, jesteś tam?

Nie odpowiedział.

Spróbowałem jeszcze raz i znowu usłyszałem tylko ciszę. Przełączyłem na inne częstotliwości przydzielone pozostałym agentom. Czterech na jednego, na litość boską!

Żaden nie odpowiedział. Nic. Ani piśnięcia.

Martwa cisza.

Czułem pot ściekający mi z czoła, serce niespokojnie łomotało mi w piersi. Do licha, co się tam stało?

Wtedy to usłyszeliśmy. Trzeszczenie mojego radia, pojawiający się i niknący głos Carvera. Miał ledwie tyle siły, żeby wcisnąć klawisz nadawania, a co dopiero, żeby mówić.

– Trzech... nie żyje – zdołał wykrztusić. – Pomocy...

Nie dodał nic więcej. Słyszeliśmy tylko jego wytężony oddech. To było straszne, po prostu straszne. I zrobiło się jeszcze gorzej.

Pop-pop-pop!

W głośniku radia wybuchła kolejna seria, świdrujące w uszach sprzężenie zwrotne pozostawiało niewiele wątpliwości. Strzały padły z bliska. Kilka metrów. Może mniej.

Oddech Carvera ucichł, tak po prostu. On ucichł. Pozostało

tylko przerażenie, które czułem wcześniej, ale milion razy gorsze. Tonąłem w nim.

– Musimy się stąd wydostać – szepnąłem do Sarah.

Tyle że było za późno. Ciszę przerwały zbliżające się ku nam kroki.

Zastawiliśmy pułapkę na Mordercę Nowożeńców, ale teraz to my byliśmy w potrzasku.

Nadchodził.

# Rozdział 91

Ledwie widziałem Sarah w drugim końcu pomieszczenia, ale słyszałem, jak przełazi przez kanapę. Czy chce się za nią ukryć? Nie.

– Mam! – oznajmiła, uderzając czymś w dłoń. Znalazła latarkę.

Nie było czasu na omawianie strategii. Miałem nadzieję, że myślimy o tym samym. Jeśli Sarah zobaczy noktowizor na jego oczach, oślepi go światłem. Jeśli nie, latarka pozostanie wyłączona i stoczymy uczciwy pojedynek. Nikt nie będzie widział przeciwnika.

Słyszałem tylko zbliżające się kroki. Drzwi chaty znajdowały się na prawo ode mnie, okno – przynajmniej to, co z niego zostało – na lewo. Mocno przycisnąłem plecy do sosnowej boazerii, niemal tak mocno, jak ściskałem pistolet.

Oddychaj, O'Hara, oddychaj.

Ułamek sekundy – to wszystko, co mieliśmy z Sarah. Skulony, czułem się jak zawodnik rzucający piłkę, próbujący przewidzieć plan rozgrywającego. Wystarczy zareagować w odpowiednim momencie, a wygramy.

A jeśli zareaguję w złym?

Nasłuchiwałem, kroki stawały się coraz głośniejsze. Nagle zdarzyła się rzecz najdziwniejsza ze wszystkich. Zaskoczyło mnie to do tego stopnia, że po prostu zamarłem.

Kroki przestały robić się głośniejsze. Brzmiały teraz ciszej. Nie, to nie było właściwe słowo.

Kroki się oddalały.

Nie szedł do nas. Minął nas i odchodził.

Oboje wypadliśmy z chaty, światło latarki Sarah wskazywało drogę. Nie zobaczyliśmy go; miał zbyt dużą przewagę. Ale wiedzieliśmy, dokąd się kieruje.

Szlak prowadził do odległej może o sto metrów polanki przy drodze dojazdowej. Tam stał nasz jeep. W schowku leżał dowód rejestracyjny na moje przybrane nazwisko, Zach Welker. Sądziliśmy, że pomyśleliśmy o wszystkim.

– Cholera! – wrzasnąłem, gdy usłyszeliśmy warkot silnika na końcu szlaku. Już był w swoim samochodzie. Sukinsyn pewnie zaparkował tuż obok naszego.

– Masz kluczyki, prawda? – zapytała Sarah w pół kroku. Wysforowała się przede mnie i prawie nie miała zadyszki. Najwyraźniej była za pan brat z ruchomą bieżnią.

– Mam – odparłem, na wszelki wypadek sprawdzając, czy są w mojej kieszeni. Sapałem i dyszałem. Paliło mnie w płucach.

W wyobraźni już siedziałem za kółkiem, prowadząc pościg samochodowy na pełnych obrotach. Układ był idealny: noc, kręta i wąska droga, po obu stronach drzewa, które nie wybaczą najmniejszego błędu. Zgaszę reflektory i będę podążać za jego światłami tylnymi, a jeśli on zrobi to samo, będę miał za przewodnika jego światła hamowania. Czeka go co najwyżej spotkanie z szerokim pniem sosny.

Przekonamy się, dupku, czy prowadzisz równie dobrze, jak strzelasz.

Dotarliśmy do małego parkingu. Nasz jeep czekał na nas. Wyjmowałem pilota, żeby odblokować drzwi, gdy zauważyłem coś nawet w mroku czarnym jak smoła.

Sarah też to zobaczyła.

Jeep stał zbyt nisko.

Sarah oświetliła przednie opony. Potem tylne. Jeep stał na felgach.

Z frustracji kopnąłem drzwi, a Sarah zadarła głowę ku nocnemu niebu.

– Cholera, nie znowu! – wrzasnęła.

# Rozdział 92

Niedługo później układ Dana Driesena zawarty w imieniu FBI z „New York Timesem" został zerwany. Uległ dezintegracji, może to lepsze określenie.

Gazeta zgodziła się wstrzymać publikację artykułu o Mordercy Nowożeńców, żebyśmy mogli zastawić na niego pułapkę. W zamian miała otrzymać wyłączność na relację z tego, co powinno być jego ujęciem. Powinno.

Niestety, życie nie zawsze biegnie zgodnie z planem.

Teraz artykuł znalazł się na czołówce – w kolumnie po prawej stronie, widocznej po złożeniu gazety, żeby cały świat mógł go zobaczyć.

– Nie rób tego, O'Hara. Nie kop się po tyłku – powiedział Driesen.

Sarah i ja siedzieliśmy w jego biurze w Quantico. Flagi zostały spuszczone do połowy masztu. Nastroje opadły jeszcze niżej.

– To nie twoja wina.

Sarah już powiedziała mi to samo. Kilka razy, prawdę mówiąc. Odpowiedziałem Driesenowi w taki sam sposób, jak jej.

– To był mój pomysł. Jak to może nie być moja wina?

W artykule podano nazwiska tylko tych, którzy zginęli. W sumie dziesięć ofiar: trzy pary nowożeńców i czterech agentów. W akapicie poświęconym agentowi Carverowi napisano, że osierocił żonę i dwóch synów. Starszy miał trzynaście lat. Tyle samo, co John Junior.

Kiedy zszywano mi ramię w szpitalu Shenandoah Memorial, przypomniałem sobie, że ostatnie słowo Carvera brzmiało „pomocy". Gdybym tylko mógł jej udzielić. Wiedziałem, że to wspomnienie będzie mnie prześladować do końca życia.

Driesen wyprostował się w fotelu, splótł ręce na piersi. Mrugał powoli, podbródek opadł mu ku klatce piersiowej. Byłem całkiem pewien, co myśli, gdy na mnie popatrzył. Do diabła, co mam zrobić z tym facetem?

Spotkaliśmy się twarzą w twarz ledwie kilka dni temu, ale przeczytał moje akta. Miał dokładne informacje na mój temat. Byłem Johnem O'Harą, agentem do tego stopnia opętanym myślą o zemście za śmierć żony, że zostałem zawieszony, by zaraz potem stać się celem seryjnego zabójcy związanego ze starą sprawą, przez którą niemal zostałem wylany, ponieważ spałem z podejrzaną.

Zaraz, zaraz, ludziska. To tylko wierzchołek góry lodowej. Jest znacznie więcej.

W okresie zawieszenia pracowałem na własną rękę, żeby rozwiązać sprawę morderstwa syna Warnera Breslowa i jego żony, i co się stało? Wpadłem na kolejnego seryjnego mordercę, który zabił czterech agentów w konsekwencji obmyślonego przeze mnie planu. Planu strasznego, tragicznego, fatalnego w skutkach.

Do licha, gdyby rzeczywiście mi się to nie przytrafiło, nigdy bym w coś takiego nie uwierzył.

Najgorsze – i jestem pewien, że Driesen o tym wiedział – było to, że poza żądzą zemsty zżerały mnie wyrzuty sumienia. To dwa szybie ciosy, po których wielu ludzi się nie podnosi. Czy byłem jednym z nich? Czy padnę i zostanę odliczony? Przegrany?

Z pewnością Driesen chciał to wiedzieć.

– Powiedz mi coś, John – zaczął.

Zanim zdążył coś dodać, zabrzęczał telefon na jego biurku. Sekretarka przeprosiła, że przeszkadza, ale uznała, że powinien odebrać.

– Kto dzwoni? – zapytał.

– Detektyw Brian Harris z policji Nowego Jorku – odparła.

Driesen przymrużył oczy. Wyraźnie nie miał pojęcia, kto to taki. Odebrał.

– Dan Driesen.

Patrzyłem na niego, gdy słuchał. Kimkolwiek był detektyw Harris, nie potrzebował dużo czasu, żeby dowieść, że tak, Driesen chce z nim rozmawiać. Driesen sięgnął po pióro tak szybko, że niemal przewrócił kubek z kawą.

Nie miałem pojęcia, co pisze, ale gdy uniósł wzrok i z lekkim uśmiechem pokiwał głową, jedno wiedziałem na pewno.

Już się nie zastanawiał, co, u licha, ma ze mną zrobić.

# Rozdział 93

Sarah i ja wskoczyliśmy na pokład pierwszego samolotu do Nowego Jorku, pojechaliśmy taksówką z LaGuardia do dziewiątego posterunku na Lower East Side i weszliśmy po schodach na drugie piętro, żeby się spotkać z detektywem Harrisem. Wciąż potrząsałem jego ręką, kiedy przeszedłem do sedna sprawy.

– Gdzie ona jest?

– W głębi korytarza – odparł.

– Nie ma nic przeciwko czekaniu? – zapytała Sarah.

– Nie, ale też nie miała większego wyboru. Kiedy mi powiedziała to, co powiedziała...

Harris nie musiał kończyć zdania, to było zrozumiałe samo przez się. Rzecz oczywista. Kiedy przez drzwi wchodzi potencjalnie ogromny przełom w sprawie, z zasady zamykasz je za nim na klucz. Daj Boże, żeby ta kobieta nie zmieniła zdania.

Poszliśmy z Harrisem, niewysokim mężczyzną szurającym nogami, w głąb korytarza do małego holu wyposażonego w dwie podniszczone kanapy, na wpół pusty automat z napojami i kilka starych magazynów „People". Naprawdę starych. Okładka jednego reklamowała *Zagubionych* jako nowy serial telewizyjny.

W odróżnieniu od tego wszystkiego Martha Cole, kobieta siedząca na kanapie, wyglądała młodziej niż na swoje dwadzieścia dwa lata. Myszate włosy, szczupła figura, bryzg piegów na garbie nosa. Minie sporo czasu, zanim dostanie drinka bez okazania dowodu tożsamości.

W tej chwili wyglądało na to, że drink by jej nie zaszkodził. Może nawet lepsze byłyby dwa. Kiedy Harris nas przedstawił i podszedłem, żeby potrząsnąć jej ręką, zobaczyłem, że jej dłoń już się trzęsie. Podobnie jak reszta ciała.

Sarah usiadła obok mnie.

– W porządku, Martho – powiedziała uspokajającym tonem. – Wiem, jakie to dla ciebie trudne, dlatego postaramy się jak najbardziej ci to ułatwić. Musimy tylko zadać kilka pytań.

Faktem jest, że w tym momencie wiedzieliśmy tylko to, co Harris powiedział Driesenowi przez telefon. Pewna młoda kobieta weszła z ulicy, ściskając w ręku numer „Timesa". Poprosiła o rozmowę z detektywem, wszystko jedno, z którym. Spytana o powody, powiedziała, że chyba może zidentyfikować Mordercę Nowożeńców.

Nazywał się Robert Macintyre i kiedyś był sierżantem sztabowym w armii amerykańskiej. Nazywała go Robbie.

– Byłam z nim zaręczona – wyjaśniła.

# Rozdział 94

Martha Cole wzięła głęboki wdech i powoli wypuściła powietrze. Uspokajała się. Przypisałem zasługę Sarah i pochwaliłem ją lekkim skinieniem głowy. Tak trzymaj. Jest cała twoja.

Zająłem miejsce na drugiej kanapie obok detektywa Harrisa i skrzyżowałem nogi. Potem skrzyżowałem palce. Należało nam się trochę szczęścia.

Zgodnie z zapowiedzią Sarah zadawała proste pytania.

– Martho, kiedy ostatni raz widziałaś się albo rozmawiałaś z Robertem?

– Jakiś miesiąc temu.

– A kiedy zerwaliście zaręczyny?

Martha się zawahała. Łzy wezbrały w jej oczach, emocje robiły swoje. Nie szczędziła starań, żeby nad nimi zapanować.

– To nie była obopólna decyzja – odparła w końcu. – Ja zerwałam.

Detektyw Harris sięgnął do kieszeni i podał jej złożoną chusteczkę. Miło wiedzieć, że niektórzy faceci wciąż noszą coś takiego przy sobie. Bardzo stara szkoła.

– Dziękuję – powiedziała Martha, ocierając oczy. Choć była roztrzęsiona i rozdarta wewnętrznie, nie mogłem nie zauważyć jej determinacji. – Kiedy Robbie wrócił z wojny, z Afganistanu, jakby zamknął się w sobie. Brakowało mu udziału w walkach, bezustannej adrenaliny.

Sarah pokiwała głową.

– Niech zgadnę. Nie mogłaś z tym konkurować, prawda?

– Właśnie. Wszystko stało się dla niego nudne, łącznie ze mną. Uznałam, że wyświadczam mu przysługę.

– Chodzi ci o zerwanie?

Dłużej nie mogła powstrzymać łez. Poczucie winy okazało się zbyt silne. Gniew był jeszcze silniejszy.

– Ta przeklęta wojna! – prawie krzyknęła. – To nie wina Robbiego, słyszycie? Przestał być sobą. Facet, który wrócił, nie był facetem, w którym się zakochałam!

Sarah położyła rękę na jej ramieniu, pogłaskała delikatnie.

– Rozumiemy, naprawdę – zapewniła.

– Ale Robbie nie rozumie. Próbowałam mu to wyjaśnić, ale nawet nie chciał słuchać.

– Kiedy to było? – zapytała Sarah.

– Pod koniec ubiegłego roku, zaraz po Święcie Dziękczynienia. Mieliśmy się pobrać w Wigilię. Kiedy zerwałam, po prostu dostał szału.

– Zrobił ci krzywdę?

– Nie. Ale się bałam. – Urwała, po chwili dodała ściszonym głosem: – Ma broń.

– Wiesz jaką? Pistolety? Karabiny?

– Jedno i drugie. Jego ulubioną była ta, którą miał na wojnie. Zapominałam, jak się nazywa, ale to jakiś karabin samopowtarzalny.

Sarah i ja wymieniliśmy szybkie spojrzenie. Bingo.

– W jakich misjach brał udział Robert w Afganistanie? – zapytała Sarah. – Czy mówił ci o tym?

Martha znowu otarła oczy chusteczką, gdy przez chwilę się namyślała.

– Tylko raz. Był pijany i sama nie wiem, jak weszliśmy na ten temat, ale zaczął mi opowiadać różne rzeczy.

– Jakie rzeczy?

– Brzmiało to tak, jakby się przechwalał. Został zwerbowany do pewnej grupy, jakiejś jednostki używającej specjalnego wyposażenia. Nazywał ją ekipą Jamesa Bonda, ponieważ byli wyszkoleni w posługiwaniu się wszystkimi tymi nowymi gadżetami i tak dalej. Także truciznami.

– Truciznami?

Podwójne bingo.

– Tak – potwierdziła. – Kiedyś zażartował, że powinnam uważać, bo zna wszystkie sposoby, żeby mnie zabić pewnymi substancjami chemicznymi. Nie uznałam tego za śmieszne.

Sarah i ja znów zwarliśmy się wzrokiem. Robert Macintyre z pewnością miał środki. Ale motyw wciąż nie był stuprocentowo jasny.

Dziewczyna rzuca faceta kilka tygodni przed ślubem, więc ten postanawia zabijać nowożeńców. Brzmi nieźle. A może powinienem powiedzieć, że brzmi obłędnie? Zakładając, że już cierpiał na zespół stresu pourazowego, gorzkie rozczarowanie i zawód miłosny z łatwością mogły sprawić, że pękł. Gwałtownie.

Ale dlaczego zabijał tylko Młode Pary z rubryki ślubów?

Czy szukaliśmy logiki tam, gdzie jej po prostu nie było? Obłęd rządzi się własnymi prawami.

Sarah cierpliwie, metodycznie prowadziła przesłuchanie.

– Więc dziś rano przeczytałaś artykuł w gazecie, Martho, i najwyraźniej nabrałaś podejrzeń. Ale skąd ta pewność, że chodzi o Roberta?

Współczułem dziewczynie, gdy po raz kolejny otarła oczy. Czuła się tak cholernie odpowiedzialna.

– Robbie mi powiedział, że jeśli my nie możemy być razem, nikt inny też nie będzie.

– Nie jestem pewna, czy nadążam – oznajmiła Sarah.

Martha powoli przeniosła spojrzenie na detektywa Harrisa, potem na mnie, potem z powrotem na Sarah. I wtedy nam powiedziała.

– Gdy z nim zerwałam, tego samego dnia otrzymaliśmy odpowiedź z „New York Timesa". Chcieli, żebyśmy zostali ich Młodą Parą.

# Część piąta

## Zemsta jest wredna

# Rozdział 95

Dwunastu policjantów, detektyw Harris, Sarah i ja. Liczba sugerowała, że podchodzimy małą armię – zdecydowanie było nas więcej, niż ustawa przewiduje, kiedy chodzi o sprowadzenia faceta na przesłuchanie. Z drugiej strony to nie był pierwszy lepszy facet.

Nie mieliśmy żadnego twardego dowodu, ani jednego świadka i jakiegokolwiek bezpośredniego tropu łączącego Roberta Macintyre'a z Mordercą Nowożeńców. Nic, tylko poszlaki. Wszystko mogło być zbiegiem okoliczności.

Jeśli tak, ja jako pierwszy uścisnę jego dłoń i go przeproszę.

– Może uciec stamtąd tylko pod warunkiem, że umie latać – powiedział Harris, wracając przed kamienicę Macintyre'a na Brooklynie, gdzie wszyscy się zebraliśmy. Mieszkanie podejrzanego znajdowało się na czwartym piętrze, najwyższym. – Z tyłu jest podwórko, ale nie ma schodów pożarowych.

– Gotowa? – zwróciłem się do Sarah.

– Tak – odparła.

Fasada przedwojennej kamienicy była mocno podniszczona. Brud pokrywał poszczerbione płyty piaskowca, w paru oknach dostrzegłem pęknięte szyby. Spodziewałem się, że wnętrze będzie w równie opłakanym stanie, o ile nie gorszym. Pomyliłem się. Wnętrze okazało się czyste, nowoczesne i całkiem przyjemne. Brooklyński sznyt. Już powinienem przywyknąć.

Nie zawsze wszystko jest takie, jak się wydaje.

Zostawiliśmy jednego policjanta w holu i ruszyliśmy na górę. Już na trzecim piętrze kilku gliniarzy – oględnie nazwijmy ich grubokościstymi – klęło w żywy kamień na brak windy. W takiej sytuacji nasuwa się setka żartów o gliniarzach i pączkach. Zachowałem je wszystkie dla siebie.

– Tam – powiedziałem, wskazując drzwi Macintyre'a, kiedy dotarliśmy na czwarte piętro. Znajdowały się pośrodku korytarza. Mieszkanie 5B.

Sarah w milczeniu przejęła kontrolę nad choreografią. Oboje z Harrisem ustawili się z jednej strony wejścia, ja z drugiej. Za nami rozmieścili się policjanci – dwóch w przysiadzie, pozostali wyprostowani. Wszyscy z dobytą bronią.

Zapukałem.

Kiedy nic nie usłyszeliśmy, ponowiłem próbę.

Wciąż nic.

Tym razem Sarah wyciągnęła rękę do drzwi. Chwyciła gałkę i nią poruszyła. Warto spróbować.

Ha, co my tu mamy...

Dobra wiadomość? Drzwi były otwarte.

Zła wiadomość? Drzwi były otwarte.

Człowieczek w mojej głowie odpowiedzialny za machanie czerwoną flagą nagle stał się bardzo zajęty.

Do diabła, w co my się pakujemy?

# Rozdział 96

W korytarzu panowała taka cisza, że pisk zawiasów zabrzmiał jak huk silników startującego odrzutowca. Powoli drzwi się otworzyły. Nikt się nie poruszył. Odliczyłem pięć sekund. Potem dziesięć. W końcu krzyknąłem:

— Robercie, jesteś tam?

Jeśli był, nie raczył udzielić odpowiedzi.

Coś trąciło mnie w bok. Któryś z policjantów podał mi lusterko inspekcyjne albo, jak lubiłem je nazywać, lusterko a kuku. Zdecydowanie lepsze niż wytykanie głowy i narażanie jej na odstrzelenie. Dobrze wiem, o czym mówię; mało brakowało, a dosłownie straciłbym głowę w tamtej chacie z Sarah. Nie miałem zamiaru kusić losu.

Wysunąłem lusterko i zobaczyłem wąski korytarz z dwojgiem drzwi po obu stronach. Na końcu przedpokoju znajdowało się coś, co wyglądało na mały salon. Dostrzegłem kanapę, płaski telewizor, lampę obok niewielkiego stolika.

Ani śladu Macintyre'a. Ani śladu wysokiego na metr osiemdziesiąt, barczystego krótkowłosego rudzielca o kanciastej szczęce, jak go opisała Martha Cole.

Spojrzałem na Sarah i pokręciłem głową, a ona natychmiast podjęła swoją choreografię. Odwróciła się w stronę Harrisa i pozostałych funkcjonariuszy, machnęła dwoma palcami, po czym wskazała na siebie i mnie.

Tłumaczenie: Wchodzimy dwójkami. Ona i ja jako pierwsi.

Dziewczyna zdecydowanie nie wzbraniała się przed działaniem, prawda?

Trzy... dwa... jeden...

Wpadliśmy do mieszkania z glockami przed sobą, celując w głąb korytarza. Ja wyhamowałem przed kuchnią, ona zatrzymała się przed łazienką.

Skinąłem ręką, przywołując następną falę.

Wchodzili po dwóch, przemykając obok nas. Skręciłem do kuchni, Sarah zajęła łazienkę.

– Czysto! – wrzasnąłem.

Słyszałem, jak Sarah odciąga zasłonkę prysznica.

– Czysto! – oznajmiła.

– Czysto! – dobiegło z saloniku.

Wróciłem na korytarz, spotkałem się z Sarah. Pozostali faceci byli przed nami, łącznie z Harrisem. Założyłem, że w mieszkaniu jest tylko jeszcze jedno pomieszczenie, sypialnia. Zakładałem również, że będzie tam mniej więcej tak samo. Czysto.

Zamiast tego usłyszeliśmy jednoczesny krzyk dwóch policjantów:

– Ciało!

Co?

Sarah i ja skręciliśmy na końcu korytarza, najkrótszą drogą pędząc z salonu do sypialni. Gliniarze stali dokoła, patrząc w milczeniu na ciało. Wyglądało jak upozowane, jakby stanowiło element jakiegoś chorego, wynaturzonego performance'u. Zatytułujcie go *Martwy Pan Młody*.

Robert Macintyre – rudawe włosy i kwadratowa szczęka – siedział przywiązany do krzesła, ubrany w coś, co kiedyś było eleganckim smokingiem. Teraz marynarka była podziurawiona i przesiąknięta krwią. Jeśli nie zabiły go kule, z pewnością dokonał tego nóż głęboko wbity w serce.

Nie był to zresztą pierwszy lepszy nóż. Pochyliłem się, żeby obejrzeć go z bliska. Srebrny trzonek lśnił w świetle wpadającym przez okno.

– Czy to jest to, co myślę? – zapytała Sarah.

– Owszem – odparłem. Nóż do krojenia tortu.

Cholera jasna, to ona... Martha Cole!

Natychmiast odwróciliśmy się w stronę Harrisa, który już sięgał po radio, żeby skontaktować się z posterunkiem. Dodał dwa do dwóch, podobnie jak my.

– Cholera. Chyba mamy tylko jej numer telefonu – powiedział. – Możemy wytropić adres, ale...

Ale jakie są szanse, że podała nam prawdziwy numer? Powiedziałbym, że oscylują gdzieś pomiędzy nikłymi a nieistniejącymi, jak wygrana Cubsów w World Series.

Teraz stało się bardziej zrozumiałe, dlaczego odrzuciła propozycję odwiezienia jej z posterunku do domu. Powiedziała nam, że woli się przejść, „żeby się wyciszyć". W owym czasie kto mógłby się temu dziwić?

– Chwila! – krzyknęła Sarah.

Każdy obrócił wzrok w jej stronę. Zaraz potem przekręciliśmy głowy, żeby zobaczyć, na co patrzy.

Łóżko.

Wszyscy byliśmy tak skupieni na zwłokach Macintyre'a, że nikt nie zwrócił uwagi na zarys czegoś, co leżało pod narzutą. Do teraz.

Czyżby kolejne ciało? Kolejne morderstwo?

Nie, gorzej. Znacznie gorzej.

To było masowe morderstwo.

# Rozdział 97

Staliśmy w formacji podkowy. Ja z jednej strony łóżka, Sarah z drugiej.

– Chwyć za róg – poleciła.

Złapaliśmy narzutę, podnieśliśmy ją i przeciągnęliśmy w nogi łóżka. Nie wiedziałem, czego się spodziewać, ale na pewno nie tego, co zobaczyłem.

Co, do...

Wyglądało to jak butle z tlenem, jakich używają nurkowie. Na łóżku leżało ich sześć.

– Co jest napisane tam na boku? – zapytał policjant, który stał obok mnie.

Przekrzywiłem głowę, żeby przeczytać drobny druk, i od razu oślepiło mnie światło słoneczne odbijające się od metalicznych cylindrów.

– Hej, czy ktoś mógłby opuścić rolety? – zapytałem. Podciągnięte do samej góry nie przysłaniały ani skrawka szyb.

– Już się robi – powiedział jeden z gliniarzy. Był to młody

Włoch z czarnymi jak smoła włosami zaczesanymi gładko do tyłu. Gdy odwrócił się w stronę okna, jego tułów na chwilę zasłonił słońce, na tyle długo, że zdążyłem przeczytać napis na najbliższym zbiorniku. Wcale nie TLEN.

Nie! Nie! Nie! Nie!

Ale już było za późno.

Pierwszy pocisk strzaskał szybę i trafił młodego policjanta prosto w pierś. Klatka piersiowa wybuchła w gejzerze krwi i kości.

Drugi pocisk rozwalił głowę gliny, który stał obok Sarah.

– Padnij! Wszyscy padnij!

Ale właśnie na tym jej zależało. Usunęliśmy się z drogi i miała nas wszystkich razem. Nie strzelała zwyczajnymi kulami; były to pociski zapalające dużego kalibru.

Innymi słowy, akurat takie, żeby spowodować eksplozję butli z propanem.

Trzeci strzał zabiłby nas wszystkich, gdyby nie to, że ktoś, padając na podłogę, uderzył w łóżko. Butle się przesunęły. Pocisk przedarł się przez materac, omijając cel.

Szarpnąłem wielki materac. Kiedy go unosiłem, czułem, jak pękają szwy na moim ramieniu.

Butle podskoczyły, spadły z grzechotem na drewnianą podłogę, poturlały się we wszystkie strony.

– Uciekać! – wrzasnąłem. – Natychmiast!

W trakcie dzikiej ucieczki z sypialni huknął następny strzał, ale do wybuchu nie doszło. Morderczyni nie trafiła w żaden z toczących się zbiorników.

Wyjście na korytarz przemieniło się w wąski lejek, gdy próbowaliśmy wydostać się z salonu. Stopy dudniły, ramiona młóciły powietrze. Ucieczka dosłownie stała się kwestią życia i śmierci.

Byłem ostatni, Sarah tuż przede mną. Jeśli zdołamy opuścić mieszkanie przed następnym strzałem, wtedy może, tylko może, wyjdziemy z tego bez szwanku.

BUM!

# Rozdział 98

Siła eksplozji rzuciła mnie na podłogę, kula ognia prze-
szorowała mi po plecach. Żar był tak wielki, że czułem, jak
koszula wtapia mi się w skórę.

Bolało tak bardzo, że chciałem wrzasnąć, ale byłem zbyt
zajęty odczuwaniem wdzięczności. Przeżyć taki wybuch? Nie
czułbym bólu chyba tylko wtedy, gdybym zginął.

– Boże, boli... – jęknęła Sarah.

Kolejna dobra wiadomość. Ona też przeżyła. I była w lepszym stanie niż ja.

Żałuję, że nie mogę powiedzieć, że miałem zamiar osłonić
ją własnym ciałem. Rzuciło mnie prosto na nią, a siła grawitacji
zrobiła resztę. Sarah leżała na wznak i patrzyłem na nią z góry.
Nasze nosy praktycznie się stykały.

– Nic ci nie jest? – szepnąłem.

– Chyba nie. A tobie?

– Mam przyjemnie rozgrzane plecy. Przeżyję.

Nie powiedziała nic więcej. Nie musiała. Widziałem to
w jej oczach. Naprawdę było dla niej ważne, że żyję.

Słyszałem dobiegające z dali zawodzenie syren. Zasłonki w pokoju stały w ogniu, podobnie jak kanapa i chodnik. Istniało ryzyko, że co najmniej jedna z tych butli z propanem nie wybuchła.

Jeszcze nie.

– Ruszać się – ponaglił Harris. – Musimy się stąd wydostać.

Na ulicy przed kamienicą Macintyre'a panował istny chaos. Nadjeżdżały samochody strażackie i kolejne radiowozy, trąbiąc i migając światłami. Lokatorzy i mieszkańcy sąsiednich budynków gromadnie wylegli na chodnik, zdezorientowani i przestraszeni. Rozejrzałem się, wreszcie łapiąc oddech. Oddychaj. Starsza pani w czerwonym szlafroku ściskała w dłoni różaniec i odmawiała modlitwę. Obok niej młoda Latynoska tuliła w ramionach małego chłopca.

Sarah przekazała rysopis Marthy Cole, po czym poleciła kilkunastu policjantom utworzyć kordon i odsunąć ludzi na bezpieczną odległość. Pozostali ruszyli z nami przeszukać budynki za kamienicą Macintyre'a, od piwnic po dachy.

Harris tymczasem przez radio rozsyłał policjantów do okolicznych stacji metra.

– Tutaj! – wrzasnąłem z pierwszego dachu, na który weszliśmy. Na papie obok parapetu z widokiem na mieszkanie Macintyre'a stał na dwójnogu FN SPR, jeden z tych karabinów snajperskich, które znałem, bo używa ich należący do FBI zespół ratowania zakładników.

– SPR – powiedziała Sarah, gdy go zobaczyła. – Zakrawa na ironię.

Miała rację. SPR to policyjny karabin wyborowy. Zdawało się, że z nas szydzi wraz z leżącymi na dachu kilkoma łuskami.

– Drzwi! – krzyknął Harris. – Pukamy do każdych drzwi.

Znów się stłoczyliśmy, tym razem żeby zejść z dachu i zbiec po schodach, kiedy zatrzeszczało jego radio. Wzywał go policjant z ulicy. Znalazł świadka, a raczej świadek znalazł jego. Był to mężczyzna, który mieszkał na najwyższym piętrze budynku za kamienicą Macintyre'a. Gdy po wybuchu wyjrzał przez okno, miał idealny widok na Marthę Cole.

– Co zobaczył? – zapytał Harris.

Policjant milczał przez dłuższą chwilę.

– Nie uwierzy pan – powiedział w końcu.

# Rozdział 99

Moja pierwsza cyniczna myśl brzmiała: Chcesz się założyć?

Czy po wszystkim, co widziałem w ciągu lat pracy – nie mówiąc o ostatnich dniach – naprawdę było coś, w co nie mógłbym uwierzyć albo co mogłoby mnie zdziwić? Ale muszę przyznać, że byłem zaskoczony. Podobnie jak Harris.

– Proszę powtórzyć – polecił przez radio.

Wysłuchaliśmy go po raz drugi, policjant akcentował każde słowo. Szczególnie to ostatnie.

– Świadek twierdzi, że po wybuchu zobaczył kobietę biegnącą po dachu. Miała na sobie suknię ślubną.

Harris niczego nie zaniedbywał. Przekaże uzyskane informacje każdemu gliniarzowi w dzielnicy i dalej. Szczegóły są ważne.

– Suknię ślubną – powtórzył. – W kolorze... białą?

– Tak – potwierdził policjant z nutką nowojorskiego sarkazmu. – Panna młoda nosi białą suknię.

Co za widok. Im bardziej próbowałem go sobie wyobrazić, tym szybciej wszystko inne zdawało się wskakiwać na swoje miejsce. Wszystkie elementy układanki.

– Chryste, mówiła prawdę, zgadza się? Tylko że ją odwróciła – powiedziałem.

– Co ma pan na myśli? – zapytał Harris.

– Martha Cole nie zerwała zaręczyn, zrobił to Macintyre – wyjaśniła Sarah, dotrzymując mi kroku. – To jej motyw,
nie jego.

Sięgnęła po komórkę.

– Co robisz? – zapytałem.

– Wystroiła się i co, wróciła do domu? Wątpię.

Znałem Sarah dość długo, by wiedzieć, że kieruje się
intuicją. Świadczyły o tym jej mina, sposób, w jaki przygryzała
dolną wargę. Problem w tym, że przestałem za nią nadążać.

Dopóki nie uzyskała połączenia.

– Z Emily LaSalle proszę – powiedziała. – Niech pani jej
powie, że dzwoni agentka Brubaker i że sprawa jest pilna.

# Rozdział 100

Wystarczyło, że LaSalle parę razy stuknęła w klawiaturę w swoim biurze „New York Timesa". Natychmiast znalazła to, czego potrzebowaliśmy. Pliki tej kobiety były równie pedantycznie uporządkowane jak wszystko wokół niej.

Sarah włączyła tryb głośnomówiący i wszyscy usłyszeliśmy.

– Mam – oznajmiła LaSalle.

Był to artykuł, który miał się ukazać w kolumnie ślubów, lecz nigdy się nie ukazał. Dotyczył planowanego małżeństwa Marthy Cole i Roberta Macintyre'a.

Główną część pliku stanowiło zgłoszenie, które Cole przysłała do działu ślubnego gazety. Resztę – notatki sporządzone przez jedną z redaktorek, której zadanie polegało na weryfikowaniu informacji. Sprawdzanie faktów jest nadzwyczaj ważne, jak się dowiedzieliśmy, gdyż pary niekiedy upiększają rzeczywistość, a kawalarze często nadsyłają fikcyjne zgłoszenia, na przykład ślubu aktora porno Bena Dovera i Ivany Humpalot, postaci ze *Szpiega, który nie umiera nigdy*.

– Czego mam szukać? – zapytała LaSalle.

– Tylko jednej rzeczy – odparła Sarah. – Czy jest podane, gdzie Cole i Macintyre zamierzali się pobrać?

– Chodzi pani o miasto?

– Nie. O kościół.

– Zaraz sprawdzę.

Sarah przygryzała dolną wargę, gdyż teraz na sto procent kierowała się intuicją, a ja patrzyłem, jak Harris i inni policjanci wymieniają spojrzenia, jakby mówiąc: Rany, czy ta sprawa może się okazać jeszcze bardziej pokręcona?

Gotów byłem pójść o zakład, że tak.

LaSalle szybko przeglądała plik Cole i Macintyre'a, głośno czytając pewne fragmenty jak punkty w prezentacji w PowerPoincie.

– Mieszkańcy Brooklynu... poznali się w wojsku... oboje w stopniu sierżanta...

Harris zamrugał.

– Chwileczkę, oboje służyli w wojsku?

– Na to wygląda – skomentowałem.

Zabójczo celnego strzelania z karabinu snajperskiego raczej nie można się nauczyć na kursach wieczorowych. Ale gdzie, do licha, Cole nauczyła się tak przekonująco kłamać? Byłbym znacznie bardziej zawstydzony, że dałem się nabrać, gdyby nie była w tym tak cholernie dobra.

– W porządku, jest – odezwała się LaSalle. – Ślub miał się odbyć w kościele Świętego Aleksandra na Brooklynie.

– Cholera – mruknął Harris. – Myślicie...

– Emily, jest adres? – zapytała Sarah.

– Nie, tylko nazwa.

– Wiem, gdzie jest ten kościół – powiedział ktoś.

Odwróciłem się i zobaczyłem, że jeden z gliniarzy występuje do przodu. Jego twarz dosłownie wrzeszczała, że jest żółtodziobem.

– Blisko? – zapytałem.

– Może dwadzieścia przecznic stąd – odparł. – Chodzi tam moja siostra.

Nagle nasz potencjalny scenariusz mógł potencjalnie stać się najgorszy. Jeśli przeczucie nie omyliło Sarah i Cole właśnie tam się kieruje... co zamierza zrobić?

Jedyną pewną rzeczą było to, że musimy ostrzec każdego, kto być może przebywa w kościele. Miałem nadzieję, że nikogo tam nie ma.

To tyle, jeśli chodzi o nadzieję.

Radio Harrisa znowu zatrzeszczało, podobnie jak te należące do wszystkich innych. Po chórze zakłóceń rozległ się głos dyspozytorki.

Oznajmiła, że chodzi o 417. Kod oznaczający uzbrojoną osobę.

– Być może są zakładnicy – dodała.

Gdy tylko podała adres, Sarah, ja i wszyscy pozostali wypadliśmy z budynku i popędziliśmy do radiowozów.

# Rozdział 101

Kilkanaście radiowozów, które pędzą setką na sygnale, w cudowny sposób potrafi odkorkować ulice. Harris prowadził, Sarah i ja mocno się trzymaliśmy. Przejechaliśmy dwadzieścia przecznic w parę minut.

Na pierwszy rzut oka scena wokół kościoła Świętego Aleksandra była kwintesencją ironii. Na schodach kręcił się tłum, jakby w drzwiach lada chwila mieli się ukazać państwo młodzi, ramię w ramię.

– Chryste, trzeba ich stąd zabrać – powiedziałem, gdy Harris wyhamował przy krawężniku. Wszyscy wiedzieliśmy, co się stało w ostatnim budynku, który Cole wzięła na celownik.

Ludzie na zewnątrz to bułka z masłem: wystarczy przejąć kontrolę nad tłumem. Prawdziwy problem stanowili ci wewnątrz kościoła. Wciąż miałem w uszach słowa dyspozytorki: Być może są zakładnicy.

Wysiadłem z nieoznakowanego explorera Harrisa, o mało

nie wpadając pod następny podjeżdżający radiowóz. Były wszędzie, nadciągały całymi stadami.

Wszyscy gliniarze zebrali się na chodniku, podczas gdy Harris, Sarah i ja ruszyliśmy po schodach kościoła. Już miałem krzyknąć, żeby przyciągnąć uwagę, kiedy z tłumu wystąpił piegowaty, rudy młody ksiądz.

– Jest pan jednym z agentów FBI? – zapytał mnie.

Dziwne, jak na pierwsze pytanie. Skąd wiedział?

– Tak. Agent O'Hara.

– To dobrze. Dziękuję Bogu, że tu jesteście.

– Był ksiądz w środku? – zapytałem.

– Wszyscy byliśmy, ale pozwoliła nam wyjść – odparł. Natychmiast się poprawił. – Prawie wszystkim.

– Kto nadal tam jest?

– Drugi ksiądz. Ojciec Reese.

– Ktoś jeszcze?

– Nie, tylko on. Mieliśmy próbę chóru, kiedy do kościoła wpadła kobieta w sukni ślubnej. Z początku pomyślałem, że to jakiś żart. Potem zobaczyłem broń.

– Pistolet czy coś większego? – zapytała Sarah.

– Pistolet. Ale miała też coś innego. Wyglądało to jak duża zielona butelka wody sodowej. Tylko bez etykiety.

Dziesięć do jednego, że to nie 7UP.

– Co powiedziała? – zapytała Sarah.

– Że wszyscy mogą wyjść z wyjątkiem jednej osoby. Ojciec Reese nalegał, że on zostanie.

– Coś więcej?

Skinął głową.

– Tak. Wiadomość.

– Dla kogo? – zapytałem.

– Dla pana – odparł. – I dla agentki Brubaker. – Zwrócił się do Sarah: – Zakładam, że to...

– To ja – potwierdziła.

– To dobrze. Jesteście tu oboje. Ona chce z wami rozmawiać, z obojgiem.

# Rozdział 102

– Niech pan tego nie robi – powiedział Harris. – Nie wchodzi tam. To okropny pomysł. – Wskazał dwie uliczki po obu stronach kościoła, oddzielające budowlę od pobliskich kamienic. – Z pewnością są inne wejścia, które pozwolą się tam dostać bez jej wiedzy. W niespełna dziesięć minut ściągniemy tu grupę SWAT.

– A jeśli nie mamy dziesięciu minut? – zapytała Sarah. – Nie sądzę, żebyśmy mieli.

– Ona już zamordowała kilkanaście osób, a teraz nosi suknię ślubną i wymachuje pistoletem – dodałem.

Moje słowa sprawiły, że Harris zrezygnował z wyperswadowania mi tego pomysłu.

– A ty? – zapytałem Sarah. – Wchodzisz?

Wyjęła glocka z kabury i wsunęła go w spodnie za plecami.

– Przynajmniej sprawdźmy, czy są inne wejścia – zaproponował Harris z rezygnacją. – Po prostu na wszelki wypadek.

Dwa dwuosobowe zespoły ruszyły w głąb uliczek. Niespełna minutę później usłyszeliśmy meldunki.

– Boczne drzwi, otwarte – szepnął jeden gliniarz przez radio.

– Drzwi do piwnicy na dole schodów – szepnął drugi. – Też otwarte.

Harris znów na mnie spojrzał.

– Zmienił pan zdanie?

– Przykro mi.

Harris zagadał przez radio do obu zespołów. Nie mogłem nie zauważyć, że jego szept był w jednej czwartej cichy, a w trzech czwartych wkurzony.

– Zostańcie na miejscach – polecił. – Wkraczajcie, kiedy usłyszycie strzały.

Odwrócił się, wykrzykując rozkazy do pozostałych gliniarzy, żeby odsunęli gapiów. W głębi ulicy spostrzegłem nadjeżdżającą pierwszą furgonetkę reporterów. Za dziesięć minut będzie tu ich znacznie więcej.

– Gotów? – zapytała Sarah.

Skinąłem głową.

– Dla waszej informacji, oboje jesteście czubkami – stwierdził Harris.

– Hej, mogło być gorzej – powiedziałem.

– To znaczy?

– Mogła zażądać spotkania z naszą trójką.

Poklepałem go po ramieniu i wszedłem po ostatnich stopniach. Stanęliśmy przed drzwiami kościoła.

– Jesteś wierząca? – zapytałem.

– Luteranka – odparła. – A ty?

– Niepraktykujący katolik. Byłem ministrantem. To chyba się liczy, co?

Oboje wyciągnęliśmy broń.

– Przekonajmy się – powiedziała.

# Rozdział 103

Ja wziąłem jedną stronę, Sarah – drugą. W bardzo krótkim czasie stworzyliśmy dobry tandem, ale ta próba być może przekraczała nasze możliwości.

Przyciśnięci plecami do spłowiałej ceglanej fasady Świętego Aleksandra, wyciągnęliśmy ręce i chwyciliśmy klamki dwuskrzydłowych drzwi. Pociągnęliśmy je powoli.

Fala początkowego strachu wezbrała i opadła. Martha Cole nie strzeliła przy pierwszym ruchu.

Po kilku sekundach Sarah zawołała do zabójczyni:

– Martho, jesteś tam?

Hałas tłumu na ulicy utrudniał usłyszenie czegokolwiek, ale byłem całkiem pewien, że odpowiedź nie padła. Sarah spróbowała jeszcze raz, tym razem głośniej.

– Martho, tu agentka Brubaker i agent O'Hara. Możemy wejść?

Tym razem Cole odpowiedziała, jej głos odbijał się echem od ścian. Znajdowała się gdzieś w głębi kościoła.

– Lepiej, żebyście byli tylko wy dwoje – przestrzegła.

– Tylko my, Martho – krzyknęła Sarah. – Daję słowo.

Nie przykazała, że mamy wejść bez broni. Gdyby nawet, to i tak by nie znaczyło, że byliśmy gotowi się podporządkować. Przynajmniej tak sądziłem.

– Do licha, co ty wyprawiasz? – zapytałem Sarah, gdy schowała swój pistolet.

– Ona mi ufa – odparła. – Muszę odwzajemnić jej zaufanie.

– To nie jest ta sama dziewczyna, która dziś rano wypłakiwała się na twoim ramieniu. Wtedy udawała.

– Zobaczymy. Miej do mnie odrobinę zaufania.

– Dobra, ale wchodzimy jednocześnie.

– Nie. Panie przodem.

Zanim mogłem odpowiedzieć czy zrobić coś innego, Sarah wyszła zza drzwi z rękami w powietrzu. Jeśli istnieje cienka linia, która dzieli odwagę i głupotę, to Sarah właśnie ją przekroczyła. Zyskała podwójne obywatelstwo. Byłem tak wściekły, że mógłbym ją zastrzelić. Oczywiście, jeśli Martha Cole nie zrobi tego pierwsza.

Nie zrobiła.

Wszedłem, dołączając do Sarah w drzwiach kościoła. Spojrzałem w głąb nawy i zobaczyłem Cole przed ołtarzem. Stała z opuszczoną ręką. Trzymała w niej pistolet. Przyciskała lufę do głowy ojca Reese'a.

Powoli, bardzo powoli poszliśmy w ich stronę.

– Stać! – krzyknęła Cole.

Zatrzymaliśmy się. Byliśmy jakieś dwadzieścia ławek od ołtarza. Zdecydowanie w zasięgu, ale strzał będzie niełatwy.

– Martho, pozwól nam podejść nieco bliżej, żebyśmy nie musieli do siebie krzyczeć – poprosiła Sarah. – Echo sprawia, że trudno rozmawiać. Chcę, żebyś dobrze słyszała, co mam do powiedzenia.

Cole się roześmiała.

– A kto powiedział, że będziemy rozmawiać?

– Jeśli nie, to po co tu jesteśmy? Czego od nas chcesz?

– Zaraz się przekonacie – odparła. – A teraz usiądźcie.

Nie było sensu naciskać. Zrobiłem krok w prawo i chciałem się wsunąć w ławkę.

– NIE! – wrzasnęła Cole. – NIE, NIE, NIE!

Nie byłem pewien, co robię źle, ale cokolwiek to było, nie zamierzałem robić tego dalej. Zamarłem, nie poruszając ani jednym mięśniem.

Sarah, która jeszcze nie zrobiła ruchu, żeby usiąść, uniosła ręce.

– Spokojnie, spokojnie! Martho, co się stało?

– To strona pana młodego – wyjaśniła Cole ze złością. – Musicie usiąść po lewej... po stronie panny młodej. To ja was zaprosiłam.

Aha. Jak w: Aha, cholera, to nie wróży nic dobrego.

# Rozdział 104

Sarah i ja usiedliśmy w ławce po lewej stronie. Po stronie panny młodej. Plusem było to, że mogliśmy niepostrzeżenie wyjąć broń. Oboje zrobiliśmy to odruchowo.

Minusem było to, że siedzieliśmy. Wystawieni jak na strzelnicy, niestety. A jednak z pistoletem w ręce czułem się trochę lepiej.

– Martho, jak dotąd zrobiliśmy wszystko, co nam kazałaś – odezwała się Sarah. – Weszliśmy, usiedliśmy tam, gdzie chciałaś. Teraz ja chcę cię prosić, żebyś zrobiła coś dla nas. Pozwól odejść ojcu Reese'owi.

Cole uśmiechnęła się złośliwie.

– Jesteś leworęczna czy praworęczna, agentko Brubaker?

– Dlaczego pytasz?

– Bo się zastanawiam, po której stronie trzymasz pistolet.

– Możesz tu podejść i sama to sprawdzić. Nie zobaczysz u mnie pistoletu – skłamała Sarah. – U agenta O'Hary też nie.

Słuchałem ich rozmowy, ale też patrzyłem. Po raz pierwszy mogłem dobrze się przyjrzeć Marcie Cole w jej białej sukni ślubnej, z dekoltem karo i koronkowymi rękawami do łokci.

Suknia, gdy wyszła spod igły, z pewnością była ładna. Teraz brudna, porozdzierana i przesiąknięta potem. Prawdę mówiąc, Cole wyglądała na zlaną potem od stóp do głów. Nawet włosy miała takie, jakby przed chwilą wyszła spod prysznica.

Ksiądz natomiast stanowił jej przeciwieństwo. Jasne, nie przebiegł dwudziestu przecznic owinięty w taftę w gorące czerwcowe popołudnie, ale miał pistolet przystawiony do głowy. Myślałby kto, że też będzie się pocić, jednak sprawiał wrażenie absolutnie spokojnego. Pogodzonego ze sobą i światem.

Szczerze mówiąc, niemal czułem, że wie coś, czego ja nie wiem. Oczywiście, zawsze czegoś takiego doświadczałem w obecności księży, ale to wrażenie było trochę inne. Bardziej przyziemne, mniej uduchowione.

W każdym razie dobrze, że zachowywał spokój, ponieważ Martha Cole nie miała zamiaru go uwolnić. Przynajmniej jeszcze nie. Miałem nadzieję, że nie planuje uwolnienia jego duszy.

– Wiecie, co powiedział mi Robbie, kiedy się oświadczył? – zapytała. – Powiedział, że będziemy razem do końca życia. Na wieki wieków. Był bardzo przekonujący.

– Martho – zaczęła Sarah – rozumiem twoje wzburzenie, ale...

Cole zajechała jej drogę jak nowojorska taksówka.

– Złamał mi serce, zniszczył je – powiedziała. Uśmiechnęła się obłąkańczo. – Dlatego wbiłam nóż w jego serce.

Sarah pokręciła głową, jej głos nabrał siły.

– Zabijanie musi się skończyć, Martho.

Ale Cole nie słuchała.

– Zasłużyłam na to, co miały inne pary. Zasłużyłam! – wrzasnęła.

Praktycznie mogłem czytać w głowie Sarah. Zachowaj spokój, podtrzymuj rozmowę, jak najczęściej wypowiadaj jej imię, żeby nie stracić jej zaufania.

– Jestem tego pewna, Martho, ale te pary nie zasłużyły na śmierć – powiedziała. – Nijak cię nie skrzywdziły.

– Wszyscy umrzemy, agentko Brubaker. Widziałam to codziennie na wojnie. Jedyną zmienną jest czas.

– Ale nie musisz o tym decydować, Martho. Nie baw się w Boga.

– Ale to robiłam, prawda?

Było coś w sposobie, w jaki to powiedziała, kładąc nacisk na czas przeszły. Wrażenie nieodwołalności.

Mój umysł pracował na najwyższych obrotach. Tak wiele myśli, pytań, niewiadomych.

Dwie w szczególności.

Gdzie jest ta dziwna zielona butelka, o której wspomniał ten młody ksiądz? I co w niej jest?

Spojrzałem na wielki złoty krzyż nad ołtarzem. Nagle coś przyszło mi do głowy. To nie będą długie, przeciągające się negocjacje z osobą przetrzymującą zakładników. Co więcej, zakładnik nie miał tu nic do rzeczy.

Moje oczy przeskoczyły z powrotem na Cole. Zmierzyłem ją wzrokiem od stóp do głów. Była zlana, zgadza się, tyle że nie potem. Co to takiego?

O Jezu, Jezu...

Teraz to poczułem, zapach w końcu dotarł od ołtarza do naszej ławki. Izopropanol. Alkohol techniczny.

– Żegnajcie – powiedziała Martha.

Wyskoczyłem z ławki, gdy rzuciła broń, w drugiej ręce unosząc małą zapalniczkę. Tak szybko pstryknęła kciukiem.

– Nie! – wrzasnąłem. – Nie musisz tego robić! Nie!

Wtedy Martha Cole wypowiedziała swoje ostanie słowo – słowo, którego nie było jej dane wyrzec przy ołtarzu.

– Tak.

Nie mogliśmy nic zrobić. Cole odepchnęła ojca Reese'a i przysunęła zapalniczkę do sukni.

Stanęła w płomieniach.

# Rozdział 105

Dlaczego ktoś miałby zrobić to, co zrobiła? Tak zwykle brzmi pierwsze pytanie po czyimś samobójstwie. Ale Martha Cole powiedziała nam wszystko, co chcieliśmy wiedzieć o jej motywach. Nie tylko dlaczego odebrała sobie życie, ale również dlaczego odebrała życie ludziom, których nigdy nawet nie poznała.

Ich śmierć, zwłaszcza trzech par nowożeńców, pozostawiła nas z prawdziwym pytaniem bez odpowiedzi. Jak? Do licha, jak to zrobiła? Jak wślizgnęła się na teren Governor's Club w Turks i Caicos, żeby uwięzić w saunie i następnie otruć Ethana i Abigail Breslowów? Jak ominęła ochronę na lotnisku Kennedy'ego, żeby otruć Scotta i Annabelle Pierce'ów przed ich lotem do Włoch?

I na koniec, jakby znudzona truciznami albo pragnąc pokazać zakres swoich umiejętności, podłożyła bombę na pokładzie jachtu, który Parker i Samantha Kellerowie zacumowali na Bermudach. Jak?

Odpowiedzi na wszystkie moje pytania napłynęły dość szybko. A przynajmniej dostałem informacje, które sprawiają, że człowiek kiwa głową i mówi: „No tak, to może wszystko wyjaśniać".

Godzinę po śmierci Marthy Cole jej akta wojskowe dotarły do Dana Driesena, który pocztą elektroniczną przesłał nam związane ze sprawą dane.

– Proszę – powiedziała Sarah, podając mi swój telefon, gdy przeczytała wiadomość.

Właśnie skończyliśmy składać nasze „oficjalne" zeznania detektywowi Harrisowi i dwóm detektywom z najbliższego posterunku na Brooklynie.

Nawet zadzwoniłem do Warnera Breslowa, który akurat wyjechał w interesach do Londynu. Przekazałem mu wieści, słodko-gorzkie, że tak powiem. Morderstwo jego syna i nowej synowej było bardziej bezsensowne, niż sobie wyobrażał. Czy wiedza zapewni mu odrobinę wewnętrznego spokoju, jakieś poczucie sprawiedliwości? Obawiałem się, że w przypadku kogoś takiego jak Breslow odpowiedź brzmi przecząco.

– Porozmawiamy, kiedy wrócę – powiedział mi. – Sprawiłeś się, John. Dziękuję.

Czytając e-mail Driesena, nie mogłem przestać myśleć o wszystkich tych niedowiarkach i entuzjastach teorii spiskowych, którzy nigdy do końca nie pojęli, jak Lee Harveyowi Oswaldowi udało się oddać trzy strzały z karabinu samopowtarzalnego mniej więcej w ciągu ośmiu sekund. Wykluczone – za szybko! Musiał być drugi strzelec! Oczywiście, teoretycy spisków zawsze jakby zapominali, że Oswald nie był jakimś domorosłym bałwanem, który ćwiczy strzelanie do puszek na podwórku za domem. Oswald przeszedł najlepsze szkolenie na świecie – na koszt Wuja Sama, ni mniej, ni więcej. W Korpusie Piechoty Morskiej Stanów Zjednoczonych.

Martha Cole była sierżantem wyszkolonym w szeregu dyscyplin, obejmujących broń, materiały wybuchowe, zwiad i sabotaż. Była bystra, wysportowana i uzależniona od adrenaliny. Tak wynikało z jej oceny psychologicznej. W stu przypadkach na sto takie cechy składają się na doskonałego żołnierza. I podczas misji w Afganistanie właśnie taka była. Problemy zaczęły się po powrocie do domu. Nieoficjalne określenie brzmi „jazda na maksymalnych obrotach". Jak ferrari zablokowane na piątym biegu, nie mogła zwolnić, nie umiała wrócić do prozy życia w cywilu. Może Nowy Jork jest miastem, które nigdy nie zasypia, ale dla niej nie mógł się równać z panującym dwadzieścia cztery godziny na dobę i przez siedem dni w tygodniu zagrożeniem ze strony sił talibów.

W końcu zapłaciła za to swoim związkiem z Robertem Macintyre'em. Później jej całe życie eksplodowało we wściekłości i żądzy zemsty.

Mieliśmy więc odpowiedź, dlaczego i jak. Pozostało tylko pytanie: co? Jak w: Co teraz?

Cole nie żyła, ale gdzieś tam Ned Sinclair wciąż nastawał na moje życie. Jutro będę się tym martwić. Dzisiaj byłem zbyt zmęczony, mózg mi się zlasował.

Sarah wymieniała uścisk dłoni z Harrisem, mówiąc mu „dziękuję" i „do widzenia". W chwili gdy się oddalił, podszedłem do niej. Uśmiechnęła się. Odwzajemniłem uśmiech. Pochyliłem się i szepnąłem jej do ucha.

Zastanawiała się nad tym w sumie przez ułamek sekundy.

– Zdecydowanie – odparła.

# Rozdział 106

Jezu, do licha, co wam się stało?

Facet nalewający nam tequilę nie ośmielił się zapytać. Podobnie rzecz się miała ze wszystkimi innymi klientami, którzy nie mogli się powstrzymać od wlepiania w nas oczu. Mieliśmy podarte i nadpalone ubrania, brudne twarze i ręce. Zasadniczo wyglądaliśmy jak przewleczeni przez piekło tam i z powrotem.

Dobrze, że się tym nie przejmowaliśmy.

A po około sześciu tequilach naprawdę przestaliśmy się przejmować.

Sarah i ja zajęliśmy dwa ostatnie stołki na końcu baru właściwie w pierwszym lokalu z wyszynkiem, jaki znaleźliśmy w pobliżu Świętego Aleksandra. Była to mała restauracja zwana Dwójki i Ósemki, jedna z tych „miejscowych knajpek" z menu wypisanym na czarnej tablicy i wyeksponowanymi trofeami ligi softballu.

– Rany – mruknąłem, patrząc, jak Sarah jakby nigdy nic wychyla kolejny kieliszek. – Nie miałem pojęcia.

– O czym? – zapytała, oblizując, a potem ocierając usta.

347

– Że możesz tyle wypić. Nawet nie jesteś z Irlandii.

Roześmiała się.

– Tak, wiem, i poza tym jestem dziewczyną.

– Niepodobną do żadnej z tych, które znam.

– Uważaj, O'Hara. To brzmi niebezpiecznie blisko komplementu.

– Pewnie gada przeze mnie tequila.

– W takim razie pora na następną.

Skinęła na barmana, który pakował piwo do lodówki pod kasą, brązowo-zielony asortyment budweiserów i rolling rocksów.

– Jesteś pewna? – zapytałem.

Splotła ręce na piersi.

– Czy nie szepnąłeś mi do ucha, że oboje powinniśmy się napić?

Podrapałem się po głowie.

– Brzmi mgliście znajomo. Chyba przypominam sobie coś takiego.

– Dobrze. W takim razie przestań być takim mięczakiem. Albo pijesz, albo zwalniaj miejsce dla kogoś, kto będzie to robić.

– Dobra, sama o to prosisz.

Barman podszedł już z butelką patróna w ręce. Widział wcześniej ten film.

– Niech zgadnę. Następna kolejka?

Pokręciłem głową.

– Dwie – odparłem. – Mamy za sobą parę bardzo ciężkich, pracowitych dni.

Gdy facet chichotał i nalewał, sięgałem do portfela. Trudno powiedzieć, czy planowałem to od początku, ale, jak z waletem karo w kierkach, wiedziałem, że mam całkiem dobrą kartę.

– Co to? – zapytała. – Płacisz rachunek?

– To nie jest karta kredytowa.

– Ale tak wygląda – powiedziała, biorąc ją ode mnie. Obejrzała obie strony. – Nic tu nie ma.

Miała rację: nie było. Karta była czarna, grubości pokerowego żetonu, wypolerowana do oślepiającego połysku. Ale, jak powiedziała Sarah, nic na niej nie było. Tylko wewnątrz, przypuszczałem.

– Dobra, poddaję się. Do czego to? – zapytała.

– Do tego, co robi.

– To znaczy? Co robi?

Zabrałem jej kartę.

– Jest tylko jeden sposób, żeby się dowiedzieć – odparłem.

To rzekłszy – bang, bang – wychyliłem oba stojące przede mną kieliszki tequili. Schowałem kartę do portfela i wyjąłem trochę gotówki.

Teraz rzeczywiście płaciłem rachunek.

– Proszę zatrzymać resztę – powiedziałem do barmana, zsuwając się ze stołka.

– Czekaj... dokąd idziesz? – zapytała Sarah.

Byłem już w połowie drogi do drzwi i nie czułem bólu.

– Tam, gdzie ty – odparłem.

# Rozdział 107

Złapaliśmy taksówkę na Manhattan, pojechaliśmy na Upper East Side. Ściślej mówiąc, na skrzyżowanie Sześćdziesiątej Trzeciej Ulicy i Piątej Alei. Jeszcze zanim portier otworzył drzwi, Sarah się domyśliła.

– Breslow? – zapytała.

– Masz bardzo dobre... umiejętności analityczne.

Gdy tylko znaleźliśmy się w windzie, powiedziałem jej o prawniku Breslowa – niewątpliwie jednym z jego wielu prawników – który dał mi kopertę. Wiadomość była krótka: Gdybyś kiedyś potrzebował lokum, żeby się zatrzymać...

– Były też adresy – dodałem.

Zamrugała kilka razy z niedowierzania.

– Adresy? W liczbie mnogiej?

– Nowy Jork, Chicago, Los Angeles i Dallas. I z dziesięć więcej za granicą. Paryż, Londyn, Rzym.

– I ta karta otwiera je wszystkie?

– Podobno.

Dotąd jej nie użyłem, co wprawiło Sarah w jeszcze większe osłupienie. Drzwi windy otworzyły się w holu na najwyższym piętrze. Wyjaśniłem, że od czasu, gdy Breslow mnie wynajął, nie miałem potrzeby zatrzymywać się na Manhattanie. Ani w Paryżu, jeśli o to chodzi.

– Nie byłeś przynajmniej zaciekawiony? – zapytała.

– Może byłem. Ale pewnego ranka w moim domu zjawiła się zwariowana agentka FBI i ten drobiazg wypadł mi z pamięci. Przypomniałem sobie o nim w barze.

Nie musieliśmy zgadywać, które drzwi prowadzą do mieszkania. Były tylko jedne.

– Czekaj – szepnęła Sarah.

Miałem zamiar przesunąć kartę nad niewielkim czytnikiem obok drzwi.

– O co chodzi? – zapytałem.

– A jeśli ktoś tam jest?

– Na przykład?

– Nie wiem. Breslow?

– Ten sam Breslow, który, o ile wiem, obecnie przebywa w Londynie?

– Dobra, ktoś inny. Inna osoba, która dla niego pracuje. Ktokolwiek.

– Masz rację – przyznałem z poważną miną. – Naprawdę powinniśmy zawrócić i ruszyć do hotelu FBI, gdzie mają darmowe HBO.

– No dobrze.

Znowu miałem zamiar otworzyć drzwi. Znowu mnie powstrzymała.

– Czekaj! Nie możemy tego zrobić.

– Dał mi tę kartę, Sarah. Naprawdę wszystko w porządku.

– Nie, chodzi mi o to, że nie możemy tego zrobić.

– Czego?

– Tego, co, jak sądzę, mamy zamiar.

– To znaczy czego? – dociekałem, zgrywając głupka. Lepiej, żeby ona to powiedziała, nie ja. I rzeczywiście...

– Uprawiać... seks – wykrztusiła.

– A kto mówił o seksie?

– No, właśnie ja to zrobiłam. Jesteś facetem i oboje piliśmy.

– Hej, to seksistowska uwaga!

– Masz rację. Przepraszam.

Uśmiechnąłem się.

– Czy to znaczy, że zamierzamy uprawiać seks?

Przewróciła oczami i zarobiłem solidnego prawego haka w zdrowe ramię. Pochyliła się w moją stronę.

– Wiesz, co to jest, prawda?

– Numer komediowy? Całkiem niezły.

– To tak zwana fascynacja po spojrzeniu śmierci w oczy – wyjaśniła. – Zdarza się, kiedy dwoje ludzi wychodzi cało z jakiejś niebezpiecznej sytuacji.

– Pominęłaś tequilę.

– To tylko oliwi kółka.

– Uwielbiam, gdy świntuszysz.

Znów mnie trzepnęła. Moje zdrowe ramię już nie było takie zdrowe.

– Mówię, że nie powinniśmy mylić współpracy ze współżyciem – powiedziała.

– Wiesz co? Masz rację. To naprawdę komplikuje sprawę – oznajmiłem, jakbym właśnie doznał objawienia. – Faktycznie powinniśmy odejść. Zrezygnować z wchodzenia do środka i przeżycia być może najwspanialszych chwil w naszym życiu.

Wbiła we mnie oczy i wybuchnęła tym swoim głupkowatym śmiechem.

– Dobra, mimo że była to najbardziej kiepska i kulawa próba manipulacji, o jakiej kiedykolwiek słyszałam, zamierzam coś zaproponować.

– Czy mamy znowu się pobrać?

Gdy tylko to powiedziałem, natychmiast zasłoniłem ramię. Na szczęście miała dla mnie litość.

– Nie. Oto moja propozycja. Powinieneś mnie pocałować.

– Powinienem?

– Tak. Jeśli będzie dobrze, wejdziemy do środka. Jeśli nie, odejdziemy. I nigdy więcej nie wspomnimy o tym słowem.

– Rany. Wiele zależy od jednego pocałunku – stwierdziłem. – Zwłaszcza gdy chodzi o faceta, który wyszedł z wprawy.

– Już się zaczynasz wykręcać?

– Nie. Po prostu próbuję wynegocjować lepsze warunki.

Podeszła do mnie. Dzieliły nas centymetry, jej usta znalazły się blisko moich. Bawiła się ze mną i to mi się podobało, naprawdę.

– Wóz albo przewóz, O'Hara. Pocałuj mnie, głupku.

# Rozdział 108

Myślałem, że dzwonienie, które nazajutrz rano usłyszałem w głowie, jest witającym się ze mną wrednym małym kacem. Okazało się, że to telefon, który Sarah położyła przy łóżku. Wyglądało na to, że Dan Driesen zrywa się skoro świt.

Uchyliłem jedno oko, nie unosząc głowy z poduszki, i zobaczyłem, że Sarah opiera się o wezgłowie, symbolicznie okryta prześcieradłem. Nie musiała przykładać palca wskazującego do ust. Zrobiła to, ale nie miałem do niej pretensji. Chciała mieć pewność, że się nie odezwę, a nawet nie będę zbyt głośno oddychać.

Założyłem, że moje zaśpiewane na całe gardło rewelacyjne wykonanie *Danny Boy* też nie wchodzi w rachubę.

Sarah słuchała w skupieniu. Nie słyszałem, co mówi jej Driesen, ale stało się to idealnie jasne, kiedy ciężko westchnęła i wyrzekła tylko jedno słowo.

– Gdzie?

Ned Sinclair znowu zabił.

Ma facet jaja. A może po prostu nie oglądał telewizji albo nie czytał gazet od czasu, gdy ujawniono światu jego nazwisko

354

i zdjęcie. Może po prostu podchodził do tego, co robi, jak koń wyścigowy w okularach. Nie pozwalaj, żeby coś cię rozproszyło. Nie dopuszczaj do siebie świadomości ani strachu, że ktoś na ciebie poluje. Skupiaj się wyłącznie na bieżącym zadaniu: morderstwie.

Sarah zasypała Driesena pytaniami. Pierwsze z nich brzmiało: czy jest jakiś list, jakaś wiadomość, czy coś znaleziono przy ostatniej ofierze Sinclaira. Poza tym, czy byli świadkowie? Czy są jakieś nowe tropy?

Znów nie musiałem słyszeć odpowiedzi Driesena. Mars na czole Sarah mówił sam za siebie. Nie znaleziono żadnego listu ani wiadomości, nie było świadków ani żadnych tropów. Dochodzenie, że tak powiem, utknęło w martwym punkcie.

Co sprawiło, że następna część rozmowy była dla niej znacznie trudniejsza.

– Musi pan pozwolić mi tam jechać – powiedziała błagalnym tonem do Driesena.

Nieważne, gdzie dokładnie to „tam" było na mapie. Niedługo poznam nazwę rodzinnego miasta najnowszej ofiary.

Sęk w tym, że bez względu na to, czy ten John O'Hara mieszkał w Spokane czy Skokie, w Saint Louis czy Saint Paul, Sarah tam nie pojedzie. Wiedziałem to i w głębi duszy ona też wiedziała. Mogła się wykłócać do bólu, ale Driesen był skłonny zmienić zdanie nie bardziej, niż Ned Sinclair zapomnieć, jak wygląda Sarah.

Minutę później, po wyczerpaniu wszelkich możliwych argumentów, jakie jej przyszły na myśl, wreszcie pomachała białą flagą.

– Niech pan mi da znać, jak idzie – powiedziała i zakończyła połączenie.

W końcu mogłem się odezwać, ale wiedziałem, że lepiej tego nie robić. Sarah musiała ochłonąć. Minęło może pół minuty, zanim na mnie spojrzała.

– Casper w Wyoming – powiedziała. – Znaleziono go trzy godziny temu.

– Ten sam kaliber?

– Tak. Jeden z głowę, jeden w serce.

– Driesen tam jedzie?

– Głównie by złożyć oświadczenie mediom. To będzie cyrk na skalę światową. Tym większy powód, żebym tam pojechała.

– Więc co teraz będzie? – zapytałem.

– Mam wziąć urlop. Dwa tygodnie, obowiązkowo.

– A ja?

Ale już byłem całkiem pewien, jaką odpowiedź usłyszę. Jej mina to potwierdziła.

– Rany, ciekawe, co dziś wieczorem dają w HBO – powiedziałem.

To przynajmniej skłoniło ją do uśmiechu.

– Oczywiście, Driesen myśli, że już tam jesteś.

Popatrzyłem na nas oboje, nagich pomiędzy prześcieradłami.

– Dobrze, że nie jest miłośnikiem wideorozmów.

Znowu się uśmiechnęła, ale poznałem, że myśli o czymś innym.

– Co jest? – zapytałem.

– Coś, o czym wspomniał Driesen – odparła. – Prawdę mówiąc, to coś, co od początku nie dawało mi spokoju w tej sprawie.

# Rozdział 109

Leżałem na boku, czekając, żeby Sarah wyjaśniła, co ma na myśli. Tyle że tego nie zrobiła.

Wstała z łóżka i zarzuciła na siebie jeden z dwóch kaszmirowych szlafroków, które leżały idealnie złożone na stojącym w pobliżu szezlongu. Miły akcent, Breslow. Niezłe musisz wieść życie.

– Dokąd idziesz? – zapytałem.

– Znaleźć mapę.

Mapę? Dobra, może być.

Gdy wyszła z sypialni, włożyłem drugi szlafrok. Zaraz ją dopędzę. Najpierw rozpaczliwie musiałem znaleźć coś innego. Aspirynę.

Breslow zadbał o wszystko. W szufladzie pomiędzy umywalkami znalazłem dużą butelkę aspiryny Bayer. Popiłem dwie tabletki garścią wody, a potem popełniłem błąd, patrząc na siebie w lustrze.

Wyszedłem z łazienki i po raz pierwszy oglądałem mieszkanie Breslowa w świetle dziennym. Pod wieloma względami było takie, jak się spodziewałem: wielkie, gustownie umeblowane, z zapierającym dech widokiem na Central Park.

A jednak nie mogłem nie wykryć czegoś w rodzaju podtekstu, jakby Breslow nie pokazał pełni swoich możliwości, żeby móc powiedzieć: Jeśli sądzisz, że mieszkanie jest ładne, powinieneś zobaczyć dom, w którym naprawdę mieszkam. Widziałem go, oczywiście. Może właśnie dlatego wyłapałem klimat.

– Sarah, gdzie jesteś? – zawołałem.

– Tutaj – odparła z biblioteki przy salonie.

Stała za mahoniowym biurkiem, patrząc na wielką otwartą księgę, którą ściągnęła z regału. Był to atlas świata. Znalazła potrzebną jej mapę.

– No tak, jestem pewien, że nie planujesz swojego urlopu – rzuciłem.

Miałem większą rację, niż zdawałem siebie z tego sprawę. Prawdę mówiąc, w tej chwili miałem więcej racji, niż oboje zdawaliśmy sobie z tego sprawę.

Sarah patrzyła na mapę Stanów Zjednoczonych, wyszukując miejsca, w których zabijał Ned Sinclair. Już otoczyła miasta kółeczkami.

– Przepraszam – bąknęła, gdy podszedłem do biurka. – Nie mogłam się powstrzymać. Sądzisz, że Breslow mi wybaczy?

Popatrzyłem na to, co musiało być tysiącem książek na półkach.

– Przypuszczam, że nikt nie zauważy – powiedziałem. – A teraz mów, w czym problem. Co nie daje ci spokoju?

– Nie mogę wykombinować, dlaczego Sinclair przeskakuje Johnów O'Harów, którzy są bliżej jego ostatniej ofiary. To znaczy, że w grę wchodzi coś innego. Kolejny wzór.

– Tak było z tym ostatnim, w Casper?

– Tak. Driesen już sprawdził. Powiedział mi, że co najmniej czterech O'Harów mieszka bliżej ostatniej ofiary. Dlaczego Sinclair przemierza setki kilometrów więcej, niż potrzeba? Żeby nas zmylić?

– Może sprawdza tych bliższych O'Harów i dochodzi do wniosku, że nie zdoła ich odizolować, że to zbyt ryzykowne.

– I szuka kolejnych?

– To proste wyjaśnienie.

– Wiem. I właśnie dlatego nie daje mi spokoju, John. Zbyt proste. Jest coś, czego nie widzimy, wzór wewnątrz wzoru.

– Ale to wszystko, co jak dotąd nam pokazał. Jeden wzór po drugim. Wszystkie ofiary mają takie samo imię i nazwisko? Wzór. Zabija, przemieszczając się z zachodu na wschód? Wzór. Zostawia jakąś wskazówkę przy każdej ofierze? Wzór.

Sarah natychmiast szeroko otworzyła oczy. Spojrzała na mapę.

– Mój Boże! – krzyknęła. – O to chodzi!

– Co jest?

Podniosła pisak z biurka.

– Nie widać lasu, bo drzewa zasłaniają – powiedziała. – Powód, z jakiego robi to tak, a nie inaczej.

– Bo chce mnie zabić.

– Tak. Ale dlaczego?

– Sama mi powiedziałaś, kiedy poskładaliśmy wszytko do kupy – odparłem. – Wini mnie za śmierć swojej siostry.

– Otóż to. I każda wskazówka pozostawiona przy ofiarach była jak zagadka, prawda? Wszystkie miały takie samo rozwiązanie.

Szczęka mi opadła, gdy Sarah dźgnęła pisakiem w sam środek Los Angeles, gdzie w szpitalu psychiatrycznym Eagle Mountain Ned zamordował swoją pierwszą ofiarę, pielęgniarza Johna O'Harę o przezwisku As. Stamtąd pociągnęła linię, łącząc kropki, miejsca zamieszkania jego trzech następnych ofiar.

Winnemucca w Nevadzie. Candle Lake w Nowym Meksyku. Park City w Utah.

Wyszła litera N.

Ned Sinclair pisał „Nora".

# Rozdział 110

Sarah niemal zmieniła zdanie podczas jazdy taksówką na lotnisko LaGuardia. Niemal zmieniła je znowu, gdy czekaliśmy, żeby wejść na pokład.

– Nie chce mi się wierzyć, że mnie namówiłeś – powiedziała na wysokości dziesięciu tysięcy metrów gdzieś nad Pensylwanią.

– Nie masz się czym przejmować – zapewniłem. – Zawsze możesz powiedzieć Driesenowi, że wybrałaś się na urlop.

– Do Birdwood w Nebrasce?

Dobra, może nie. Ale choć Birdwood miało spore braki pod względem walorów turystycznych, nie mogliśmy się doczekać, kiedy tam w końcu dotrzemy. Nie dość, że mieszkał tam jedyny O'Hara w promieniu stu pięćdziesięciu kilometrów, to jeszcze – po Candle Lake w Nowym Meksyku i Casper w Wyoming – było to idealne miejsce do uzupełnienia O w imieniu Nora.

Pytanie, czy Ned Sinclair dotarł tam szybciej niż my. Najwyraźniej nie.

– Jak proponujecie to załatwić? – zapytał Burt Melvin.

Był tamtejszym komendantem policji i z nim przeprowadziliśmy jedyną rozmowę telefoniczną przed naszą podróżą. Wynajęliśmy jeepa grand cherokee na lotnisku krajowym w North Platte, przejechaliśmy jakieś piętnaście kilometrów i spotkaliśmy się z Melvinem w Birdwood na posterunku.

Gdy tylko usłyszał wiadomości o ostatniej ofierze w Casper, przydzielił Harze, jak go tutaj zwali, całodobową ochronę. John O'Hara z Birdwood był wieloletnim przyjacielem Melvina i właścicielem sklepu żelaznego. Był również weteranem wojny w Wietnamie i zapalonym myśliwym, co mogło wyjaśniać, dlaczego nie zgodził się opuścić domu i ukryć przed jakimś, cytuję, „obłąkanym sukinsynem, który pragnie się spotkać ze swoim stwórcą".

– Gdzie ma pan swoich ludzi? – zapytała Sarah.

– Jednego przed domem, jednego w środku. Kryje drugie wejście, rozsuwane szklane drzwi na taras – odparł Melvin.

– Ten od frontu jest w radiowozie czy nieoznakowanym aucie?

– W radiowozie – odparł. – A dlaczego?

Ja wiedziałem dlaczego. Wiedziałem też, że Sarah musi bardzo ostrożnie udzielać odpowiedzi. Nie mogliśmy wpadać do miasta i jakby nigdy nic prosić jakiegoś policjanta, żeby został królikiem doświadczalnym.

– Nie złapiemy tego zabójcy, jeśli go odstraszymy – powiedziała.

Melvin pokiwał głową, drapiąc jednocześnie koniuszek gęstych wąsów. Przypominał trochę wielkiego łapacza, byłego kapitana Jankesów, Thurmana Munsona.

– Co pani sugeruje? – zapytał nieufnie.

– Wraz z agentem O'Harą podjedziemy od frontu nieozna-kowanym samochodem, a pan zatrzyma jednego ze swoich ludzi wewnątrz. Tak jak do tej pory.

Zaśmiał się i natychmiast przeprosił.

– Przepraszam – powiedział, zwracając się do mnie. – Wciąż nie mogę przejść do porządku nad tym, że pan też się nazywa O'Hara, John O'Hara. To trochę jak wbieganie w tor-nado, zamiast przed nim uciekać, no nie?

Gdybyś tylko wiedział, przyjacielu. Gdybyś tylko wiedział.

Melvin chętnie przystał na propozycję Sarah, przypusz-czalnie dlatego, że dzięki temu mógł wyznaczyć do tego zadania jednego, a nie dwóch swoich ludzi.

– Oszczędza mi pani kupę forsy za nadgodziny z budżetu, który już i tak jest bardzo napięty – powiedział. Uśmiechnął się. – Jak długo zostaniecie w mieście?

– Tak długo, jak będzie trzeba – odparła Sarah.

Oboje wiedzieliśmy, że to nieprawda. W FBI można pójść na samowolkę, ale nie na długo. Mieliśmy dwadzieścia cztery godziny, maksymalnie trzydzieści sześć.

Tak czy inaczej, zmierzaliśmy ku jakiemuś rodzajowi pod-sumowania.

# Rozdział 111

– Gdybyś mnie potrzebowała, będę w sypialni – zażartowałem, przenosząc się na tył naszego wynajętego grand cherokee. Z opuszczonym tylnym siedzeniem i kocem rzeczywiście było tam nieźle w porównaniu z parszywymi motelami, w których się zatrzymywałem, gdy działałem jako glina pod przykrywką.

Spojrzałem na zegarek.

Dwadzieścia trzy godziny i czas nadal ucieka.

Parkowaliśmy pod skosem po drugiej stronie ulicy naprzeciwko domu Johna O'Hary na Stillwater Lane. Z pewnością trafili z tą częścią „still", spokojna. Nie tylko nie było ani śladu Neda Sinclaira, ale zasadniczo nie było nikogo.

To znaczy z wyjątkiem pośredników w handlu nieruchomościami. Wszędzie stały ich tablice. Połowa domów w kwartale – wszystkie w stylu ranczerskim, wszystkie pokryte szarym, białym albo brązowym gontem – była wystawiona na sprzedaż. Krótko mówiąc, mieszkańcy Stillwater Lane mieli spore kłopoty ze spłaceniem długów hipotecznych.

Wziąwszy to wszystko razem, widok był bardzo przygnębiający, choć się przyczynił do rozwiązania naszego problemu. Dzięki pośrednikowi, którego znał komendant Melvin, Sarah i ja mogliśmy chodzić do pustego domu w głębi ulicy, żeby korzystać z łazienki i się myć.

Ale spaliśmy w jeepie. To nie wymagało specjalnej gimnastyki umysłowej. Jeśli Ned Sinclair zamierzał się pojawić, musimy być blisko. Naprawdę blisko.

– Staraj się nie chrapać, dobrze? – zripostowała Sarah zza kierownicy.

Zbeształa mnie za pomysł spania w nocy po cztery godziny na zmianę i powiedziała, że tyle mi nie wystarczy. Nie mogłem się powstrzymać. Byłem skonany.

Wyciągnąłem się z tyłu. Za pół godziny zjawi się gliniarz, żeby zmienić kolegę i czuwać od dwudziestej do drugiej nad ranem. Miał przynieść kolację. Krótka drzemka była zgodna z zaleceniem lekarza.

Niestety, ledwie przymknąłem oczy, usłyszałem, jak Sarah mruczy:

– Wcześnie.

Usiadłem, spojrzałem przez boczne okno i zobaczyłem radiowóz wjeżdżający na podjazd O'Hary.

Wysiadł funkcjonariusz Lohman. Zapamiętałem jego nazwisko, ponieważ wczoraj przyniósł chińskie danie na wynos i jadłem wieprzowinę lo mein.

Zakonotuj sobie: nigdy nie zamawiaj wieprzowiny lo mein w Birdwood, stan Nebraska.

– Cholera, gdzie nasza pizza? – zapytałem, widząc, że glina idzie z pustymi rękami. Nie dość, że przyjechał za wcześnie, to jeszcze zapomniał o naszej dużej pepperoni z pieczarkami. Czy on nie ma wstydu?

Najwyraźniej nie miał też żadnego usprawiedliwienia. Sarah i ja czekaliśmy, żeby podszedł do nas i podał jakieś wyjaśnienie. Powinien przynajmniej potwierdzić częstotliwość używaną podczas jego zmiany.

Ale poszedł prosto do domu O'Hary. Sarah natychmiast wysiadła z jeepa.

– Zobaczę, o co chodzi – powiedziała.

Patrzyłem, gdy szła przez ulicę, wykrzykując nazwisko Lohmana. Kiedy się odwrócił, miał zaskoczoną minę.

To nie miało sensu; przecież wiedział, że tu będziemy.

Coś było nie w porządku.

# Rozdział 112

Wszystko rozegrało się błyskawicznie, jednak miałem dziwne, nieprzyjemne wrażenie, że oglądam to w zwolnionym tempie. Prawdopodobnie dlatego, że nie mogłem nic zrobić, żeby ją ocalić.

W połowie drogi między jeepem i policjantem Lohmanem Sarah desperacko sięgnęła po pistolet. Desperacko, ponieważ Lohman z niewyjaśnionych przyczyn już wyciągał swój.

Oddał jeden strzał i krew trysnęła z ramienia Sarah, gdy się zatoczyła do tyłu. Drugi pocisk trafił w bark i obrócił ją dokoła. Upadła twarzą na ziemię.

Powinienem wyskoczyć z jeepa tylnymi drzwiami, zejść z linii ognia. W niczym jej nie pomogę, jeśli ja też oberwę. Ale adrenalina, złość i czysta frustracja, z jaką patrzyłem na atak, kazały mi wypaść na ulicę. Co sił w nogach pobiegłem prosto na niego.

Strzelił, gdy uniosłem pistolet, kula świsnęła mi tak blisko ucha, że poczułem podmuch.

Teraz moja kolej, dupku.

On też to wiedział. Po moim pierwszym pociągnięciu za

spust już biegł do skradzionego radiowozu. Kiedy się odwrócił, żeby do mnie strzelić, opróżniłem magazynek tak szybko, że upuścił broń, robiąc nura za maskę samochodu.

– Trzymaj – wyszeptała z trudem Sarah, gdy przy niej ukląkłem. Lekko uniosła rękę, żeby podać mi swój pistolet. – Załatw go.

Ale nawet go nie widziałem. I w żadnym wypadku nie chciałem jej zostawić.

Osłaniając ją najlepiej, jak mogłem, czekałem na jego następny ruch.

Ruch wykonał ktoś inny.

Frontowe drzwi się otworzyły. Stanął w nich gliniarz, który pilnował O'Hary w domu. Miał pistolet w ręce i był zdezorientowany jak wszyscy diabli.

Dlaczego agent FBI strzela do mojego kolegi?

Tyle że nie był to jego kolega.

Nawet w mundurze, nawet w czapce naciągniętej nisko na oczy, nawet w cieniach zachodzącego słońca, nawet jeśli widziałem go tylko na starym zdjęciu – wiedziałem.

– To on! – wrzasnąłem. – To Sinclair!

Nie mogłem winić gliniarza, że zamarł na ułamek sekundy, gdy łączył fakty obejmujące ponury los, który prawdopodobnie spotkał prawdziwego funkcjonariusza Lohmana. Nie kradnie się munduru i samochodu uzbrojonemu policjantowi, mówiąc „ślicznie proszę".

Jeśli miał jakieś wątpliwości, w kogo powinien wycelować swój pistolet, Sinclair natychmiast je rozwiał. Wyskoczył przed radiowóz jak diabełek z pudełka, oddał dwa szybkie strzały w stronę gliniarza i znowu zniknął z pola widzenia. Drugi pocisk strzaskał drewnianą futrynę drzwi, o włos mijając pierś policjanta, gdy wskakiwał do domu. Z pewnością już wzywał wsparcie.

Następnym dźwiękiem, jaki usłyszałem, było skrzypnięcie drzwi otwierających się po niewidocznej dla mnie stronie radiowozu, po stronie kierowcy. Nie widziałem go i taki był jego plan. Wsunął się za kierownicę, zapuścił silnik. Trzymając głowę poniżej deski rozdzielczej, wcisnął gaz, na ślepo wycofując samochód z podjazdu.

Mój pierwszy strzał trafił w boczne okno, rozbijając szybę. Następne oddałem w opony, biorąc na cel dwie najbliższe.

Ale wciąż jechał. Wytoczył się na ulicę, wrzucił wsteczny. Opony zapiszczały na asfalcie, gdy wcisnął gaz.

– Za nim!

Wyglądało na to, że Sarah zebrała resztki sił, żeby powstrzymać mnie od zrobienia tego, co chciałem zrobić. I tak to zrobiłem. Pozwoliłem Sinclairowi odjechać, nie próbowałem go ścigać. Zostałem, żeby udzielić jej pomocy.

Wyjąłem złożoną chusteczkę, mocno ją przycisnąłem do rany, żeby zatamować krwawienie.

– Proszę – powiedział ktoś za moimi plecami. Policjant z domu podał mi pasek. – Karetka jest w drodze.

Zacisnąłem pasek nad drugą raną, tą poniżej bicepsa. Sarah już straciła mnóstwo krwi.

– Będzie dobrze – zapewniłem ją. – Wszystko będzie dobrze.

Spojrzała na grand cherokee.

– Powinieneś jechać za nim – powiedziała słabym głosem, prawie szeptem.

– I co, stracić okazję do zabawy w doktora?

Widziałem, że chce się roześmiać, ale nie ma siły.

– Ty wielki palancie.

Wsunąłem dłonie pod jej głowę. Oddychała wolniej, z większym wysiłkiem. Do diabła, gdzie ta karetka?

– Wytrzymaj, dobrze? Musisz wytrzymać dla mnie – powiedziałam.

Leciutko poruszyła głową, te piękne, zielone jak nefryt oczy walczyły, żeby się nie zamknąć.

Aż w końcu nie mogły dłużej walczyć.

# Rozdział 113

Pielęgniarka podwieszająca piąty worek z krwią do transfuzji dla Sarah w regionalnym centrum medycznym Great Plains nie miała pojęcia, że ona i jej różowy kitel są wszystkim, co oddziela mnie od słownej chłosty, jaką bez wątpienia wymierzy mi Dan Driesen. Przed chwilą wszedł tutaj prosto z Casper, bez marynarki, z podwiniętymi rękawami. Nie odezwał się do mnie słowem, ale gdyby wzrok mógł zbijać, już leżałbym na płask w kostnicy.

Nie mogłem mieć pretensji do faceta, że jest wściekły jak wszyscy diabli. Do niedawna wyprzedzała mnie moja reputacja. Teraz udało mi się ją prześcignąć w sposób, który z pewnością spowoduje moje ponowne zawieszenie, o ile nie wykopanie z FBI na zawsze.

Jasne, Sarah była dużą dziewczynką i sama postanowiła jechać ze mną do Birdwood, ale teraz już trzynaście godzin leżała nieprzytomna, straciwszy więcej krwi niż, cytuję, „większość ludzi, którzy przeżyli i mogli o tym opowiedzieć".

Lekarz, który rzucił tym tekstem, miał spojrzenie tak ostre, że mógłby ciąć nim szkło.

– Pora odwiedzin kończy się za piętnaście minut – oznajmiła pielęgniarka, wychodząc z pokoju. Równie dobrze mogłaby trzasnąć w gong przy ringu w Madison Square Garden.

Panowie, zetknijcie rękawice i stawajcie do wali.

Driesen krążył wokół mnie przez chwilę, jakby chciał się przekonać, czy wystąpię z jakimś kiepskim usprawiedliwieniem albo, co gorsza, spróbuję dowodzić, że nie zrobiłem niczego złego. Ale to byłoby równoznaczne z wystawieniem się na jego pierwszy cios. Wiedziałem, więc wolałem tego nie robić.

Tylko patrzyłem na niego w milczeniu. W końcu się na mnie wyładował.

– Coś ty, kurwa, sobie myślał? – zapytał.

– Ja...

– Milcz! – warknął. – Czy masz świadomość, pod iloma względami zawaliłeś sprawę?

– Wiem, że...

– ZAMKNIJ SIĘ! – wrzasnął. – NIE CHCĘ TEGO SŁUCHAĆ!

Wstałem, zrobiłem krok w jego stronę.

– W TAKIM RAZIE PRZESTAŃ, KURWA, MNIE WY-PYTYWAĆ! – odwrzasnąłem.

Był to zły ruch, ale nie mogłem się powstrzymać. Poza tym co znaczy jeden więcej zły ruch po tak wielu innych?

Driesen przysunął twarz tak blisko, że mógłbym policzyć jego rozszerzone pory. Wystawianie się na cios przestało być metaforą. Facet wyglądał tak, jakby rzeczywiście chciał się na mnie zamachnąć.

Na szczęście ocalił mnie gong. Ta sama kobieta, która dała sygnał do rozpoczęcia rundy, teraz ją zakończyła.

Wpadła do pokoju wraz ze swoim różowym kitlem, gumowe podeszwy jej butów popiskiwały na podłodze jak paznokcie po tablicy.

– Dość! – warknęła. – Odwiedziny skończone!

Przez chwilę Driesen patrzył na nią ze zmarszczonymi brwiami, jakby się zastanawiał, jak zareagować. Wybrał spokój i przeprosiny.

– Bardzo przepraszam – powiedział. – Już będziemy cicho.

– A żeby pan wiedział. Bo obaj stąd wyjdziecie... natychmiast!

Na dokładkę wskazała drzwi jak baseballista Babe Ruth, gdy wskazywał, gdzie wybije piłkę, a następnie obiegał wszystkie bazy.

Oczywiście, jako aktualny ekspert od złych posunięć mógłbym jej powiedzieć, żeby poszła tam, skąd ją diabli przynieśli.

Driesen zrobił zwrot o sto osiemdziesiąt stopni. Spokój i przeprosiny poszły w niepamięć, ich miejsce zajął apokaliptyczny wybuch. Z rykiem głośniejszym, niż uważałem za możliwe, natarł na tę niską, krępą kobietę tak szybko i wściekle, że wydawałoby się to śmieszne, gdyby nie było straszne.

Wtedy zrozumiałem. Driesen był więcej niż szefem Sarah. Był jej mentorem, jej rabbim, autorytetem. Nam obu naprawdę zależało, żeby wyzdrowiała.

Punkt dla niego za wrzeszczenie jak szaleniec.

Ledwie Driesen ucichł na sekundę, choćby tylko dla nabrania tchu, usłyszeliśmy najpiękniejszy dźwięk na świecie...

głos, co do którego nie miałem pewności, że jeszcze go usłyszę.

– Chryste... Czy tutaj dziewczyna nie może trochę pospać?

Wszyscy jak jeden mąż odwróciliśmy się w stronę Sarah leżącej na łóżku, teraz z otwartymi oczami. Driesen się uśmiechnął, ja się uśmiechnąłem. Nawet pielęgniarka się uśmiechnęła.

Potem uśmiechnęła się Sarah.

Wydobrzeje.

# Rozdział 114

Chciałem do niej podbiec. Objąć ją. Pocałować. Przynajmniej ująć jej rękę, żeby mogła poczuć mój dotyk.

Nie mogłem zrobić żadnej z tych rzeczy.

Z Driesenem w pokoju byłem tylko kolegą Sarah z FBI, bardzo szczęśliwym, że postanowiła żyć. Wszystkie uśmiechy i ulga – ze stosownej i platonicznej odległości.

Pielęgniarka wezwała lekarza. Gdy tylko się zjawił, Driesen ruchem ręki przywołał mnie w kąt pokoju przy drzwiach. Skończyły się wrzaski i skakanie sobie do gardeł. W pokoju panowała miła atmosfera. A jednak gdy się odezwał, jego ton nie pozostawiał wątpliwości. Był śmiertelnie poważny.

– Oto co teraz będzie, czy ci się to podoba, czy nie – zaczął, po czym roztoczył przede mną wizję pobytu w hotelu FBI w Nowym Jorku na czas nieokreślony. Praktycznie rzecz biorąc, areszt domowy do czasu ujęcia Sinclaira. – Czy to jasne?

– Jasne – odparłem.

Miałem tylko jeden wolny wybór: zabrać chłopców z obozu, żeby mieć ich przy sobie, czy nie.

– Zastanów się nad tym, a ja zadzwonię w parę miejsc – powiedział Driesen, sięgając po komórkę.

Wyszedł z pokoju, wreszcie zostawiając mnie i Sarah samych. Szpitale to jedne wielkie obrotowe drzwi i nie było wiadomo, kiedy wrócą pielęgniarka, lekarz czy nawet Driesen, więc załatwiłem to szybko. Pocałunek. Uścisk. Miałem okazję jej powiedzieć, że wystraszyła mnie jak wszyscy diabli. Nie musiałem mówić, że od śmierci żony nie żywiłem podobnych uczuć do żadnej kobiety.

Sarah wykombinowała to na własną rękę.

– Rozpoznałam go – powiedziała, nawiązując do Sinclaira. – Ale on rozpoznał mnie pierwszy.

– Tylko o ułamek sekundy.

Spojrzała na bark, potem na ramię, jedno i drugie grubo obandażowane.

– Wystarczyło.

Z uśmiechem ścisnąłem jej dłoń.

– Szczęśliwy traf.

Jak można się było spodziewać, następna pielęgniarka lekko stuknęła w drzwi i wmaszerowała do pokoju. Szybko puściłem rękę Sarah, choć akurat ta pielęgniarka była zbyt zajęta przyniesionym bukietem żółtych lilii, żeby to miało jakieś znaczenie.

– Przed chwilą dostarczono je dla pani – oznajmiła. Postawiła bukiet na parapecie, najpierw zanurzając w nim nos i robiąc głęboki wdech – Fantastycznie pachną.

Po jej wyjściu Sarah spojrzała na kwiaty, potem na mnie. Dostała co najmniej dwa tuziny lilii, pięknie ułożonych.

– Nie patrz na mnie, nie ja je przysłałem – powiedziałem. Zaśmiała się.

– Na pewno nie Driesen. Kwiatów zdecydowanie nie ma w jego repertuarze.

– Może taka procedura obowiązuje obecnie w Quantico – zażartowałem. – Jeden tuzin za jedną kulkę, którą obrywasz.

Podszedłem do bukietu i zauważyłem małą kopertę przymocowaną do krawędzi szklanego wazonu. Wyjąłem kartkę, przeczytałem w milczeniu.

– Od kogo? – zapytała.

Nie odpowiedziałem od razu. Przeczytałem bilecik drugi raz, myśląc. Szybko myśląc.

Sarah ponowiła próbę.

– John, od kogo te kwiaty?

Spojrzałem na nią, pokręciłem głową.

– I tyle, jeśli chodzi o moją teorię Quantico.

– Jak mam to rozumieć?

– Musieli pokręcić nazwiska. Te kwiaty są dla niejakiej Jessiki Baker – powiedziałem. – Pójdę wyjaśnić to z pielęgniarką.

Podszedłem i pocałowałem Sarah w czoło. Wyszedłem z pokoju, wsiadłem do windy i opuściłem szpital. Nie poszedłem zobaczyć się z pielęgniarką. I dopilnowałem, żeby Dan Driesen mnie nie zobaczył.

Nie cierpiałem okłamywać Sarah, ale byłoby gorzej, gdyby ona musiała łgać, żeby mnie chronić. Praktycznie słyszałem, jak Driesen mnie przeklina i ją wypytuje, gdzie się, do licha, podziałem.

Ale ona mu nie powie. Nikt nie powie. Nikt nie wiedział, dokąd się udaję.

To przeczucie należało wyłącznie do mnie.

# Rozdział 115

Deszcz padał bezustannie, tłukł w przednią szybę tak mocno, że wycieraczki ledwo nadążały zgarniać wodę. Gdybym jechał, tobym się zatrzymał. Ale nie jechałem.

Od dwóch dni parkowałem na drodze dojazdowej na terenie cmentarza Kensico w Valhalli, stan Nowy Jork. Żeby się tam dostać z Birdwood w Nebrasce, musiałem lecieć dwoma samolotami, pojechać wynajętym samochodem z lotniska krajowego w Westchester. Zrobiłem jeden przystanek przy miejscowym Stop & Shop, żeby załadować prowiant i wodę.

Drugim miejscem, w którym się zatrzymałem po drodze, był parking przy Radio Shack, gdzie kupiłem ładowarkę do telefonu komórkowego podłączaną do zapalniczki w samochodzie. Długowłosy sprzedawca błądzący alejką próbował mi wcisnąć zapasową baterię, która pozwala na dodatkowe sześć godzin rozmów.

– Dobrze wiedzieć – powiedziałem mu. Innymi słowy, dziękuję, ale nie.

Prawda jest taka, że nie potrzebowałem nawet tego czasu na rozmowy, który miałem. Nie mogłem ryzykować, że zostanę namierzony przez GPS, więc włączałem komórkę raz na kilka godzin i tylko po to, żeby sprawdzić wiadomości.

Te od Driesena napłynęły po pierwszych dwudziestu czterech godzinach. Co do tych od Sarah, nie spodziewałem się żadnych i żadne nie przyszły. Z pewnością w głębi duszy czuła się urażona, że pozostawiłem ją w nieświadomości, ale z pewnością musiała wiedzieć, że mam swoje powody. Niebawem je pozna. Jedyne pytanie, czy miałem rację.

Po raz enty przeskanowałem wzrokiem pole kamieni nagrobnych, po czym podniosłem bilecik, który Ned dołączył do kwiatów. Nie miałem potrzeby znowu go czytać; znałem treść na pamięć. Prawdę mówiąc, znałem na pamięć cały poemat, od jedenastej klasy angielskiego u pani Lindstrom w Keith Academy.

*Ciągnie mnie w mroczną głębię tej kniei\*.*

Ned oczywiście nie podpisał bileciku. Nie musiał. Spodziewał się, że będziemy wiedzieli, że kwiaty są od niego.

Ale dlaczego poemat? I ze wszystkich poematów dlaczego akurat *Przystając pod lasem w śnieżny wieczór* Roberta Frosta?

Jakie obietnice masz do dotrzymania, Ned?

Byłem przekonany, że odpowiedź trzymam w drugiej ręce.

Był to list, który znalazłem za zdjęciem Nory, w oprawce schowanej na dnie skrzynki z zabawkami pod łóżkiem Neda. Wciąż nie wiedziałem, dlaczego miał te wszystkie samochody DeLorean. Ale wiedziałem, dlaczego zatrzymał list. Był od Nory.

---

\* Tłum. S. Barańczak.

„Kochany bracie", tak się zaczynał.

Napisany był w tonie starszej siostry i pełen miłości, z całą pierwszą stroną poświęconą pytaniom o jego pracę i życie w Kalifornii. Miałem niewiele wątpliwości, że naprawdę go kochała. „Jestem z ciebie taka dumna", powtórzyła wiele razy. Potem strona druga.

Zmiana tematu na jej życie, w tragicznym tonie. „Ned, jesteś jedyną osobą, której mogę o tym powiedzieć".

Zakochała się w „niewłaściwym człowieku", w kimś, kto nie był tym, za kogo się podawał. Wszystko okazało się kłamstwem. Jego praca, jego zamiary, nawet jego nazwisko.

„Jestem w niebezpieczeństwie, czuję to. Agent John O'Hara sprowadzi na mnie śmierć, Ned".

Nie rozpisywała się, nie podała dalszych szczegółów. Zamieściła tylko prośbę, na wypadek gdyby jej złe przeczucia się sprawdziły.

„Obiecaj, że mnie odwiedzisz. I kiedy to zrobisz, przynieś mi żółte lilie, jak wtedy po tej strasznej nocy, kiedy byliśmy dziećmi, małymi dziećmi. Tylko dziećmi".

Z powodu tej prośby wciąż siedziałem w samochodzie w ulewnym deszczu. Czekałem i czekałem, żeby Ned w końcu się pokazał. Żeby dotrzymał słowa danego Norze.

# Rozdział 116

Dostrzegłem w dali żółtą plamę powoli sunącą w ulewie. Pochyliłem się, moje rzęsy praktycznie skrobały o przednią szybę, gdy mrugałem i mrużyłem oczy, żeby zobaczyć, kto tam jest. To mógł być ktokolwiek, ale to nie był ktokolwiek. Ned szedł ze schyloną głową, czapka baseballowa Metsów przysłaniała jego twarz. A jednak nie miałem wątpliwości, dokąd się kieruje z tymi żółtymi liliami. Prosto do grobu siostry.

Chwyciłem klamkę, pociągnąłem ją lekko i bezgłośnie. Czas się zmoczyć.

Bądź szybki, O'Hara. I staraj się nie rzucać w oczy. Nie daj się zabić tej nocy.

Ścieżka od samochodu do pierwszego nagrobka biegła prosto jak strzelił. Potem posuwałem się zygzakiem, trasą już zaplanowaną i przećwiczoną. Deszcz stał się teraz moim sprzymierzeńcem, szum zagłuszał kroki. Co więcej, zmuszał Neda do patrzenia w dół. Szedł, wtulając głowę w ramiona.

Jeszcze jeden zyg i zak i przypadłem za nagrobkiem, przyciskając plecy do granitu tak mocno, że czułem okruchy kwarcu przez przemoczoną koszulkę.

Grób Nory znajdował się jakieś pięć, może sześć metrów dalej. Dziwne, widziałem teraz jej twarz. Miałem tyle wspomnień o niej. O nas obojgu. Rzuciłem okiem i zobaczyłem, że Ned i lilie są może dziesięć metrów za nagrobkiem. Wyjąłem pistolet. Gdy policzę do pięciu, znajdzie się w moim zasięgu. Odliczyłem, a potem...

– Stać! – wrzasnąłem, skacząc na równe nogi.

Lilie wysunęły się z jego rąk, gdy spojrzał na mnie spod czapki. Szeroko otworzył oczy z zaskoczenia, a potem jeszcze szerzej ze strachu. Nie miał pojęcia, co się święci.

Cholera! Ja nie miałem pojęcia, kto to taki.

– Ręce do góry! – krzyknąłem, zbliżając się do niego, kimkolwiek był.

Po reakcji na widok broni można poznać, czy ktoś stanowi prawdziwe zagrożenie. Jeśli patrzy na pistolet, nie jest groźny.

Ten facet nie stanowił dla mnie zagrożenia.

– Kim jesteś? – zapytałem. Był tak zajęty wlepianiem oczu w mój pistolet, że musiałem go spytać dwa razy.

– Pracuję tutaj – odparł w końcu.

Przyjrzałem mu się uważnie. Jasne, nosił robocze buty i kombinezon z nadrukiem KENSICO nad sercem. Prawdopodobnie grabarz.

– Jak się nazywasz? – zapytałem.

– Ken. Po prostu Ken.

– Dla kogo te kwiaty?

– Dla niejakiej Nory Sinclair. Tu jest jej nagrobek – powiedział, wskazując ręką. – Kim pan jest?

Opuściłem pistolet, podszedłem do faceta i pokazałem mu legitymację.

– Aha – mruknął, łącząc fakty. – Jest pan tym w samochodzie, racja?

Skinąłem głową.

– Tak. Jestem tym w samochodzie.

– Mój szef przykazał, że nie wolno mi pytać, kim pan jest. To ma sens.

Kolana już mu się nie trzęsły. Ken się pochylił, żeby pozbierać lilie. Tymczasem mój umysł już kombinował, jak namierzyć Neda przez kwiaciarnię, w której zamówił kwiaty. Skąd dzwonił? Czy posłużył się skradzioną kartą kredytową? Czy znów z niej skorzysta?

– Przepraszam, co mówiłeś? – zapytałem.

Ken coś powiedział, ale go nie usłyszałem. Podniósł ostatnią lilię.

– Ten facet mi powiedział, że naprawdę się rozkleja, kiedy stoi przy grobie – powiedział.

– Chwileczkę, co? Jaki facet?

– Dał mi pięćdziesiąt dolców, żeby je tu przynieść – powiedział, prostując się. – Najłatwiejsza forsa, jaka kiedykolwiek...

– Padnij! – wrzasnąłem.

# Rozdział 117

Huknął strzał, czapka Kena wzleciała w powietrze. Potem odebrał wiadomość i rozpłaszczył się na ziemi. Odczołgał się i uciekł.

Gdy zanurkowałem za najbliższy nagrobek, poczułem gorące pieczenie w łydce. Ned nie miał zamiaru chybić drugi raz.

– Rzuć to! – krzyknął.

Pozbierałem się na kolana, gotów do dobrego staroświeckiego pojedynku. Kiedy się odwróciłem, zobaczyłem Neda i jego pistolet Browning Hi-Power Mark III. Musiał pędzić biegiem ze swojej kryjówki, żeby dotrzeć do mnie tak szybko.

Powoli rzuciłem mojego glocka na ziemię. Ned kopnął go w mokrą trawę, po czym popatrzył na mnie z uśmiechem.

– A niech mnie, jeśli to nie John O'Hara – powiedział.

W odpowiedzi błysnąłem sztucznym uśmiechem, rozkładając ręce.

– Jeden jedyny.

Zachichotał.

– Dobrze. Sprytny.

– Niestety, nie tak sprytny jak ty.

– Prawda, choć zasługujesz na uznanie z racji tego, że dotarłeś tak daleko.

Dziwne, naprawdę się wydawało, że mówi szczerze. Napędzała go żądza zemsty, ale było tak, jakby naprawdę zależało mu na uczciwej walce. Stąd jego wskazówki; sposób, w jaki niemal testował Sarah i mnie.

– Skąd wiedziałeś, że tu będę? – zapytałem.

– Skłamałbym, mówiąc, że wiedziałem na pewno. Ale chyba wiedziałem stąd co i ty. Matematyka.

Nie nadążałem.

– To tak zwany ciąg Fibonacciego – kontynuował. – Każda następna liczba w ciągu zawsze jest sumą dwóch liczb ją poprzedzających. Pięć, osiem, trzynaście, dwadzieścia jeden, trzydzieści cztery. W pewien sposób to podstawa całego rozumowania dedukcyjnego.

Wpatrywałem się w Neda, słuchając każdego jego słowa. Gdyby nie pistolet wycelowany w moją pierś, mógłby prowadzić wykład na Uniwersytecie Kalifornijskim. Gdzie jest gniew? Gdzie nienawiść do mnie? Był spokojny. Zbyt spokojny. Nie mogłem go rozgryźć.

– Naprawdę szkoda – powiedziałem, kręcąc głową. – Wiesz, co mogło być.

Przewrócił oczami.

– Dobrze, połknę haczyk. O co ci chodzi?

– Wiem, co się stało, kiedy ty i Nora byliście dziećmi, znam całą tę straszną historię. Wiem nawet o tym, że wasza matka wzięła winę na siebie.

– Tak? – mruknął. Po raz pierwszy się zdradził. Szybkie mrugnięcie mi powiedziało, że czas nie zaleczył wszystkich ran.

– Więc wyobraź sobie, co mogłoby być, gdyby wasz ojciec nie był potworem. Jak inaczej wyglądałoby życie twoje i Nory.

– Nie zapominaj o swoim życiu. A raczej o tym, ile ci go zostało. – Wskazał zakrwawioną trawę pod moim kolanem. – Jak twoja noga?

– Nie ma obawy, przeżyję – odparłem.

Znów zachichotał.

– Dobry jesteś. Założę się, że rozśmieszałeś również moją siostrę. Zanim ją zabiłeś.

# Rozdział 118

Ned patrzył na mnie. Zaciskał szczęki, ręka z pistoletem zesztywniała.

– Nie zabiłem jej – powiedziałem. – Bez względu na to, co myślisz, to nie byłem ja.

– Kłamiesz! – warknął. – Bez względu na to, kto to zrobił, ty ponosisz odpowiedzialność. Gdyby nie ty, wciąż by żyła.

Może miał co do tego rację.

Zerknąłem na jego browninga, kropelki deszczu połyskiwały na czarnym epoksydowym wykończeniu.

– Więc dlaczego mnie nie zastrzelisz? – zapytałem. – Skoro tak bardzo na to zasłużyłem.

– Na to też zasłużyłeś! – Ned poderwał prawą nogę, kopnął mnie w żebra. Kiedy padłem na ziemię i skuliłem się z bólu, mogłem myśleć tylko o jednym.

Jak dotąd jest dobrze. Lepiej zostać skopanym niż zastrzelonym.

– Jezu, przepraszam – rzucił Ned sarkastycznie. – Bolało?

Podniosłem się na rękach, żeby spojrzeć mu w oczy. A potem zmusiłem się do uśmiechu.

– Tylko na to cię stać?

Byłem całkiem pewien, że usłyszałem trzask żebra, gdy znów mnie kopnął z całej siły, a miał jej mnóstwo. Był silniejszy, niż się wydawało. I wściekły jak cholera.

Ale dopraszałem się o więcej.

– Śmiało, maminsynku, pokaż mi, co naprawdę potrafisz! Nora cię uwiodła, prawda? Podobnie postąpiła ze mną.

Tym razem celował wyżej, jego but przejechał mi po twarzy. Buch! Ryms! Znów leżałem na ziemi, skulony w pozycji embrionalnej. Moje ręce znajdowały się kilka centymetrów od kostek.

Czułem opuchliznę rosnącą wokół lewego oka, powieka już się zamknęła.

Prawym okiem patrzyłem, jak Ned się cofa, żeby zrobić start z biegu. Wyglądało to tak, jakbyśmy grali w wykopanego, ze mną w roli piłki. Koncentrował się wyłącznie na zadawaniu mi bólu.

O to chodzi, Ned, idź na całość. Gniew, nienawiść...

Twoje ręce.

Opuścił je, trzymał pistolet na wysokości pasa, celując w dół, nie we mnie. Wreszcie, i tylko na ułamek sekundy, gra się zmieniła.

Teraz ja byłem o jeden krok do przodu, z własnym równaniem matematycznym.

Dwa minus jeden wciąż daje jeden.

Nigdy w życiu szybciej nie sięgnąłem po zapasową broń – dziewięciomilimetrową berettę ukrytą w kaburze na łydce. Wyrwałem ją i strzeliłem praktycznie bez celowania.

Kula trafiła Neda w bark, mniej więcej w to samo miejsce, w które postrzelił Sarah. Zatoczył się do tyłu, nogi mu się plątały. Zaczynał rozumieć, co go czeka. Próbował unieść rękę, żeby strzelić, ale byłem na to przygotowany. I zgadnijcie co? Byłem jeszcze bardziej wściekły niż on.

TRACH!

Ten strzał był celniejszy, pocisk uderzył w jego pierś z taką siłą, że niemal ścięło go z nóg. Ale nie upadł.

Potykał się, cofając, krew spływała po jego ubraniu, zmieniając kolor w deszczu. Ciemna czerwień, jasna czerwień, prawie róż.

Gdy znów uniósł pistolet, otworzył usta, żeby coś powiedzieć. Ale jeśli o mnie chodzi, już dość się nagadał. Gadał o wiele za dużo, chory, zwyrodniały sukinsyn.

TRACH!

Huk strzału rozszedł się echem wśród okolicznych dębów, gdy upadłem na plecy. Potem patrzyłem na kłębiące się chmury. Próbowałem odzyskać oddech.

Powoli podczołgałem się do Neda. Moja ostatnia kula trafiła go w serce.

Ned Sinclair zmarł.

Niespełna dwa metry od grobu Nory, swojej siostry. I wiecie co? Oboje byli siebie warci.

# Rozdział 119

W następstwie śmierci Neda Sinclaira jeden z moich palących problemów sam się rozwiązał. Łamiąc połowę zasad z podręcznika FBI, zniweczyłem laury, jakie zebrałem za zidentyfikowanie Mordercy Nowożeńców, i rozwścieczyłem więcej niż kilku zwierzchników, wśród nich Dana Driesena. Ale robiąc to, zamknąłem sprawę zabójcy budzącego lęk w sercu każdego Johna O'Hary w kraju, łącznie z tym, który przypadkiem był szwagrem prezydenta.

Nie wylali mnie. Nawet nie zostałem zawieszony. Frank Walsh wciąż chciał, żebym się widywał z doktorem Adamem Kline'em, ale gdy zacny doktor usłyszał o mojej małej wycieczce, na którą się wybrałem po kilku dniach dochodzenia do siebie w domu w Riverside, zadecydował, że jego praca ze mną jest skończona.

– To świadczy o prawdziwej odwadze – powiedział podczas mojej ostatniej wizyty w jego gabinecie. – Postąpiłeś właściwie. Według mnie jesteś zdrowy.

Nie miałem pewności co do tej części o odwadze, ale jeszcze

zanim zadzwoniłem do drzwi domu Stephena McMillana, wiedziałem, że postępuję właściwie.

Był to mój jedyny problem, który nie chciał się sam rozwiązać.

Siedziałem w salonie McMillana, słuchając płynących z głębi serca przeprosin za spowodowanie śmierci Susan. Nie wątpiłem, że każde jego słowo jest szczere i prawdziwe jak łzy spływające mu po policzkach.

– Wiem, że to żadna pociecha, ale od czasu wypadku nie wziąłem kropli alkoholu do ust – powiedział.

– Zgadza się, to żadna pociecha dla mnie i dla moich dzieci. Ale jestem pewien, że to wiele znaczy dla pana rodziny.

McMillan spojrzał na zdjęcie swojego nastoletniego syna i córki, stojące na stoliku obok jego fotela. Pokiwał głową.

Rozmawialiśmy może tylko minutę dłużej i w tym czasie był albo zbyt rozsądny, albo zbyt przestraszony, żeby poprosić mnie o wybaczenie. Było to coś, czego po prostu nigdy by nie dostał.

Powiedziałem mu, że mogę pogodzić się z tym, że w pełni rozumie swój błąd i jego straszne konsekwencje dla moich chłopców i dla mnie. Wyraził to wystarczająco jasno i uwierzyłem mu na słowo.

– Dziękuję – szepnął.

Później, gdy obaj wstaliśmy, zrobiłem coś, czego sobie nie wyobrażałem. Nigdy w życiu. Przenigdy.

Podałem mu rękę.

– Co sprawiło, że zmienił pan zdanie? – zapytał Harold Cornish, gdy wyszliśmy z domu. Prawnik McMillana, nasz pośrednik, czekał na mnie w holu. – Dlaczego się pan zgodził na spotkanie z moim klientem?

Mógłbym mu opowiedzieć bardzo długą historię o tym, co przeszedłem od dnia, gdy się widzieliśmy podczas jego krótkiej wizyty na moim tarasie za domem. O Marcie Cole. O Nedzie Sinclairze. I o jednej rzeczy, która łączyła nas troje. O jednym szczególnym pragnieniu.

Zamiast tego dokonałem rekapitulacji.

– Zemsta nigdy nie przynosi nic dobrego – powiedziałem.

# Epilog

# Rozdział 120

– Zgoda, ostatni raz – powiedziała Sarah, uśmiechając się do mnie z dziobu. – Jak to się stało, że jesteśmy na tej łodzi?

– Jest tak, jak ci mówiłem. Na skuterach wodnych poznałem faceta, który był mi winien przysługę.

Sarah splotła ręce i w milczeniu czekała na ciąg dalszy. Nie musiała długo czekać. Nie można zbyt długo zbywać pięknej dziewczyny w czarnym bikini.

Opowiedziałem jej o mojej pierwszej podróży do Turks i Caicos, kiedy zaczęła się ta cała wariacka jazda. I w przypadku kanciarza w kąpielówkach Speedo, Pierre'a Simone'a, „wariacką jazdę" rozumiałem jak najbardziej dosłownie.

Być może z małą zachętą ze strony okręgowego komendanta policji Josepha Eldridge'a, Pierre przeszedł samego siebie, żeby spłacić dług.

– Wygrałem ją w pokera – powiedział mi przez telefon z tym swoim francuskim akcentem, nie ujawniając miejsca pobytu. – Pewien facet miał kolor, a ja miałem fula z łódką.

Nie wiedziałem, czy Pierre po prostu nie żartuje. Wszystko jedno. Na jeden cudowny tydzień miałem dwunastometrową catalinę i okazję na odkurzenie moich żeglarskich umiejętności, które opanowałem jako nastolatek podczas trzech wakacyjnych sezonów na obozie żeglarskim zorganizowanym przez miejscowy Związek Młodzieży Chrześcijańskiej.

Miałem również niesamowitego pierwszego mata, który do mnie dołączył. Nawet jej blizny po kulach wyglądały piekielnie seksownie, przynajmniej dla mnie.

– Biorę piwo – powiedziała Sarah, schodząc do kambuza. – Chcesz jedno?

– Jasne – odparłem zza steru.

W Riverside wszyscy byliśmy w domu przez parę tygodni. Max i John Junior nie posiadali się z zachwytu, opowiadając o obozie Wilderlocke, a Judy i Marshall nie posiadali się z zachwytu, opowiadając o swoim rejsie po Morzu Śródziemnym. A jednak, choć wszyscy mieli wspaniałe opowieści, to moją historią o dopadnięciu dwóch seryjnych zabójców nie mogli się nasycić.

– *Doubleheader!* – zawołał Max spod daszka czapki Jankesów, jakby chodziło o podwójny mecz. Gdy usłyszał, że byłem ostatecznym celem Neda Sinclaira, zaproponował proste rozwiązanie. – Powinieneś zmienić nazwisko, tato!

Wszyscy siedzący wokół stołu przy kolacji porządnie się uśmiali. Stanowiło to dla mnie kolejny dowód, że jeśli rodzina jest prawdziwą walutą szczęścia, to jestem bardzo zamożnym człowiekiem.

Oczywiście, mając na koncie czek Warnera Breslowa, nie byłem biedakiem. Dwieście pięćdziesiąt tysięcy dolarów za wyświadczone usługi.

I w domowym sejfie leżała podpisana umowa na premię. Breslow zapytał, czy Max i John Junior dobrze się uczą. „Odrabiają prace domowe?" Zawsze dostawali dobre oceny, ale teraz zyskali jeszcze większy bodziec do nauki. Breslow opłaci ich dalszą edukację.

– Ethan i Abigail uwielbiali dzieci – wyjaśnił. – Dopóki żyję, będę o tym pamiętać, gdy pomyślę o twoich chłopcach.

Szmatławce nadal będą wypisywać paskudne rzeczy o Warnerze Breslowie i możliwe, że niektóre z nich będą prawdą. Ale chciałbym myśleć, że dostrzegłem w nim człowieka, jakiego widziało niewielu innych ludzi. Zobaczyłem po prostu ojca, który głęboko kochał swojego syna.

– Proszę – powiedziała Sarah, wychodząc na pokład.

Podała mi zimne jak lód piwo Turk's Head i trąciliśmy się puszkami, wznosząc toast za nasze piękne, słoneczne popołudnie w raju.

Żadne z nas nie miało kryształowej kuli i wciąż nie wiedzieliśmy o sobie wielu rzeczy, ale wierzyłem, że mamy przed sobą tygodnie, miesiące i lata, żeby wzajemnie się poznać. I jedno wiedziałem na pewno: nie było nikogo innego, z kim wolałbym być na tej łodzi. I miałem całkiem dobre pojęcie, że Sarah czuje to samo.

– Więc dokąd płyniemy? – zapytała.

Uśmiechnąłem się.

– Dobre pytanie.

Oboje się rozejrzeliśmy. Wokół nas nie było niczego oprócz błękitnego nieba, błękitnej wody i nieskończonych możliwości dla nas obojga.

Sarah stanęła za mną przy sterze, objęła mnie w talii. Szepnęła mi do ucha:

– Przekonajmy się, Johnie O'Hara, dokąd nas wiatr zaniesie.

# Spis treści